1.00

4

LE MEUNIER D'ANGIBAULT

GEORGE SAND

Le Meunier d'Angibault

ÉDITION PRÉSENTÉE, ÉTABLIE ET ANNOTÉE PAR BÉATRICE DIDIER

→ · Publication : 1845
→ · Influence de Pierre Leroux : socialiste
/ Vie libre (pantalon, cigare, amants)
/ Aurore Dupin, pseudonyme George Sand
/ Oeuvre, vie évoluent avec passions, convictions
/ Dans roman condamnation de l'argent. Surtout celle qui n'a pas été durement gagnée
/ Roman représente la réalité du coin du Berry
→ · 1830-1848 monarchie de juillet : Louis-Philippe devient plus autoritaire et l'économie écopo elle profite qu'à la bourgeoisie.

LE LIVRE DE POCHE

Béatrice Didier. — Auteur d'essais, principalement sur les XVIIIᵉ et XIXᵉ siècles et la littérature moderne (*L'Imaginaire chez Senancour, Le XVIIIᵉ siècle, Sade, Un dialogue à distance : Gide-Du Bos, Le Journal intime, L'Écriture-Femme, Stendhal autobiographe,* etc.). Derniers ouvrages parus : *George Sand écrivain, « Un grand fleuve d'Amérique »,* PUF, 1998 ; *La Chartreuse de Parme ou la Dictée du bonheur,* Klincksieck, 2002. Dirige la collection « Écriture » aux PUF. Professeur à l'École normale supérieure (Ulm).

PRÉFACE

Le Meunier d'Angibault, roman socialiste ?

Avec cette prodigieuse faculté de créer qui est la sienne, George Sand, à peine sortie de l'énorme travail que demandèrent *Consuelo* et *La Comtesse de Rudolstadt* (1842-1843), écrit, coup sur coup, dans l'année 1844, *Jeanne* et *Le Meunier d'Angibault* qui paraîtra en 1845. Elle se plaint de sa fatigue, elle demande grâce, et pourtant elle écrit avec cette facilité, cette rapidité qui ne manquent pas d'être fascinantes comme un phénomène de la nature. L'encre coule comme l'eau de la Vauvre, et tourne le moulin. Si le lecteur naïf — le meilleur, bien entendu — se laisse entraîner par le plaisir de la lecture qui répond à ce plaisir de l'écriture, si tout le monde connaît le titre si beau par sa sonorité même et par sa simplicité : *Le Meunier d'Angibault*, il n'en reste pas moins que pour le lecteur un peu informé — le pire des lecteurs — le roman est victime de ses étiquettes. Or il en a deux, suivant le type d'interprétations vers lequel on penche : il est considéré comme un roman

« socialiste », d'un socialisme utopique et romantique
certes, mais socialiste quand même ; ou bien il est analysé comme le premier d'une grande série des romans
champêtres, série dans laquelle s'inscriront *La Mare
au Diable*, *François le Champi*, *La Petite Fadette*, et,
en partie, *Les Maîtres sonneurs*. Essayons d'enlever
les étiquettes, c'est encore ce que le critique peut
faire de mieux.

Roman socialiste ? Oui et non, à condition de voir
ce que signifie le socialisme en 1844 et en quoi
un roman peut être « socialiste ». À la différence des
Maîtres sonneurs, le *Meunier* se situe donc avant
1848 et les désillusions que la révolution put entraîner
chez les intellectuels. Il se place dans ce grand mouvement de pensée qui se développe en France entre
les « Glorieuses » de 1830 et 1848 et où se retrouvent
des penseurs aussi différents que les saint-simoniens,
qui voient dans l'industrialisation le salut de l'humanité future, que les chrétiens plus ou moins sociaux,
autour de Lamennais, que les fouriéristes qui cher-
chent le salut dans les phalanstères, associations cor-
poratives de production et de consommation. C'est
l'époque où les écrivains romantiques, qui connaissent plus ou moins ces courants de pensée, élaborent
une conception du peuple dont on n'a pas manqué de
montrer les ambiguïtés[1]. D'abord il s'agit de distinguer le « vrai » peuple de la canaille dangereuse et, à
partir de là, de valoriser ce peuple comme refuge de

---

1. Voir V. Brombert, *Hugo et le roman visionnaire*, P.U.F.,
1985, p. 287 et 297.

vertus primitives, en exprimant un message social qui s'adresse essentiellement aux bourgeois (parmi lesquels se recrutent la majorité des lecteurs) et qui se contente souvent d'être philanthropique et d'espérer que le riche se dépouillera spontanément sans que le peuple ait besoin de recourir à la violence. Certes ce résumé, par sa brièveté même, est forcément caricatural, et sans vouloir faire l'historique de la pensée sociale des romantiques, encore faudrait-il établir des distinctions entre Lamartine, Hugo, etc., sans oublier qu'un même écrivain, et Hugo en est bien l'exemple, est susceptible d'évoluer, sinon de changer totalement d'orientation. Cependant ce socialisme romantique a été l'objet de beaucoup d'attaques, et qui émanent de points de vue divers. On lui reproche tantôt une orientation gauchisante, tantôt au contraire de chercher, plus ou moins consciemment, à « désamorcer » la violence par de bonnes paroles, tout en voulant conserver les valeurs de base de la classe à laquelle appartiennent les écrivains, et en particulier la propriété. Comme le fait très justement remarquer Max Milner[1], il y a dans ce procès que l'on intente au socialisme romantique un refus de faire entrer en ligne de compte des perspectives historiques, qui est de mauvaise méthode. On ne peut reprocher à Fourier (mort en 1825) de n'avoir pas lu le *Capital* ! mais, inversement, le socialisme allemand est très redevable à ce premier socialisme français.

George Sand, avec sa remarquable faculté de lire, de comprendre, de nouer des amitiés, va fréquenter

---

1. *Le Romantisme, 1820-1843*, Arthaud, 1973, p. 193-199.

aussi bien Lamennais que Louis Blanc, et surtout
Pierre Leroux dont l'influence sur les romans de cette
période est déterminante[1]. Le républicain Michel de
Bourges a donné à sa pensée une orientation nouvelle depuis déjà quelques années, et elle ne croit pas
que le christianisme puisse apporter une solution
au problème social. Nous ne sommes plus dans la
primitive Église ; des associations telles que les pra-
tiquaient les premiers chrétiens sont devenues impen-
sables dans notre société actuelle[2], mais le règne de
l'Église future, telle que Consuelo l'annonçait, cette
église de l'humanité, détachée des dogmes, cet avènement n'est pas encore arrivé, et Marcelle croit
moins que Consuelo que sa venue soit proche : il n'y
a pas dans le *Meunier* les grandes perspectives escha-
tologiques de *La Comtesse de Rudolstadt*, « L'église
des pauvres n'est pas édifiée[3] ». Certes, on trouve
dans *Le Meunier* une exaltation très romantique de la
notion de Peuple : « Ô peuple ! tu prophétises ! [...]
C'est pour toi [...] que Dieu fera des miracles, c'est
sur toi que soufflera l'Esprit saint. Tu ne connais pas
le découragement, toi ; tu ne doutes de rien. Tu sens
que le cœur est plus puissant que la science, tu sens
ta force, ton amour, et tu comptes sur ton inspiration[4]. » Il n'en reste pas moins vrai que le roman
contient une condamnation sans équivoque de l'argent, l'argent du capital qui « n'a pas été gagné par le
travail du pauvre ; c'est de l'argent volé [...]. C'est
l'héritage des rapines féodales [...]. C'est le sang et

---

1. *Cf. infra* et ouvrage de J.-P. Lacassagne cité.   2. *Meunier d'Angibault*, p. 235-236.   3. *Ibid.*, p. 353.   4. *Ibid.*, p. 240.

la sueur du peuple[1] ». Propos si énergiques qu'ils ter-
rifient Véron et l'amènent à renoncer à la publication
du roman[2].

Pourtant Marcelle ne réclame pas une révolution ;
elle propose une solution qui n'est pas violente et qui
est strictement individuelle, et peut-être est-ce là que
réside l'utopie : l'exemple de Marcelle sera-t-il assez
souvent suivi pour qu'il en résulte une transformation de la société ? On peut en douter. En ce qui la
concerne, elle aura fait ce qu'elle pouvait. Marcelle
est une Candide du socialisme, et non seulement par
sa candeur, mais aussi parce que en définitive elle se
contente de cultiver son jardin. Si on la compare à
Consuelo partant sur les routes prêcher de village en
village la bonne nouvelle, on sera peut-être tenté de
voir là un recul. On sera frappé aussi par le contraste
qui existe entre l'image de la Révolution dans l'un et
l'autre roman. Lumière d'une aube nouvelle à l'horizon dans *Consuelo* ; passé sinistre d'obscurité trouée
par le feu des chauffards dans le *Meunier*. Faut-il
supposer un retournement idéologique de George Sand
dans l'année 1844 ? Je ne crois pas. Sa pensée n'a
pas changé alors ; ce qui a changé, c'est le genre littéraire choisi : *Consuelo* est un roman épique, qui
représente un XVIIIe siècle mythique (quoique G. Sand
se soit beaucoup souciée de la vérité des détails), traversé par les lumières entrecroisées des philosophes
et de l'illuminisme, tendu vers l'aurore d'un monde

---

1. *Ibid.*, p. 242. Le célèbre pamphlet de Proudhon, *Qu'est-ce
que la propriété ?* date de 1840. **2.** *Cf. infra*, p. 461 *sqq.*
« Commentaires ».

nouveau. *Le Meunier d'Angibault* n'a pas de telles prétentions : il représente la réalité d'un coin du Berry vers 1840[1] où certes tel individu peut tenter des réformes, où Leroux peut installer à Boussac une imprimerie modèle, mais où la vie paysanne demeure inchangée. La Révolution ne l'a pas vraiment transformée au moment même ; la transformation qui est en train de s'opérer est plus lente, finalement plus profonde, mais elle ne se fait pas en faveur des pauvres, loin de là ; elle provient de l'enrichissement de ces gros paysans devenus bourgeois, et fiers de l'être, et dont Bricolin est le symbole. La véritable audace du *Meunier d'Angibault* ce n'est pas de mettre en scène une aristocrate renonçant à ses biens (renoncement qui est d'ailleurs en partie involontaire), et épousant un prolétaire — les « mésalliances » constituent un lieu commun romanesque —, c'est de peindre avec un tel réalisme le mécanisme de l'argent dans la transformation du paysan en bourgeois. Si le *Meunier* est un roman socialiste, c'est par la façon dont il dénonce le pouvoir de l'argent, beaucoup plus que par l'utopie qu'il propose et dont Marcelle est le symbole.

Et c'est là le trait de génie de George Sand. Elle fait coexister dans *Le Meunier d'Angibault* les deux façons fondamentales dont un roman peut être porteur d'idées sociales. Marcelle et Henri représentent

---

1. Le vieux Bricolin et l'oncle Cadoche étaient jeunes lors de la Révolution ; on supposera qu'ils sont nés vers 1765-1770 et que lors du roman ils ont dépassé soixante-dix ans, ce qui nous situe l'action au moment où G. Sand écrit, à peu de chose près.

une possibilité, celle du roman utopiste, dont la forme moderne est peut-être le roman idéologique où l'intellectuel (dont Henri est déjà une ébauche) expose, grâce à de longues conversations, ses théories révolutionnaires. Mais il y a une autre possibilité, celle du réalisme qui permet de peindre minutieusement le mécanisme de l'organisation économique et sociale, et de laisser le lecteur en tirer les conséquences : c'est ce que fait George Sand quand elle peint le père Bricolin. La première solution est dangereuse pour l'art romanesque, et il ne faut en user qu'avec beaucoup d'habileté[1]. Rien de plus ennuyeux que les conversations d'intellectuels qui exposent des idées dans le roman ; l'intérêt dramatique languit et le lecteur se dit qu'il n'est pas là pour lire un traité, mais une histoire. Or on constatera que G. Sand a usé du procédé avec beaucoup de discrétion. Henri et Marcelle, certes, exposent leurs idées, mais sans trop de longueur ni de fréquence. Le discours socialiste est moins envahissant dans le *Meunier* que la dissertation philosophique dans *Lélia*. En revanche, George Sand a réussi à tracer une sociologie de l'argent simplement en peignant une famille en train de vivre, et dont la vie fournit l'intrigue même du roman. Car finalement le lecteur s'intéresse plus à l'histoire de Rose et du meunier qui rencontrent des difficultés réelles qu'à celle de la sympathique Marcelle qui est libre finalement d'abolir les barrières la séparant d'Henri. Mais justement parce qu'elle a le sens à la fois du

---

1. Voir S. Suleiman, *Le Roman à thèse ou l'autorité fictive*, P.U.F., 1983.

réel et de l'intrigue romanesque, George Sand se garde bien d'isoler, comme deux mondes incommunicables le couple de l'utopie et le couple de la réalité : Marcelle œuvre à rendre possible le mariage de Rose. Elle se heurte à cette réalité que représente le père Bricolin. Certes, « la réalité […] est toujours un fardeau pour la pensée, surtout pour la pensée utopique », mais « l'utopie fait aussi partie de la réalité[1] ». Ainsi tout se mêle, et naît un roman dense, vrai.

Au rêve rousseauiste de vie pure à la campagne répond une réalité de la campagne qui n'est en rien maquillée ni embellie. Elle est pauvre, dure, ravagée par l'alcoolisme. Bricolin boit trop et devient encore plus brutal quand il est ivre. Le père Cadoche est soûl. Mais les personnages les plus sobres, Jenny ou la meunière, « comme tous les paysans », croient « à la vertu infaillible du vin et du *brandevin*[2] ». La violence est de tous les moments. Lorsque des troubles politiques de la Révolution lui donnent libre cours, elle aboutit à ces scènes de torture dont le souvenir halluciné traverse à plusieurs reprises le texte, souvenir qui explique le gâtisme du vieux Bricolin et le délire de Cadoche. Le moteur profond, c'est le goût de l'argent. Si les chauffards brûlent les pieds de Bricolin, c'est pour qu'il dise où il a caché son trésor ; mais Bricolin préfère être torturé que dépouillé. Avec les transformations sociales du XIXᵉ siècle, le goût de l'argent chez le paysan va prendre une forme accrue :

---

1. Volker Braun, *Libres propos de Hinze et Kunze*, trad. G. Badia et V. Jezenski, éd. Messidor, 1985, p. 24. 2. *Le Meunier d'Angibault*, p. 408. Voir p. 253.

la volonté d'acquérir des terres. G. Sand a souvent montré dans ses romans, les paysans fous de la terre, s'endettant sans fin et sans issue pour devenir propriétaires. Le père Bricolin a patiemment guetté toutes les erreurs et les négligences du seigneur de Blanchemont, accumulé les économies dans l'attente de ce jour où il pourrait acquérir Blanchemont. À cela il a tout sacrifié. Il a préféré que sa fille aînée devienne folle plutôt que d'épouser quelqu'un qui ne fût pas riche ; il lésine et la laisse sans soins ; lors de l'incendie, il s'inquiète plus de ses biens que de Rose. L'atmosphère est sinistre dans la maison Bricolin. « Entre la folle et l'idiot, Mme de Blanchemont se sentit saisie d'une terreur instinctive et d'une tristesse profonde[1]. » On le comprend. Mais la folle comme l'idiot sont les victimes de l'argent. La campagne que peint George Sand n'a rien de très réjouissant ! On n'hésite pas à y écraser un vieux parce qu'il gêne le chemin ; les faibles sont broyés, inexorablement.

Et pourtant il y a des êtres fondamentalement bons comme le meunier, il y a des paysages si beaux que G. Sand écrira : « après avoir vu l'Italie, Majorque et la Suisse, trois contrées au-dessus de toute description, je ne puis rêver pour mes vieux jours qu'une chaumière un peu confortable dans la Vallée-Noire[2] ». La Vallée-Noire est un « enchantement continuel pour l'imagination[3] ». La nature est si belle, elle « apparaît si complète dans sa beauté, qu'on peut dire avoir vu

---

1. *Le Meunier d'Angibault*, p. 250-251.　**2.** *La Vallée-Noire*, paru à la suite du *Secrétaire intime* (éd. 1857), p. 291.
3. *Meunier*, p. 62.

parfois, en songe, le paradis terrestre[1] ». Et George Sand ne se contente pas d'aimer passionnément les paysages de la Vallée-Noire, elle peint ses habitants avec une sorte de tendresse. Elle décrit un monde plein de saveurs, fait l'éloge de la couette si douillette, et de la « fromentée », du gâteau de poires, des truites, de la « salade à l'huile de noix bouillante », du fromage de chèvre et des « fruits un peu verts[2] ». Elle nous met l'eau à la bouche. Elle décrit avec beaucoup de précision la bourrée berrichonne, évoque la musique des cornemuseux, les légendes et les superstitions. Le Berry de George Sand, paradoxalement, est réel en cela aussi qu'il est envahi par la croyance du fantastique. On risque d'y rencontrer le diable à la croisée des chemins la nuit ; le mendiant passe pour un peu sorcier ; les farfadets et les fadettes ne sont pas loin, présence d'un monde très ancien et qui survit encore au début du XIXe siècle tandis qu'au « jour d'aujourd'hui », pour reprendre l'expression chère à Bricolin, on ne croit plus qu'à l'argent.

Là où l'observation de G. Sand est peut-être la plus originale, c'est en ce qui concerne le langage berrichon. Elle entreprendra à plusieurs reprises cette réhabilitation du patois qui a tenté beaucoup de romantiques mais qu'elle était certainement capable de faire mieux que d'autres. Or, à l'intérieur du Berry, la Vallée-Noire lui paraît comme le point où le langage est le plus pur : « C'est dans la Vallée-Noire qu'on parle le vrai, le pur berrichon, qui est le vrai français de

---

1. *Ibid.*, p. 78.   2. *Ibid.*, p. 76 et p. 91.

Rabelais [1]. » Même si le rapprochement avec Rabelais demanderait des nuances, il n'en est pas moins intéressant, car il exprime un désir de réhabiliter les parlers provinciaux, de leur donner la dignité d'une vraie langue. Le patois n'est pas une déformation, c'est une langue qui a ses lois. « La grammaire berrichonne est pure de tout alliage et riche de locutions perdues dans tous les autres pays de langue d'oïl » — ainsi certain plus-que-parfait du subjonctif. « Le paysan a ses règles de langage dont il ne se départ jamais, et en cela son éducation faite sans livres, sans grammaire, sans professeur, et sans dictionnaire, est très supérieure à la nôtre. » Il n'écrit pas, mais « sa prononciation orthographie avec une exactitude parfaite [2] ».

Un roman n'est pas une étude linguistique. Tout l'art de George Sand va consister à doser très savamment l'emploi du patois dans un texte français. Elle a, dans plusieurs préfaces de ses romans champêtres, montré la difficulté à laquelle elle se heurtait en voulant faire parler des paysans, mais en devant être lue par des bourgeois, des citadins, seul véritable public alors. Quelques mots pourront être compris, non des phrases entières. D'où la création d'un langage romanesque original, un peu à mi-chemin entre le personnage et le lecteur. Les mots spécifiques émaillent le texte, la plupart du temps en italique ; mais le reste de la phrase du personnage berrichon n'est pas du langage de Paris, il reproduit certaines particularités syntaxiques, utilise des mots berrichons quelque peu traduits. Ainsi se crée un langage qui n'est pas exac-

---

1. *La Vallée-Noire*, p. 297.   2. *Ibid.*, p. 298.

tement de l'ordre du vrai, mais du vraisemblable et de l'art, langue savoureuse, comme sont savoureuses les nourritures de la campagne.

Cet art de G. Sand, il apparaît aussi dans l'organisation du récit. La vision réaliste et critique de la puissance de l'argent va, en effet, se retrouver dans les structures de l'intrigue, avec ses parallélismes. Le couple Marcelle-Henri risque d'être divisé par la différence de leur situation économique et financière. Mais le même problème se retrouve chez le grand Louis pour qui Rose est trop riche ; et un autre couple est présent aussi de façon plus ou moins fantasmatique et menaçante : celui de la folle et de Paul. Le mariage n'a pas été conclu, aussi à cause de l'argent ; la Bricoline en a perdu la raison et elle erre en appelant Paul, si bien que le roman est traversé par son cri et qu'elle préfigure le sort qui pourrait être celui des deux autres couples si l'obstacle de l'argent n'était franchi. Deux voix s'opposent : celle de la Bricoline qui appelle en vain : « Paul ! Paul ! es-tu là, Paul ? » ; celle de son père qui raisonne : « au jour d'aujourd'hui », c'est-à-dire au jour de l'argent, au moment où il peut en tirer le meilleur parti. Par ce personnage étonnant de la folle et par ses apparitions nocturnes, G. Sand rejoint, certes, une tradition du roman noir et romantique, mais en la situant dans ce contexte de paysannerie, elle lui donne une réalité que n'ont pas toujours les personnages des romans noirs. La Bricoline est vraie, parce qu'elle est une victime de l'argent, et que la séparation des amants n'a pas d'autres causes que le caractère sordide du père Bricolin.

Grâce à ce fort contexte économique, l'imaginaire

de G. Sand demeure toujours ancré dans la réalité. On n'aurait pas de peine à retrouver dans le texte certains leitmotive qui lui sont chers ; ainsi l'opposition d'un univers matriarcal et d'un monde patriarcal. Chez les Bricolin le groupe familial s'organise de la façon la plus traditionnelle, et l'autorité du père est fortement soulignée ; chez le meunier au contraire nous voyons une figure de la parenté qui est aussi celle de *François le Champi* : la mère et le fils. Même structure d'ailleurs avec Marcelle et Édouard. On aura vite fait de constater que le mal se trouve du côté de la structure patriarcale, et le bien du côté de la structure matriarcale. Pourtant le roman va vers un retour au système familial classique avec le mariage de Marcelle et d'Henri, de Rose et du Grand-Louis. On dira peut-être que cet ordre nouveau s'instaure sur un événement bien traditionnel : le double mariage. C'est peut-être là encore le signe de ce réalisme de G. Sand dans le roman. Certes, les deux couples vivront proches l'un de l'autre, collaborant étroitement dans le travail, mettant en commun leurs biens et leurs connaissances ; il ne s'agit pourtant pas de créer un phalanstère à la Fourier, ni même une entreprise du type de celle que propose Leroux à Boussac.

Le roman s'organise aussi en fonction de l'imaginaire des éléments. La terre, la conquête de la terre, est fondamentale ; mais peut-être davantage encore, contrastés, l'eau et le feu. L'arrivée dans la Vallée-Noire se fait dans l'humidité ; les terres sont détrempées ; la voiture s'embourbe ; Marcelle en arrivant dans le pays du meunier pénètre dans le royaume des eaux. Mais l'image du feu apparaît à plusieurs reprises et toujours tragique. C'est l'image hallucinante du feu des « chauffards », dans cet obscur passé dont le vieux Bricolin et Cadoche ne parviennent pas à se détacher. C'est surtout l'incendie déclenché par la folle et qui détruit tout. Feu de l'ange exterminateur. Avec le bonheur final, les personnages décident de vivre au bord de la Vauvre, de s'installer définitivement au royaume de l'eau. La présence des éléments contribue donc à créer la cohérence du déroulement romanesque. Mais, si riches de résonances imaginaires que soient l'eau et le feu, ils n'en appartiennent pas moins ici à une réalité historique et économique fortement sentie. George Sand connaît bien l'humidité de sa chère Vallée-Noire ; elle sait aussi à quel point les incendies peuvent prendre des dimensions monstrueuses dans les campagnes, comme les secours sont lents à venir.

Utopie socialiste ? idylle champêtre ? Ces formules nous semblent bien peu rendre compte de la richesse du *Meunier d'Angibault*. Ce roman ne répond pas à la première condition, en quelque sorte étymologique, de l'utopie : être un projet sans lieu (a-topos). Au contraire, ici le rêve est profondément ancré dans une réalité définie géographiquement, économiquement. Ramener le *Meunier* à une double idylle champêtre, c'est banaliser considérablement l'œuvre et lui faire perdre sa saveur. Amour d'une aristocrate pour un homme du peuple ? Le thème est vieux et George Sand en avait déjà elle-même usé dans son second roman *Valentine*. La force du *Meunier* provient de ce que George Sand y instaure un genre littéraire nouveau ou presque (Balzac a publié la première partie des *Paysans* en 1844, mais il ne semble pas que G. Sand puisse connaître ce texte quand elle rédige son roman). Un genre auquel elle va encore donner beaucoup de lustre avec *La Petite Fadette*, *La Mare au Diable*, *François le Champi*, *Les Maîtres sonneurs*. Ce genre n'est pas sans quelque parenté à l'origine avec la pastorale, et c'est peut-être ce que nous sentons dans l'idylle de Marcelle et dans ces nostalgies de l'âge d'or que peuvent éprouver les personnages. On a dit que George Sand s'était réfugiée dans le roman champêtre pour fuir la réalité politique de son temps. Cette analyse ne me convainc guère, ou plutôt elle n'est efficiente que si l'on s'obstine à voir dans ses romans du Berry des idylles. George ne fuit pas la réalité ; elle s'y plonge : une réalité qui pour avoir des aspects poétiques, n'en est pas moins souvent sordide et tragique. Une réalité qu'elle veut donner dans sa totalité grâce à son art. Et tout de suite, elle assigne un rôle au romancier paysan, celui d'être un traducteur entre le paysan et le lecteur parisien (qui, surtout à cette époque, ne parlent pas la même langue) ; entre la réalité et l'art qui ne peut jamais, si réaliste qu'il se veuille, être une copie conforme du réel, et où, par conséquent, travaillent aussi tout un univers imaginaire, toute une recherche esthétique — ce qui n'enlève pas sa vérité au monde, mais lui permet d'être captée dans l'œuvre littéraire et communiquée au lecteur.

BÉATRICE DIDIER.

LE MEUNIER D'ANGIBAULT

NOTICE

Ce roman est, comme tant d'autres, le résultat d'une promenade, d'une rencontre, d'un jour de loisir, d'une heure de *far niente*[1]. Tous ceux qui ont écrit, bien ou mal, des ouvrages d'imagination ou même de science, savent que la vision des choses intellectuelles part souvent de celle des choses matérielles. La pomme qui tombe de l'arbre fait découvrir à Newton une des grandes lois de l'univers. À plus forte raison le plan d'un roman peut-il naître de la rencontre d'un fait ou d'un objet quelconque. Dans les œuvres du génie scientifique, c'est la réflexion qui tire du fait même la raison des choses. Dans les plus humbles fantaisies de l'art, c'est la rêverie qui habille et complète ce fait isolé. La richesse ou la pauvreté de l'œuvre n'y fait rien. Le procédé de l'esprit est le même pour tous.

Or, il y a dans notre vallée un joli moulin[2] qu'on

---

1. Présentation un peu idyllique de l'écriture que G. Sand avait facile, certes ; mais sur les conditions de composition, voir *supra*.
2. Dans *La Vallée-Noire* (*cf. Biblio*), G. Sand regrettera qu'il ait été par la suite « bien ébranché et bien éclairci » (p. 286).

appelle Angibault, dont je ne connais pas le meunier, mais dont j'ai connu le propriétaire. C'était un vieux monsieur, qui, depuis sa liaison à Paris avec *M. de Robespierre* (il l'appelait toujours ainsi), avait laissé croître autour de ses écluses tout ce qui avait voulu pousser : l'aune et la ronce, le chêne et le roseau. La rivière, abandonnée à son caprice, s'était creusé, dans le sable et dans l'herbe, un réseau de petits torrents qu'aux jours d'été, dans les eaux basses, les plantes fontinales couvraient de leurs touffes vigoureuses. Mais le vieux monsieur est mort ; la cognée a fait sa besogne ; il y avait bien des fagots à tailler, bien des planches à scier dans cette forêt vierge en miniature. Il y reste encore quelques beaux arbres, des eaux courantes, un petit bassin assez frais, et quelques buissons de ces ronces gigantesques qui sont les lianes de nos climats. Mais ce coin de paradis sauvage que mes enfants et moi avions découvert en 1844, avec des cris de surprise et de joie, n'est plus qu'un joli endroit comme tant d'autres.

Le château de *Blanchemont*[1] avec son paysage, sa garenne et sa ferme, existe tel que je l'ai fidèlement dépeint ; seulement il s'appelle autrement, et les Bricolin sont des types fictifs. La folle qui joue un rôle dans cette histoire, m'est apparue ailleurs : c'était aussi une folle par amour. Elle fit une si pénible impression sur mes compagnons de voyage et sur moi, que malgré vingt lieues de pays que nous avions faites pour

---

1. Sur son identification avec le château de Sarzay, voir *supra*. Voir *La Vallée-Noire*, p. 295 : « Chez nous, presque pas de châteaux, beaucoup de forteresses seigneuriales, mais en ruines, ouvertes à tous les vents. »

explorer les ruines d'une magnifique abbaye de la Renaissance, nous ne pûmes y rester plus d'une heure. Cette malheureuse avait adopté ce lieu mélancolique pour sa promenade machinale, constante, éternelle. La fièvre avait brûlé l'herbe sous ses pieds obstinés, la fièvre du désespoir !

GEORGE SAND.

Nohant, 5 septembre 1852.

À SOLANGE[1].

Mon enfant, cherchons ensemble.

---

1. La fille de G. Sand, née en 1827 ; elle a donc dix-sept ans quand G. Sand écrit le *Meunier*. Les rapports entre mère et fille furent parfois orageux, surtout dans la suite, et lors de la rupture avec Chopin.

PREMIÈRE JOURNÉE[1]

I

INTRODUCTION[2]

Une heure du matin sonnait à Saint-Thomas-d'Aquin, lorsqu'une forme noire, petite et rapide, se glissa le long du grand mur ombragé d'un de ces beaux jardins qu'on trouve encore à Paris sur la rive gauche de la Seine, et qui ont tant de prix au milieu d'une capitale. La nuit était chaude et sereine. Les daturas en fleur exhalaient de suaves parfums, et se dressaient comme de grands spectres blancs sous le regard brillant de la pleine lune. Le style du large perron de l'hôtel de Blanchemont avait encore un vieux air de splendeur, et le jardin vaste et bien entretenu rehaussait l'opulence apparente de cette demeure

---

1. Cette division en journées fait songer à des récits oraux, un peu comme les « veillées » des *Maîtres sonneurs*. Mais à la différence d'autres romans champêtres, ici il n'y a pas de narrateur qui s'interpose entre la romancière et les personnages.   **2.** Tout ce chapitre est sur un registre totalement différent du reste du roman, il se situe à Paris, dans un style de romantisme quelque peu noir, aux antipodes du réalisme paysan de la suite. G. Sand a-t-elle voulu ainsi établir un contraste, d'ailleurs fort réussi ? Peut-être aussi lorsqu'elle écrit ce chapitre n'a-t-elle pas encore imaginé de façon très précise l'ensemble du roman.

silencieuse, où pas une lumière ne brillait aux fenêtres.

Cette circonstance d'un superbe clair de lune, donnait bien quelque inquiétude à la jeune femme en deuil qui se dirigeait, en suivant l'allée la plus sombre, vers une petite porte située à l'extrémité du mur. Mais elle n'y allait pas moins avec résolution, car ce n'était pas la première fois qu'elle risquait sa réputation pour un amour pur et désormais légitime ; elle était veuve depuis un mois.

Elle profita du rempart que lui faisait un massif d'acacias pour arriver sans bruit jusqu'à la petite porte de dégagement qui donnait sur une rue étroite et peu fréquentée. Presque au même moment, cette porte s'ouvrit, et le personnage appelé au rendez-vous entra furtivement et suivit son amante, sans rien dire, jusqu'à une petite orangerie où ils s'enfermèrent. Mais, par un sentiment de pudeur non raisonné, la jeune baronne de Blanchemont, tirant de sa poche une jolie et menue boîte de cuir de Russie, fit jaillir une étincelle, alluma une bougie placée et comme cachée d'avance dans un coin, et le jeune homme, craintif et respectueux, l'aida naïvement à éclairer l'intérieur du pavillon. Il était si heureux de pouvoir la regarder !

La serre était fermée de larges volets en plein bois. Un banc de jardin, quelques caisses vides, des instruments d'horticulture, et la petite bougie qui n'avait même pas d'autre flambeau qu'un pot à fleurs demi-brisé, tel était l'ameublement et l'éclairage de ce boudoir abandonné qui avait servi de retraite voluptueuse à quelque marquise du temps passé.

Leur descendante, la blonde Marcelle, était aussi

chastement et aussi simplement mise que doit l'être une veuve pudique. Ses beaux cheveux dorés tombant sur son fichu de crêpe noir étaient sa seule parure. La délicatesse de ses mains d'albâtre et de son pied chaussé de satin, étaient les seuls indices révélateurs de son existence aristocratique. On eût pu d'ailleurs la prendre pour la compagne naturelle de l'homme qui était à genoux auprès d'elle, pour une grisette de Paris ; car il est des grisettes qui ont au front une dignité de reine et une candeur de sainte.

Henri Lémor était d'une figure agréable, plutôt intelligente et distinguée que belle. Ses cheveux noirs et abondants assombrissaient sa physionomie déjà brune et fort pâle. On voyait bien là que c'était un enfant de Paris, fort par sa volonté, délicat par son organisation. Son habillement, propre et modeste, n'annonçait que l'humble médiocrité ; sa cravate assez mal nouée révélait une grande absence de coquetterie ou une habitude de préoccupation ; ses gants bruns suffisaient à prouver que ce n'était pas là, comme se seraient exprimés les laquais de l'hôtel de Blanchemont, un homme fait pour être le mari ou l'amant de madame.

Ces deux jeunes gens, à peine plus âgés l'un que l'autre, avaient passé plus d'une fois de doux instants dans le pavillon pendant les heures mystérieuses de la nuit ; mais, depuis un mois qu'ils ne s'étaient vus, de grandes anxiétés avaient assombri le roman de leur amour. Henri Lémor était tremblant et comme consterné. Marcelle de Blanchemont semblait glacée de crainte. Il se mit à genoux devant elle comme pour la remercier de lui avoir accordé un dernier rendez-vous ; mais il se releva bientôt sans lui rien dire, et son attitude était contrainte, presque froide.

« Enfin !... » lui dit-elle avec effort en lui tendant une main qu'il porta à ses lèvres par un mouvement presque convulsif, et sans que sa physionomie s'éclairât du moindre rayon de joie.

Il ne m'aime plus, pensa-t-elle en portant ses deux mains devant ses yeux. Et elle resta muette et glacée d'effroi.

« *Enfin ?* répéta Lémor. N'est-ce pas *déjà* que vous vouliez dire ? J'aurais dû avoir la force d'attendre plus longtemps ; je ne l'ai pas eue, pardonnez-moi.

— Je ne vous comprends pas ! » dit la jeune veuve en laissant retomber ses mains avec accablement.

Lémor vit ses yeux humides, et se méprit sur la cause de son émotion.

« Oh ! oui, reprit-il, je suis coupable ; je vois à votre douleur les remords que je vous cause. Ces quatre semaines m'ont paru si longues, à moi, que je n'ai pas eu le courage de me dire que c'était trop peu ! Aussi, à peine vous avais-je écrit, ce matin, pour vous demander la permission de vous voir, que je m'en suis repenti. J'ai rougi de ma lâcheté, je me suis reproché les scrupules que je forçais votre conscience à étouffer ; et quand j'ai reçu votre réponse, si sérieuse et si bonne, j'ai compris que la pitié seule me rappelait auprès de vous.

— Oh ! Henri, que vous me faites de mal en parlant ainsi ! Est-ce un jeu, est-ce un prétexte ? Pourquoi avoir demandé de me voir, si vous me revenez avec si peu de bonheur et de confiance ? »

Le jeune homme tressaillit, et se laissant retomber aux pieds de sa maîtresse :

« J'aimerais mieux de la hauteur et des reproches, dit-il ; votre bonté me tue !

— Henri ! Henri ! s'écria Marcelle, vous avez donc eu des torts envers moi ? Oh ! vous avez l'air d'un criminel ! Vous m'avez oubliée ou méconnue, je le vois bien !

— Ni l'un, ni l'autre ; pour mon malheur éternel, je vous respecte, je vous adore, je crois en vous comme en Dieu, je ne puis aimer que vous sur la terre !

— Eh bien ! dit la jeune femme en jetant ses bras autour de la tête brune du pauvre Henri, ce n'est pas un si grand malheur que de m'aimer ainsi, puisque je vous aime de même. Écoutez, Henri, me voilà libre, je n'ai rien à me reprocher. J'ai si peu souhaité la mort de mon mari, que jamais je ne m'étais permis de penser à ce que je ferais de ma liberté si elle venait à m'être rendue. Vous le savez, nous n'avions jamais parlé de cela, vous n'ignoriez pas que je vous aimais avec passion, et pourtant voici la première fois que je vous le dis aussi hardiment ! Mais, mon ami, que vous êtes pâle ! vos mains sont glacées, vous paraissez tant souffrir ! Vous m'effrayez !

— Non, non, parlez, parlez encore, répondit Lémor succombant sous le poids des émotions les plus délicieuses et les plus pénibles en même temps.

— Eh bien, continua Mme de Blanchemont, je ne peux pas avoir ces scrupules et ces agitations de la conscience que vous redoutez pour moi. Quand on me rapporta le corps sanglant de mon mari, tué en duel pour une autre femme, je fus frappée de consternation et d'épouvante, j'en conviens ; en vous annonçant cette terrible nouvelle, en vous disant de rester quelque temps éloigné de moi, je crus accomplir un devoir ; oh ! si c'est un crime d'avoir trouvé ce temps bien long, votre obéissance scrupuleuse m'en a assez punie ! Mais depuis un mois que je vis retirée, occupée seulement d'élever mon fils et de consoler de mon mieux les parents de M. de Blanchemont, j'ai bien examiné mon cœur, et je ne le trouve plus si coupable. Je ne pouvais pas aimer cet homme qui ne m'a jamais aimée, et tout ce que je pouvais faire, c'était de respecter son honneur. À présent, Henri, je ne dois plus à sa mémoire qu'un respect extérieur pour les convenances. Je vous verrai en secret, rarement, il le faudra bien !... jusqu'à la fin de mon deuil ; et dans un an, dans deux ans, s'il le faut...

— Eh bien ! Marcelle, dans deux ans ?

— Vous me demandez ce que nous serons l'un pour l'autre, Henri ? Vous ne m'aimez plus, je vous le disais bien. »

Ce reproche n'émut point Henri. Il le méritait si peu ! Attentif jusqu'à l'anxiété à toutes les paroles de son amante, il la supplia de continuer :

« Eh bien ! reprit-elle en rougissant avec la pudeur d'une jeune fille, ne voulez-vous donc pas m'épouser, Henri ? »

Henri laissa tomber sa tête sur les genoux de Marcelle, et resta quelques instants comme brisé par la joie et la reconnaissance ; mais il se releva brusquement, et ses traits exprimaient le plus profond désespoir.

«N'avez-vous donc pas fait du m[...]
triste expérience ? dit-il avec une sort[...]
voulez encore vous remettre sous le jo[...]

— Vous me faites peur, dit Mme de Blanc[...]
après un moment d'effroi silencieux. Sentez-vous don[...]
en vous-même des instincts de tyrannie, ou bien est-
ce pour vous que vous craignez le joug de l'éternelle
fidélité ?

— Non, non, ce n'est rien de tout cela, répondit
Lémor avec abattement ; ce que je redoute, ce à quoi
il m'est impossible de vous soumettre et de me soumettre moi-même, vous le savez ; mais vous ne voulez pas, vous ne pouvez pas le comprendre. Nous en
avons tant parlé cependant, alors que nous ne pen-
sions pas que de pareilles discussions dussent un jour
nous intéresser personnellement, et devenir pour moi
un arrêt de vie ou de mort !

— Est-il possible, Henri, que vous soyez attaché
à ce point à vos utopies ? Quoi ! l'amour même ne
saurait les vaincre ? Ah ! que vous aimez peu, vous
autres hommes ! ajouta-t-elle avec un profond soupir.
Quand ce n'est pas le vice qui vous dessèche l'âme,
c'est la vertu, et de toute façon, lâches ou sublimes,
vous n'aimez que vous-mêmes.

— Écoutez, Marcelle, si je vous avais demandé, il
y a un mois, de manquer à vos principes à vous, si
mon amour avait imploré ce que votre religion et vos
croyances vous eussent fait regarder comme une
faute immense, irréparable…

— Vous ne me l'avez pas demandé, dit Marcelle
en rougissant.

— Je vous aimais trop pour vous demander de

uffrir et de pleurer pour moi. Mais si je l'eusse
ait… Répondez donc, Marcelle !

— La question est indiscrète et déplacée », dit-
elle en faisant un effort d'aimable coquetterie, pour
éluder la réponse.

Sa grâce et sa beauté firent frémir Lémor. Il la
pressa contre son cœur avec passion. Mais, s'arra-
chant aussitôt à ce moment d'ivresse, il s'éloigna, et
reprit, d'une voix altérée, en marchant avec agitation
derrière le banc où elle était assise :

« Et si je vous le demandais, à présent, ce sacrifice
que la mort de votre époux rendrait, à coup sûr, moins
terrible… moins effrayant… »

Mme de Blanchemont redevint pâle et sérieuse.

« Henri, répondit-elle, je serais offensée et blessée jusqu'au fond du cœur d'une semblable pensée,
lorsque je viens de vous offrir ma main et que vous
semblez la refuser.

— Je suis bien malheureux de ne pouvoir me faire
comprendre, et d'être pris pour un misérable, quand
je sens en moi l'héroïsme de l'amour !… reprit-il
avec amertume. Le mot vous paraît ambitieux et doit
vous faire sourire de pitié. Il est vrai pourtant, et
Dieu me tiendra compte de ma souffrance… elle est
atroce, elle est au-dessus de mon courage, peut-être. »

Et Henri fondit en larmes.

La douleur de ce jeune homme était si profonde et
si sincère, que Mme de Blanchemont en fut effrayée.
Il y avait dans ces larmes brûlantes comme un refus
invincible d'être heureux, comme un adieu éternel à
toutes les illusions de l'amour et de la jeunesse.

« Ô mon cher Henri ! s'écria Marcelle, quel mal

avez-vous donc résolu de nous faire à tous deux? Pourquoi ce désespoir, quand vous êtes le maître de ma vie, quand rien ne nous empêche plus d'être l'un à l'autre devant Dieu et devant les hommes? Est-ce donc mon fils qui est un obstacle entre nous? ne vous sentez-vous pas l'âme assez grande pour répartir sur lui une part de l'affection que vous avez pour moi! Craignez-vous d'avoir à vous reprocher un jour le malheur et l'abandon de cet enfant de mes entrailles!

— Votre fils! dit Henri en sanglotant, j'aurais une crainte plus sérieuse que celle de ne l'aimer pas. Je craindrais de l'aimer trop, et de ne pouvoir me résigner à voir sa vie s'engager en sens inverse de la mienne dans le courant du siècle. L'usage et l'opinion me commanderaient de le laisser au monde, et je voudrais l'en arracher, dussé-je le rendre malheureux, pauvre et désolé avec moi… Non, je ne pourrais le regarder avec assez d'indifférence et d'égoïsme pour consentir à en faire un homme semblable à ceux de sa classe; non! non!… cela, et autre chose, et tout, dans votre position et dans la mienne, est un obstacle insurmontable. De quelque côté que j'envisage un tel avenir, je n'y vois que lutte insensée, malheur pour vous, anathème sur moi!… C'est impossible, Marcelle, à jamais impossible! je vous aime trop pour accepter des sacrifices dont vous ne pouvez ni prévoir les résultats ni mesurer l'étendue. Vous ne me connaissez pas, je le vois bien. Vous me prenez pour un rêveur indécis et faible. Je suis un rêveur obstiné et incorrigible. Vous m'avez peut-être accusé quelquefois d'affectation; vous avez cru qu'un mot de vous me ramènerait à ce que vous croyez la raison et la vérité. Oh! je suis plus malheureux que vous ne pensez, et je vous aime plus que vous ne pouvez le comprendre maintenant. Plus tard... oui, plus tard, vous me remercierez au fond de vos pensées d'avoir su être malheureux tout seul.

— Plus tard? et pourquoi? et quand donc? que voulez-vous dire?

— Plus tard, vous dis-je, quand vous vous éveillerez de ce rêve sombre et maudit où je vous ai entraînée, quand vous retournerez au monde et que vous en partagerez les enivrements faciles et doux, quand vous ne serez plus un ange, enfin, et que vous redescendrez sur la terre.

— Oui, oui, quand je serai desséchée par l'égoïsme et corrompue par la flatterie! Voilà ce que vous voulez dire, voilà ce que vous augurez de moi! Dans votre orgueil sauvage, vous ne me croyez pas capable d'embrasser vos idées et de comprendre votre cœur. Tranchons le mot, vous ne me trouvez pas digne de vous, Henri!

— Ce que vous dites est affreux, Madame, et cette lutte ne peut se supporter plus longtemps. Laissez-moi fuir, car nous ne pouvons pas nous comprendre maintenant.

— Vous me quittez ainsi?

— Non, je ne vous quitte pas; je vais, loin de votre présence, vous contempler en moi-même et vous adorer dans le secret de mon cœur. Je vais souffrir éternellement, mais avec l'espoir que vous m'oublierez, avec le remords d'avoir désiré et recherché votre affection, avec la consolation du moins de n'en avoir pas lâchement abusé. »

Mme de Blanchemont s'était levée pour retenir Henri. Elle retomba brisée sur son banc.

« Pourquoi donc avez-vous désiré de me voir ? lui demanda-t-elle d'un ton froid et offensé en le voyant s'éloigner.

— Oui, oui, dit-il, vous avez raison de me le reprocher. C'est une dernière lâcheté de ma part ; je le sentais, et je cédais au besoin de vous voir encore une fois... J'espérais que je vous retrouverais changée pour moi ; votre silence me l'avait fait croire ; j'étais dévoré de chagrin, et je croyais trouver dans votre froideur la force de me guérir. Pourquoi suis-je venu ? Pourquoi m'aimez-vous ? Ne suis-je pas le plus grossier, le plus ingrat, le plus sauvage, le plus haïssable des hommes ? Mais il vaut mieux que vous me voyiez ainsi, et que vous sachiez bien qu'il n'y a rien à regretter en moi... Cela vaut mieux ainsi, et j'ai bien fait de venir, n'est-ce pas ? »

Henri parlait avec une sorte d'égarement ; ses traits graves et purs étaient bouleversés ; sa voix, ordinairement sympathique et douce, avait un timbre mat et dur qui faisait mal à entendre. Marcelle voyait bien sa souffrance, mais la sienne propre était si poignante qu'elle ne pouvait rien faire et rien dire pour leur mutuel soulagement. Elle restait pâle et muette, les mains crispées l'une dans l'autre et le corps raide comme une statue. Au moment de sortir, Henri se retourna, et la voyant ainsi, il vint tomber à ses pieds qu'il couvrit de larmes et de baisers. « Adieu, dit-il, la plus belle et la plus pure de toutes les femmes, la meilleure des amies, la plus grande des amantes ! Puisses-tu trouver un cœur digne de toi, un homme qui t'aime comme je t'aime, et qui ne t'apporte pas en dot le découragement et l'horreur de la vie ! Puisses-tu être heureuse et bienfaisante sans traverser les luttes d'une existence comme la mienne ! Enfin, s'il est encore dans le monde où tu vis un reste de loyauté et de charité humaine, puisses-tu le ranimer de ton souffle divin, et trouver grâce devant Dieu pour ta caste et pour ton siècle que tu es digne de racheter à toi seule ! »

Ayant ainsi parlé, Henri se précipita dehors, oubliant qu'il laissait Marcelle au désespoir. Il semblait poursuivi par les furies.

Mme de Blanchemont demeura longtemps comme pétrifiée. Lorsqu'elle retourna dans son appartement, elle marcha lentement dans sa chambre jusqu'aux premières lueurs du matin, sans verser une larme, sans troubler par un soupir le silence de la nuit.

Il serait téméraire d'affirmer que cette veuve de vingt-deux ans, belle, riche et remarquée dans le monde pour sa grâce, ses talents et son esprit, ne fut pas humiliée et indignée jusqu'à un certain point de voir refuser sa main par un homme sans naissance, sans fortune et sans aucune renommée. La fierté offensée de cette jeune femme lui tint probablement lieu de courage dans les premiers moments. Mais bientôt la véritable noblesse de ses sentiments lui suggéra des réflexions plus sérieuses, et, pour la première fois, elle plongea un profond regard dans sa propre vie et dans la vie générale des êtres dont elle était entourée. Elle se rappela tout ce que Henri lui avait dit en d'autres temps, alors qu'il ne pouvait être question entre eux que d'un amour sans espoir. Elle s'étonna de n'avoir pas assez pris au sérieux ce qu'elle considérait alors comme des idées romanesques chez ce jeune homme véritablement austère. Elle commença à le juger avec le calme qu'une volonté généreuse et forte ramène au milieu des plus violentes émotions du cœur. À mesure que les heures de la nuit s'écoulaient et que les horloges lointaines se les jetaient l'une à l'autre, d'une voix argentine et claire, dans le silence de la grande ville endormie, Marcelle arrivait à cette lucidité d'esprit que le recueillement d'une longue veille apporte à la douleur. Élevée dans d'autres principes que ceux de Lémor, elle avait été pourtant prédestinée en quelque sorte à partager l'amour de ce plébéien, et à s'y réfugier contre toutes les langueurs et toutes les tristesses de la vie aristocratique. Elle était de ces âmes tendres et fortes à la fois, qui ont besoin de se dévouer, et qui ne conçoivent pas d'autre bonheur que celui qu'elles donnent. Malheureuse dans son ménage, ennuyée dans le monde, elle s'était laissée aller avec la confiance romanesque d'une jeune fille à ce sentiment dont elle s'était bientôt fait une religion. Sincèrement dévote dans son adolescence, elle était nécessairement devenue passionnée pour un amant qui respectait ses scrupules et adorait sa chasteté. La piété même l'avait poussée à s'exalter dans cet amour et à vouloir le consacrer par des liens indissolubles aussitôt qu'elle s'était vue libre. Elle avait songé avec joie à sacrifier courageusement les intérêts matériels que prise le monde et les préjugés étroits de là naissance qui

n'avaient jamais trompé son jugement. Elle croyait
faire beaucoup, la pauvre enfant, et c'était beaucoup
en effet ; car le monde l'eût blâmée ou raillée. Elle
n'avait pas prévu que ce n'était rien encore, et que la
fierté du plébéien repousserait son sacrifice presque
comme un affront.

Éclairée tout à coup par l'effroi, la douleur et la
résistance de Lémor, Marcelle repassait dans son
esprit consterné tout ce qu'elle avait entrevu de la
crise sociale où s'agite le siècle. Il n'y a plus rien
d'étranger dans les hautes régions de la pensée aux
femmes de notre temps. Toutes, suivant la portée de
leur intelligence, peuvent désormais, sans affectation et sans ridicule, lire chaque jour sous toutes les
formes, journal ou roman, philosophie, politique ou
poésie, discours officiel ou conversation intime, dans
le grand livre triste, diffus, contradictoire et cependant profond et significatif de la vie actuelle. Elle
savait donc bien, comme nous tous, que ce présent
engourdi et malade est aux prises avec le passé qui le
retient et l'avenir qui l'appelle. Elle voyait de grands
éclairs se croiser sur sa tête, elle pouvait pressentir
une grande lutte plus ou moins éloignée. Elle n'était
pas d'une nature pusillanime ; elle n'avait pas peur et
ne fermait pas les yeux. Les regrets, les plaintes, les
terreurs et les récriminations de ses grands-parents
l'avaient tant lassée et tant dégoûtée de la crainte ! La
jeunesse ne veut pas maudire le temps de sa florai-
son, et ses années charmantes lui sont chères, quelque
chargées d'orages qu'elles soient. La tendre et courageuse Marcelle se disait que, sous le tonnerre et la
grêle, on peut sourire, à l'abri du premier buisson,

avec l'être qu'on aime. Cette lutte menaçante des intérêts matériels lui paraissait donc un jeu. Qu'importe d'être ruiné, exilé, emprisonné ? se disait-elle, lorsque la terreur planait autour d'elle sur les prétendus heureux du siècle. On ne déportera jamais l'amour ; et puis moi, grâce au ciel, j'aime un homme de rien qui sera épargné.

Seulement elle n'avait pas encore pensé qu'elle pût être atteinte jusque dans ses affections, par cette lutte sourde et mystérieuse qui s'accomplit en dépit de toutes les contraintes officielles et de tous les découragements apparents. Cette lutte des sentiments et des idées est dès à présent profondément engagée, et Marcelle s'y voyait précipitée tout a coup au milieu de ses illusions comme au sortir d'un rêve. La guerre intellectuelle et morale était déclarée entre les diverses classes, imbues de croyances et de passions contraires, et Marcelle trouvait une sorte d'ennemi irréconciliable dans l'homme qui l'adorait. Épouvantée d'abord de cette découverte, elle se familiarisa peu à peu avec cette idée, qui lui suggérait de nouveaux desseins plus généreux et plus romanesques encore que ceux dont elle s'était nourrie depuis un mois, et au bout de sa longue promenade à travers ses appartements silencieux et déserts, elle trouva le calme d'une résolution qu'elle seule peut-être pouvait envisager sans sourire d'admiration ou de pitié.

Ceci se passait tout récemment, peut-être l'année dernière.

II

VOYAGE

Marcelle, ayant épousé son cousin germain, portait le nom de Blanchemont, après comme avant son mariage. La terre et le château de Blanchemont formaient une partie de son patrimoine. La terre était importante, mais le château, abandonné depuis plus de cent ans à l'usage des fermiers, n'était même plus habité par eux, parce qu'il menaçait ruine et qu'il eût fallu de trop grandes dépenses pour le réparer. Mlle de Blanchemont, orpheline de bonne heure, élevée à Paris dans un couvent, mariée fort jeune et n'étant pas initiée par son mari à la gestion de ses affaires, n'avait jamais vu ce domaine de ses ancêtres. Résolue de quitter Paris et d'aller chercher à la campagne un genre de vie analogue aux projets qu'elle venait de former, elle voulut commencer son pèlerinage par visiter Blanchemont, afin de s'y fixer plus tard si cette résidence répondait à ses desseins. Elle n'ignorait pas l'état de délabrement de son castel, et c'était une raison pour qu'elle jetât de préférence les yeux sur cette demeure. Les embarras d'affaires que son mari lui avait laissés, et le désordre où lui-même paraissait avoir laissé les siennes, lui servirent de prétexte pour entreprendre un voyage qu'elle annonça devoir être de quelques semaines seulement, mais auquel, dans sa pensée secrète, elle n'assignait précisément ni but ni terme, son but véritable, à elle, étant de quitter Paris et le genre de vie auquel elle y était astreinte.

Heureusement pour ses vues, elle n'avait dans sa famille aucun personnage qui pût s'imposer aisément le devoir de l'accompagner. Fille unique, elle n'avait pas à se défendre de la protection d'une sœur ou d'un frère aîné. Les parents de son mari étaient fort âgés, et, un peu effrayés des dettes du défunt, qu'une sage administration pouvait seule liquider, ils furent à la fois étonnés et ravis de voir une femme de vingt-deux ans, qui jusqu'alors n'avait montré nulle aptitude et nul goût pour les affaires, prendre la résolution de gérer les siennes elle-même et d'aller voir par ses yeux l'état de ses propriétés. Il y eut pourtant bien quelques objections pour ne pas la laisser ainsi partir seule avec son enfant. On voulait qu'elle se fît accompagner par son homme d'affaires. On craignait que l'enfant ne souffrît d'un voyage entrepris par un temps très chaud. Marcelle objecta aux vieux Blanchemont, ses beau-père et belle-mère, qu'un tête-à-tête prolongé avec un vieux homme de loi n'était pas précisément un adoucissement aux ennuis qu'elle allait s'imposer ; qu'elle trouverait chez les notaires et les avoués de province des renseignements plus directs et des conseils mieux appropriés aux localités ; enfin, que ce n'était pas une chose si difficile que de compter avec des fermiers et de renouveler des baux. Quant à l'enfant, l'air de Paris le rendait de plus en plus débile. La campagne, le mouvement et le soleil ne pouvaient que lui faire grand bien. Puis, Marcelle, devenue tout à coup adroite pour triompher des obstacles qu'elle avait prévus et médités durant sa veillée

rapportée au précédent chapitre, fit valoir les obligations que lui imposait le rôle de tutrice de son fils.
Elle ignorait encore en partie l'état de la succession
de M. de Blanchemont ; s'il s'était fait faire des
avances considérables par ses fermiers, s'il n'avait
pas donné de fortes hypothèques sur ses terres, etc.
Son devoir était d'aller vérifier toutes ces choses, et
de ne s'en remettre qu'à elle-même, afin de savoir
sur quel pied elle devait vivre ensuite sans compromettre l'avenir de son fils. Elle parla si sagement de
ces intérêts, qui, au fond, l'occupaient fort peu, qu'au
bout de douze heures elle avait remporté la victoire
et amené toute la famille à approuver et à louer sa
résolution. Son amour pour Henri était demeuré si
secret, qu'aucun soupçon ne vint troubler la confiance
des grands-parents.

Soutenue par une activité inaccoutumée et par un
espoir enthousiaste, Marcelle ne dormit guère mieux
la nuit qui suivit celle de sa dernière entrevue avec
Lémor. Elle fit les rêves les plus étranges, tantôt
riants, tantôt pénibles. Enfin, elle s'éveilla tout à fait
avec l'aube, et, jetant un regard rêveur sur l'intérieur
de son appartement, elle fut frappée pour la première
fois du luxe inutile et dispendieux déployé autour
d'elle. Des tentures de satin, des meubles d'une mol-
lesse et d'une ampleur extrêmes, mille recherches rui-
neuses, mille babioles brillantes, enfin tout l'attirail
de dorures, de porcelaines, de bois sculptés et de fantaisies qui encombrent aujourd'hui la demeure d'une
femme élégante. « Je voudrais bien savoir, pensa-t-elle,
pourquoi nous méprisons tant les filles entretenues.
Elles se font donner ce que nous pouvons nous don-

ner à nous-mêmes. Elles sacrifient leur pudeur à la possession de ces choses qui ne devraient avoir aucun prix aux yeux des femmes sérieuses et sages, et que nous regardons pourtant comme indispensables. Elles ont les mêmes goûts que nous, et c'est pour paraître aussi riches et aussi heureuses que nous qu'elles s'avilissent. Nous devrions leur donner l'exemple d'une vie simple et austère avant de les condamner ! Et si l'on voulait bien comparer nos mariages indissolubles avec leurs unions passagères, verrait-on beaucoup plus de désintéressement chez les jeunes filles de notre classe ? Ne verrait-on pas chez nous aussi souvent que chez les prostituées une enfant unie à un vieillard, la beauté profanée par la laideur du vice, l'esprit soumis à la sottise, le tout pour l'amour d'une parure de diamants, d'un carrosse et d'une loge aux Italiens ? Pauvres filles ! On dit que vous nous méprisez aussi de votre côté ; vous avez bien raison[1] ! »

Cependant, le jour bleuâtre et pur qui perçait à travers les rideaux faisait paraître enchanteur le sanctuaire qu'en d'autres temps Mme de Blanchemont s'était plu à décorer elle-même avec un goût exquis. Elle avait presque toujours vécu loin de son mari, et cette jolie chambre si chaste et si fraîche, où Henri lui-même n'avait jamais osé pénétrer, ne lui rappelait que des souvenirs mélancoliques et doux. C'était là que, fuyant le monde, elle avait lu et rêvé au parfum de ces fleurs d'une beauté sans égale que l'on ne

---

1. Cette réhabilitation de la prostituée est évidemment, un thème cher au romantisme ; mais on voit comment, chez G. Sand, elle s'appuie sur une vigoureuse critique du mariage qui nous ramène aux premiers romans et en particulier à *Indiana*.

trouve qu'à Paris et qui font aujourd'hui partie de la
vie des femmes aisées. Elle avait rendu cette retraite
poétique autant qu'elle l'avait pu; elle l'avait ornée
et embellie pour elle-même; elle s'y était attachée
comme à un asile mystérieux, où les douleurs de sa
vie et les orages de son âme s'étaient toujours apai-
sés dans le recueillement et la prière. Elle y promena
un long regard d'affection, puis elle prononça, en
elle-même, la formule d'un éternel adieu à tous ces
muets témoins de sa vie intime... vie cachée comme
celle de la fleur qui n'aurait pas une tache à montrer
au soleil, mais qui penche sa tête sous la feuillée par
amour de l'ombre et de la fraîcheur.

« Retraite de mon choix, ornements selon mon
goût, je vous ai aimés, pensa-t-elle; mais je ne puis
plus vous aimer, car vous êtes les compagnons et les
consécrateurs de la richesse et de l'oisiveté. Vous
représentez à mes yeux, désormais, tout ce qui me
sépare d'Henri. Je ne pourrais donc plus vous regarder sans dégoût et sans amertume. Quittons-nous avant
de nous haïr. Sévère madone, tu cesserais de me protéger; glaces pures et profondes, vous me feriez détester ma propre image; beaux vases de fleurs, vous
n'auriez plus pour moi ni grâces ni parfums ! »

Puis, avant d'écrire à Henri, comme elle l'avait
résolu, elle alla sur la pointe du pied contempler
et bénir le sommeil de son fils. La vue de ce pâle
enfant, dont l'intelligence précoce s'était développée
aux dépens de sa force physique, lui causa un attendrissement passionné. Elle lui parla dans son cœur
comme s'il eût pu, dans son sommeil, écouter et
comprendre les pensées maternelles.

« Sois tranquille, lui disait-elle, je ne *l'aime* pas plus que toi. N'en sois pas jaloux. S'il n'était pas le meilleur et le plus digne des hommes, je ne te le donnerais pas pour père. Va, petit ange, tu es ardemment et fidèlement aimé. Dors bien, nous ne nous quitterons jamais ! »

Marcelle, toute baignée de larmes délicieuses, rentra dans sa chambre et écrivit à Lémor ce peu de lignes :

« Vous avez raison, et je vous comprends. Je ne suis pas digne de vous ; mais je le deviendrai, car je le veux. Je vais partir pour un long voyage. Ne vous inquiétez pas de moi, et aimez-moi encore. Dans un an, à pareil jour, vous recevrez une lettre de moi. Disposez votre vie de manière à être libre de venir me trouver en quelque lieu que je vous appelle. Si vous ne me jugez pas encore assez convertie, vous me donnerez encore un an… un an, deux ans, avec l'espérance, c'est presque le bonheur pour deux êtres qui, depuis si longtemps, s'aiment sans rien espérer. »

Elle fit porter ce billet de grand matin. Mais on ne trouva point M. Lémor. Il était parti la veille au soir, on ne savait pour quel pays, ni pour combien de temps. Il avait donné congé de son modeste logement. On assurait pourtant que la lettre lui parviendrait, parce qu'un de ses amis était chargé de venir tous les jours retirer sa correspondance pour la lui faire passer.

Deux jours après, Mme de Blanchemont avec son fils, une femme de chambre et un domestique, traversait en poste les déserts de la Sologne.

Arrivée à quatre-vingts lieues de Paris, la voyageuse se trouva à peu près au centre de la France et coucha dans la ville la plus voisine de Blanchemont dans cette direction. Blanchemont était encore éloigné de cinq à six lieues, et, dans le centre de la France, malgré toutes les nouvelles routes ouvertes à la circulation depuis quelques années, les campagnes ont encore si peu de communication entre elles, qu'à une courte distance il est difficile d'obtenir des habitants un renseignement certain sur l'intérieur des terres[1]. Tous savent bien le chemin de la ville ou du district forain où leurs affaires les appellent de temps en temps. Mais demandez dans un hameau le chemin de la ferme qui est à une lieue de là, c'est tout au plus si on pourra vous le dire. Il y a tant de chemins !… et tous se ressemblent. Réveillés de grand matin pour disposer le départ de leur maîtresse, les domestiques de Mme de Blanchemont ne purent donc obtenir ni du maître de l'auberge, ni de ses serviteurs, ni des voyageurs campagnards qui se trouvaient là encore à moitié endormis, aucune lumière sur la terre de Blanchemont. Personne ne savait précisément où elle était située. L'un venait de Montluçon, l'autre connaissait Château-Meillant ; tous avaient cent fois traversé Ardentes et La Châtre ; mais on ne connaissait de Blanchemont que le nom.

---

1. Voir *La Vallée-Noire*, p. 257-258 : « Si tu demandes à Angibault le chemin du Lys-Saint-George, on te dira : "Ma foi ! c'est quelque part par là. Je n'y ai jamais été". Le Meunier peut connaître le pays à une lieue à la ronde, mais sa femme et ses enfants n'ont jamais voyagé que dans le rayon d'un kilomètre autour de leur demeure […] ils ne comprendront pas que tu veuilles voir leur pays. »

« C'est une terre qui a du rapport, disait l'un, je connais le fermier, mais je n'y ai jamais été. C'est très loin de chez nous, c'est au moins à quatre grandes lieues.

— Dame ! disait un autre, j'ai vu les bœufs de Blanchemont à la foire de la Berthenoux, pas plus tard que l'an dernier, et j'ai parlé à M. Bricolin, le fermier, comme je vous parle à cette heure. *Ah oui ! ah oui !* je connais Blanchemont ! mais je ne sais pas de quel côté ça se trouve. »

La servante, comme toutes les servantes d'auberge, ne savait rien des environs. Comme toutes les servantes d'auberge, elle était depuis peu de temps dans l'endroit.

La femme de chambre et le domestique, habitués à suivre leur maîtresse dans de brillantes résidences connues à plus de vingt lieues à la ronde, et situées dans des contrées civilisées, commençaient à se croire au fond du Sahara. Leurs figures s'allongeaient, et leur amour-propre souffrait cruellement d'avoir à demander sans succès le chemin du château qu'ils allaient honorer de leur présence.

« C'est donc une baraque, une tanière ? disait Suzette d'un air de mépris à Lapierre.

— C'est le palais des *Corybantes* [1], répondait Lapierre, qui avait chéri dans sa jeunesse un mélo-

---

1. Prêtre de Cybèle, dans la Grèce antique. On connaît la vogue populaire de l'opéra à l'époque romantique. Il est probable qu'il s'agit ici de *Corisandre*, opéra en trois actes, paroles de Linières et Lebailly, musique de Langlé. G. Sand en parle dans *Histoire de ma vie* (Pléiade, t. I, p. 134 et 136), et écrit toujours *Corisande* pour *Corisandre*.

drame à grand succès intitulé *Le Château de Cori-sande*, et qui appliquait ce nom, en l'estropiant, à toutes les ruines qu'il rencontrait.

Enfin, le garçon d'écurie fut frappé d'un trait de lumière.

«J'ai là-haut dans l'abat-foin, dit-il, un homme qui vous dira ça, car son métier est de courir le pays de jour et de nuit. C'est le Grand-Louis, autrement dit le grand farinier.

— Va pour le grand farinier, dit Lapierre d'un air majestueux; il paraît que sa chambre à coucher est au bout de l'échelle?»

Le grand farinier descendit de son grenier en tiraillant et en faisant craquer ses grands bras et ses grandes jambes. En voyant cette structure athlétique et cette figure décidée, Lapierre quitta son ton de grand seigneur facétieux et l'interrogea avec politesse. Le farinier était, en effet, des mieux renseignés; mais, aux éclaircissements qu'il donna, Suzette jugea nécessaire de l'introduire auprès de Mme de Blanchemont, qui prenait son chocolat dans la salle avec le petit Édouard, et qui, loin de partager la consternation de ses gens, se réjouissait d'apprendre d'eux que Blanchemont était un pays perdu et quasi introuvable.

L'échantillon du terroir qui se présentait en cet instant devant Marcelle avait cinq pieds huit pouces de haut, taille remarquable dans un pays où les hommes sont généralement plus petits que grands. Il était robuste à proportion, bien fait, dégagé, et d'une figure remarquable. Les filles de son endroit l'appelaient le beau farinier, et cette épithète était aussi bien méritée que l'autre. Quand il essuyait du revers de sa manche la farine qui couvrait habituellement ses joues, il découvrait un teint brun et animé du plus beau ton. Ses traits étaient réguliers, largement taillés comme ses membres, ses yeux noirs et bien fendus, ses dents éblouissantes, et ses longs cheveux châtains ondulés et crépus comme ceux d'un homme très fort, encadraient carrément un front large et bien rempli, qui annonçait plus de finesse et de bon sens que d'idéal poétique. Il était vêtu d'une blouse gros-bleu et d'un pantalon de toile grise. Il portait peu de bas, de gros souliers ferrés, et un lourd bâton de cormier terminé par un nœud de la branche, qui en faisait une espèce de massue.

Il entra avec une assurance qu'on eût pu prendre pour de l'effronterie, si la douceur de ses yeux d'un bleu clair, et le sourire de sa grande bouche vermeille n'eussent témoigné que la franchise, la bonté, et une sorte d'insouciance philosophique, faisaient le fond de son caractère.

« Salut, Madame », dit-il en soulevant son chapeau de feutre gris à grands bords, mais sans le détacher précisément de sa tête ; car autant le vieux paysan est obséquieux et disposé à saluer tout ce qui est mieux habillé que lui, autant celui qui date d'après la Révolution est remarquable par l'adhérence de son couvre-chef à sa chevelure. « On me dit que vous voulez savoir de moi la route de Blanchemont ? »

La voix forte et sonore du grand farinier avait fait tressaillir Marcelle, qui ne l'avait pas vu entrer. Elle se retourna vivement, un peu surprise d'abord de son aplomb. Mais tel est le privilège de la beauté, qu'en s'examinant mutuellement, le jeune meunier et la

jeune dame oublièrent aussitôt cette sorte de méfiance
que la différence des rangs inspire toujours au premier abord. Seulement Marcelle, le voyant disposé à
la familiarité, crut devoir lui rappeler, par une grande
politesse, les égards dus à son sexe…

« Je vous remercie beaucoup de votre obligeance,
lui dit-elle en le saluant, et je vous prie, Monsieur, de
vouloir bien me dire s'il y a un chemin praticable
pour les voitures d'ici à la ferme de Blanchemont. »

Le grand farinier, sans y être invité, avait déjà pris
une chaise pour s'asseoir ; mais en s'entendant appeler *monsieur*, il comprit avec la rare perspicacité dont
il était doué qu'il avait affaire à une personne bienveillante et respectable par elle-même. Il ôta tout doucement son chapeau sans se déconcerter, et appuyant
ses mains sur le dossier de la chaise, comme pour se
donner une contenance :

« Il y a un chemin vicinal, pas très doux, dit-il,
mais où l'on ne verse pas quand on y prend garde ; le
tout c'est de le suivre et de n'en pas prendre un autre.
J'expliquerai cela à votre postillon. Mais le plus sûr
serait de prendre ici une patache, car les dernières
pluies d'orage ont endommagé plus que de raison la
Vallée-Noire, et je ne dis pas que les petites roues de
votre voiture puissent sortir des ornières. Ça se pourrait, mais je n'en réponds pas.

— Je vois que vos ornières ne plaisantent pas, et
qu'il sera prudent de suivre votre conseil. Vous êtes
sûr qu'avec une patache je ne verserai pas ?

— Oh ! n'ayez pas peur, Madame.

— Je n'ai pas peur pour moi, mais pour ce petit
enfant. Voilà ce qui me rend prudente.

— Le fait est que ce serait dommage d'écraser ce petit-là, dit le grand farinier en s'approchant du jeune Édouard d'un air de bienveillance sincère. Comme c'est mignon et gentil, ce petit homme !

— C'est bien délicat, n'est-ce pas ? lui dit Marcelle en souriant.

— Ah dame ! ça n'est pas fort, mais c'est joli comme une fille. Vous allez donc venir dans le pays de chez nous, Monsieur ?

— Tiens, ce grand-là ! s'écria Édouard en s'accrochant au farinier qui s'était penché vers lui. Fais-moi donc toucher le plafond ! »

Le meunier prit l'enfant, et, l'élevant au-dessus de sa tête, le promena le long des corniches enfumées de la salle.

« Prenez garde ! dit Mme de Blanchemont, un peu effrayée de l'aisance avec laquelle l'hercule rustique maniait son enfant.

— Oh ! soyez, tranquille, répondit le Grand-Louis ; j'aimerais mieux casser tous les *alochons* de mon moulin, qu'un doigt à ce *monsieur*. »

Ce mot d'*alochon* réjouit fort l'enfant, qui le répéta en riant et sans le comprendre.

« Vous ne connaissez pas ça ? dit le meunier ; ce sont les petites ailes, les morceaux de bois qui sont à cheval sur la roue et que l'eau pousse pour la faire tourner. Je vous montrerai ça si vous passez jamais par chez nous.

— Oui, oui, *alochon* ! dit l'enfant en riant aux éclats et en se renversant dans les bras du meunier.

— Est-il moqueur, ce petit coquin-là ! dit le Grand-Louis en le replaçant sur sa chaise. Allons, Madame, je m'en vas à mes affaires. Est-ce tout ce qu'il y a pour votre service ?

— Oui, mon ami, répondit Marcelle, à qui la bienveillance faisait oublier sa réserve.

— Oh ! je ne demande pas mieux que d'être votre ami ! » répondit gaillardement le meunier avec un regard qui exprimait assez que, de la part d'une personne moins jeune et moins belle, cette familiarité n'eût pas été de son goût.

« C'est bon, pensa Marcelle en rougissant et en souriant ; je me tiendrai pour avertie. »

Et elle ajouta :

« Adieu, Monsieur, et au revoir sans doute, car vous êtes habitant de Blanchemont ?

— Proche voisin. Je suis le meunier d'Angibault, à une lieue de votre château, car m'est avis que vous êtes la dame de Blanchemont ? »

Marcelle avait défendu à ses gens de trahir son incognito. Elle désirait passer inaperçue dans le pays ; mais elle vit bien, aux manières du farinier, que sa qualité de propriétaire ne faisait pas tant de sensation qu'elle l'avait craint. Un propriétaire qui ne réside pas dans ses terres est un étranger dont on ne s'occupe point. Le fermier qui le représente et auquel on a constamment affaire est un bien autre personnage.

Malgré le projet qu'elle avait fait de partir de bonne heure et d'arriver à Blanchemont avant la chaleur de midi, Marcelle, fut forcée de passer la plus grande partie de la journée dans cette auberge.

Toutes les pataches de la ville étaient en campane à cause d'une grande foire aux environs, et il fallut attendre le retour de la première venue. Ce ne fut que

vers trois heures de l'après-midi que Suzette vint,
d'un ton lamentable, apprendre à sa maîtresse qu'une
espèce de panier d'osier, horrible et honteux, était le
seul véhicule qui fût encore à sa disposition.

Au grand étonnement de sa merveilleuse soubrette,
Mme de Blanchemont n'hésita pas à s'en accommoder. Elle prit quelques paquets de première nécessité,
remit les clefs de sa calèche et de ses malles à l'aubergiste, et partit dans la patache classique, ce respectable témoignage de la simplicité de nos pères,
qui devient chaque jour plus rare, même dans les
chemins de la Vallée-Noire. Celle que Marcelle eut
la mauvaise chance de rencontrer était de la plus pure
fabrication indigène, et un antiquaire l'eût contem-
plée avec respect. Elle était longue et basse comme
un cercueil ; aucune espèce de ressort ne gênait ses
allures ; les roues, aussi hautes que la capote, pouvaient braver ces fossés bourbeux qui sillonnent nos
routes de traverse et que le meunier avait bien voulu
qualifier d'ornières, sans doute par amour-propre
national ; enfin, la capote elle-même n'était qu'un
tissu d'osier confortablement enduit, à l'intérieur, de
bourre et de terre gâchée dont chaque cahot un peu
accentué détachait des fragments sur la tête des voyageurs. Un petit cheval entier, maigre et ardent, traînait
assez lestement ce carrosse champêtre, et le *patachon*[1], c'est-à-dire le conducteur, assis de côté sur le
brancard, les jambes pendantes, vu que nos pères

---

1. Le *patachon* est le conducteur de la *patache*, « voiture de
transport, non suspendue et coûtant peu ». Les deux mots sont
signalés par le Littré.

trouvaient plus commode d'approcher une chaise pour monter en voiture que de s'embarrasser les jambes dans un marchepied, était le moins étouffé et le moins compromis de la caravane. Il existe peut-être encore dans notre pays deux ou trois pataches de ce genre chez de vieux campagnards riches qui n'ont pas voulu déroger à leurs habitudes, et qui soutiennent que les voitures suspendues donnent des *mâsés**, c'est-à-dire des engourdissements dans les mollets.

Cependant le voyage fut à peu près supportable tant qu'on put suivre la grande route. Le *patachon* était un gars de quinze ans, roux, camard, effronté, ne doutant de rien, ne se gênant point pour exciter son cheval par tous les jurements de son riche dictionnaire, sans respect pour la présence des dames, et se plaisant à épuiser l'ardeur du courageux poney qui n'avait de sa vie goûté à l'avoine, et que la vue des prés verdoyants suffisait à mettre en belle humeur. Mais quand ce dernier se fut enfoncé dans une lande aride, il commença à baisser la tête d'un air plus mécontent que rebuté, et à tirer son fardeau avec une sorte de rage, sans avoir égard aux inégalités du chemin, qui imprimaient à la voiture un mouvement de roulis tout à fait cruel.

---

* *Mâsé*, fourmi, en berrichon.

III

LE MENDIANT

Ce fut bien pis lorsqu'on sortit des sables pour descendre dans les terres grasses et fortes de la Vallée-Noire. Aux lisières de ce plateau stérile, Mme de Blanchemont avait admiré l'immense et admirable paysage qui se déroulait sous ses pieds pour se relever jusqu'aux cieux en plusieurs zones d'horizons boisés d'un violet pâle, coupé de bandes d'or par les rayons du couchant. Il n'est guère de plus beaux sites en France. La végétation, vue en détail, n'y est pourtant pas d'une grande vigueur. Aucun grand fleuve ne sillonne ces campagnes où le soleil ne se mire dans aucun toit d'ardoise. Point de montagnes pittoresques, rien de frappant, rien d'extraordinaire dans cette nature paisible ; mais un développement grandiose de terres cultivées, un morcellement infini de champs, de prairies, de taillis et de larges chemins communaux offrant la variété des formes et des nuances, dans une harmonie générale de verdure sombre tirant sur le bleu ; un pêle-mêle de clôtures plantureuses, de chaumines cachées sous les vergers, de rideaux de peupliers, de pacages touffus dans les profondeurs ; des champs plus pâles et des haies plus claires sur les plateaux faisant ressortir les masses voisines ; enfin, un accord et un ensemble remarquables sur une étendue de cinquante lieues carrées, que du haut des chaumières de Labreuil ou de Corlay on embrasse d'un seul regard.

Mais notre voyageuse eut bientôt perdu de vue ce magnifique panorama. Une fois engagée dans les versants de la Vallée-Noire, on change de spectacle. Descendant et gravissant tour à tour des chemins encaissés de buissons élevés, on ne côtoie point de précipices, mais ces chemins sont des précipices eux-mêmes. Le soleil, en s'abaissant derrière les arbres, leur donne une physionomie particulière étrangement gracieuse et sauvage. Ce sont des fuyants mystérieux sous d'épais ombrages, des *traînes*[1] d'un vert d'émeraude qui conduisent à des impasses ou à des mares stagnantes, des tournants rapides qu'on ne peut plus remonter quand on les a descendus en voiture, enfin, un enchantement continuel pour l'imagination, avec des dangers très réels pour ceux qui vont, à l'aventure, essayer, autrement qu'à pied, et tout au plus à cheval, ces détours séduisants, capricieux et perfides.

Tant que le soleil fut sur l'horizon, l'automédon aux crins roux se tira assez bien d'affaire. Il suivit le chemin le plus battu, et par conséquent le plus rude, mais aussi le plus sûr. Il traversa deux ou trois ruisseaux en s'attachant aux traces de roues de charrettes empreintes sur les rives. Mais quand le soleil fut couché, la nuit se fit vite dans ces chemins creux, et le dernier paysan auquel on s'adressa répondit d'un air d'insouciance :

---

1. « Dans le Berry, chemin creux et ombragé » (Littré).

« Marchez ! marchez ! vous n'avez plus qu'une petite lieue, et le chemin est toujours bon. »

Or, c'était le sixième paysan qui, depuis environ deux heures, annonçait qu'on n'avait plus qu'une petite lieue à faire, et ce chemin, toujours si bon, était tel que le cheval était exténué, et les voyageurs au bout de leur patience. Marcelle elle-même commençait à craindre de verser ; car si le patachon et son bidet choisissaient en plein jour leur passage avec beaucoup d'adresse, il était impossible, qu'en pleine nuit, ils pussent éviter ces fausses voies que la coupure inégale des terrains rend aussi dangereuses que pittoresques, et qui, en s'interrompant tout à coup, vous exposent à un saut de dix ou douze pieds à pic. Le gamin n'avait jamais pénétré aussi avant dans la Vallée-Noire ; il s'impatientait, jurait comme un possédé chaque fois qu'il était forcé de retourner sur ses pas pour reprendre la voie ; il se plaignait de la soif, de la faim, se lamentait sur la fatigue de son cheval, tout en le rouant de coups, et se donnait des airs de citadin pour vouer à tous les diables ce pays sauvage et ses stupides habitants.

Plus d'une fois, voyant le chemin rapide, mais sec, Marcelle et ses gens avaient mis pied à terre ; mais on ne pouvait marcher cinq minutes sans arriver à un de ces fonds où le chemin se resserre et se trouve entièrement occupé par une source à fleur de terre, sans écoulement, et formant une mare liquide impossible à franchir à pied pour une femme délicate. La Parisienne Suzette aimait mieux verser, disait-elle, que de laisser sa chaussure dans ces bourbiers, et Lapierre, qui avait passé sa vie en escarpins sur des parquets bien luisants, était tellement gauche et démoralisé, que Mme de Blanchemont n'osait plus lui laisser porter son fils.

La réponse ordinaire du paysan, quand on lui demande n'importe quel chemin, c'est de vous dire : *Marchez tout droit, toujours tout droit.* C'est tout simplement une facétie, une espèce de calembour qui signifie qu'on doit marcher sur ses jambes, car il n'y a pas un seul chemin tout droit dans la Vallée-Noire. Les nombreux ravins de l'Indre, de la Vauvre, de la Couarde*, du Gourdon et de cent autres moindres ruisseaux qui changent de nom dans leur cours, et qui n'ont jamais été avilis sous le joug d'aucun pont ni chaussée, vous forcent à mille détours pour chercher un endroit guéable, de sorte que vous êtes souvent obligé de tourner le dos au lieu vers lequel vous vous dirigez.

Arrivés à un carrefour surmonté d'une croix, endroit sinistre que l'imagination des paysans peuple toujours de démons, de sorciers et d'animaux fantastiques, nos voyageurs embarrassés s'adressèrent à un mendiant[1] qui, assis sur la *pierre*** *des morts*, leur

---

* La *Couarde* est ainsi nommée, parce que son cours est partout caché sous les buissons, où elle semble avoir peur d'être découverte. C'est un ruisseau noir, étroit et profond, qui coule en silence, et qui est, disent les paysans, plus traître qu'il n'est gros. La *Tarde* est une autre rivière molle et paresseuse qui arrose aussi de délicieuses prairies.   ** C'est une pierre creuse où chaque enterrement qui passe dépose et laisse au pied de la croix une petite croix de bois grossièrement taillée.

1. Sur l'importance de l'oncle Cadoche, voir notre étude sur les personnages. On notera comment il apparaît pour la première fois dans un décor fantastique qui rappelle à la fois les superstitions campagnardes et le goût romantique pour les tombeaux.

criait d'une voix monotone : « Âmes charitables, ayez pitié d'un pauvre malheureux ! »

La grande taille voûtée de cet homme très vieux, mais encore robuste, et armé d'un bâton énorme, avait un aspect peu rassurant, dans le cas d'une attaque seul à seul. On ne distinguait pas bien ses traits sévères, mais il y avait, dans l'inflexion de sa voix rauque, quelque chose de plus impérieux que suppliant. Son attitude triste et ses haillons immondes contrastaient avec l'intention évidemment facétieuse qui lui faisait porter un vieux bouquet et un ruban fané à son chapeau.

« Mon ami, lui dit Marcelle en lui donnant une pièce d'argent, indiquez-nous le chemin de Blanchemont, si vous le connaissez. »

Au lieu de lui répondre, le mendiant continua gravement à prononcer à haute voix un *Ave Maria* en latin, qu'il avait entamé à son intention.

« Répondez donc, lui dit Lapierre, vous marmotterez vos patenôtres après. ».

Le mendiant tourna la tête vers le laquais d'un air de mépris, et continua son oraison.

« Ne parlez pas à cet homme-là, dit le patachon, c'est un vieux gueux qui bat la campagne et qui ne sait jamais où il va ; on le rencontre partout, et nulle part on ne le trouve dans son bon sens.

— Le chemin de Blanchemont ? dit enfin le mendiant lorsqu'il eut achevé sa prière ; vous n'y êtes pas, mes enfants ; il faut retourner et prendre le premier qui descend à droite.

— En êtes-vous sûr ? dit Marcelle.

— J'y ai passé plus de six cents fois. Si vous ne

me croyez pas, faites comme vous voudrez ; ça m'est égal, à moi.

— Il paraît sûr de son fait, dit Marcelle à son conducteur. Écoutons-le ; quel intérêt aurait-il à nous tromper ?

— Bah ! le plaisir de mal faire, répondit le patachon soucieux. Je me méfie de cet homme-là. »

Marcelle insista pour suivre l'avis du mendiant, et bientôt s'enfonça dans une traîne étroite, tortueuse et singulièrement rapide.

« Je dis, moi, reprit en jurant le patachon, dont le cheval trébuchait à chaque pas, que ce vieux sournois nous égare.

— Avancez, dit Marcelle, puisqu'il n'y a pas moyen de reculer. »

Plus on avançait, plus le chemin devenait quasi impossible ; mais il était trop étroit pour retourner la voiture : deux haies splendides la serraient de près. Après avoir fait des miracles de force et de dévouement, le petit cheval arriva au bas, sous un massif de vieux chênes qui paraissait être la lisière d'un bois. Le chemin s'élargit tout à coup, et l'on se vit en face d'une grande flaque d'eau dormante qui ne ressemblait guère au gué d'une rivière. Le patachon s'y engagea pourtant ; mais, au beau milieu, il enfonça tellement qu'il voulut tirer de côté ; ce fut le dernier exploit de son maigre Bucéphale[1]. La patache pencha jusqu'au moyeu, et l'animal s'abattit en brisant ses traits. Il fallut le dételer. Lapierre se mit dans l'eau jusqu'aux genoux, en gémissant comme un homme à

---

1. Bucéphale, cheval d'Alexandre.

l'agonie ; et, quand il eut aidé le patachon à se tirer d'affaire, tous leurs efforts furent vains (ils n'étaient forts ni l'un ni l'autre) pour relever la voiture. Alors le patachon sauta lestement sur sa bête, et pestant contre le sorcier de mendiant, jurant par tous les diables de l'enfer, il partit au grand trot, promettant d'aller chercher du secours, mais d'un ton qui faisait présager qu'il se reprocherait fort peu de laisser ses voyageurs dans le bourbier jusqu'au jour.

La patache n'avait pas été culbutée. Nonchalamment penchée dans le marécage, elle était encore fort habitable, et Marcelle s'arrangea sur la banquette du fond avec son fils étendu sur elle pour le faire dormir plus commodément, car il y avait longtemps qu'Édouard demandait son souper et son lit, et quelques friandises, mises en réserve dans la poche de Suzette, ayant apaisé sa faim, il ne se fit pas prier pour commencer son somme. Mme de Blanchemont jugeant que le petit conducteur ne se presserait pas de revenir, dans le cas où il trouverait un bon gîte, engagea Lapierre à aller voir aux environs s'il ne découvrirait pas quelqu'une dé ces chaumières si bien tapies sous la feuillée, si bien fermées et silencieuses après le coucher du soleil, qu'il faut les toucher pour les voir, et les prendre d'assaut pour y trouver l'hospitalité à cette heure indue. Le vieux Lapierre n'avait qu'un souci : c'était de trouver du feu pour se sécher les pieds, et se garantir d'un rhumatisme. Il ne se fit donc pas prier pour sortir du marais, après s'être toutefois assuré que la patache, appuyée sur le tronc renversé d'un vieux saule, ne risquait pas d'enfoncer davantage.

La plus désolée était Suzette qui avait grand-peur des voleurs, des loups et des serpents, trois fléaux inconnus dans la Vallée-Noire, mais qui ne sauraient sortir de l'esprit d'une femme de chambre en voyage. Cependant le sang-froid enjoué de sa maîtresse l'empêcha de se livrer tout haut à ses terreurs, et, s'étant *calée* de son mieux sur la banquette de devant, elle prit le parti de pleurer en silence.

« Eh bien ! qu'avez-vous donc, Suzette ? lui dit Marcelle lorsqu'elle s'en aperçut.

— Hélas ! Madame, répondit-elle en sanglotant, n'entendez-vous pas chanter les grenouilles ? Elles vont venir sur nous et remplir la voiture…

— Et nous dévorer, sans doute ? » reprit Mme de Blanchemont en éclatant de rire.

En effet, les vertes habitantes du marécage, un instant troublées par la chute du cheval et les clameurs du phaéton, avaient repris leur psalmodie monotone. On entendait aussi aboyer et hurler les chiens, mais si loin, qu'il n'y avait guère lieu de compter sur une prompte assistance. La lune ne se levait pas encore, mais les étoiles brillaient dans l'eau stagnante du marécage qui avait repris sa limpidité. Une brise tiède soufflait dans les grands roseaux qui s'élevaient en touffes épaisses sur la rive.

« Allons, Suzette, dit Marcelle qui se livrait déjà à une rêverie poétique, on n'est pas si mal que je l'aurais cru dans un bourbier, et si vous le voulez bien, vous y dormirez comme dans votre lit. »

« Il faut que Madame ait perdu l'esprit, pensa Suzette, pour se trouver bien dans une pareille situation. »

« Ô ciel ! Madame ! s'écria-t-elle après un moment de silence, il me semble que j'entends hurler un loup ! Est-ce que nous ne sommes pas au milieu d'une forêt ?

— La forêt n'est, je crois, qu'une saulée, répondit Marcelle, et, quant au loup qui hurle, c'est un homme qui chante. S'il se dirigeait de notre côté, il pourrait nous aider à gagner la terre ferme.

— Et si c'était un voleur ?

— En ce cas, c'est un voleur bienveillant qui chante pour nous avertir de prendre garde à nous. Écoutez, Suzette, sans plaisanterie, il vient par ici, la voix se rapproche. »

En effet, une voix pleine, et d'une mâle harmonie, quoique rude et sans art, planait sur les champs silencieux, accompagnée comme en mesure par le pas lent et régulier d'un cheval ; mais cette voix était encore éloignée, et rien n'assurait que le chanteur marchât dans la direction du marécage, qui pouvait bien n'être qu'une impasse. Quand la chanson fut finie, soit que le cheval marchât sur l'herbe, soit que le villageois se fût détourné, on n'entendit plus rien.

En ce moment, Suzette, rendue à ses terreurs, vit une ombre silencieuse qui se glissait le long du marécage, et qui, reflétée dans l'eau, paraissait gigantesque. Elle laissa échapper un cri, et l'ombre, s'enfonçant dans le bourbier, vint droit vers la patache, quoique avec lenteur et précaution.

« N'ayez pas peur, Suzette, dit Mme de Blanchemont qui, en ce moment, n'était pas très rassurée elle-même ; c'est notre vieux mendiant de tout à l'heure ;

il nous indiquera peut-être une maison d'où l'on pourra venir nous porter du secours.

— Mon ami, dit-elle avec beaucoup de présence d'esprit, mon domestique, *qui est là*, va aller auprès de vous pour que vous lui montriez le chemin d'une habitation quelconque.

— Ton domestique ma petite ? répondit familièrement le mendiant, il n'est pas là ; il est déjà loin… Et d'ailleurs, il est si vieux, si bête, si faible, qu'il ne te servirait de rien ici. »

Pour le coup, Marcelle eut peur.

IV

LE MARÉCAGE

Cette réponse ressemblait à la bravade farouche d'un homme qui a de mauvaises intentions. Marcelle saisit Édouard dans ses bras, résolue à le défendre au prix de sa vie, s'il le fallait : et elle allait sauter dans l'eau du côté opposé à celui par lequel s'approchait le mendiant, lorsque la chanson rustique qui s'était fait déjà entendre reprit un second couplet, et cette fois à une distance très rapprochée.

Le mendiant s'arrêta.

« Nous sommes perdues, murmura Suzette, voilà le reste de la bande qui arrive.

— Nous sommes sauvées, au contraire, lui répondit Marcelle, c'est la voix d'un brave paysan. »

En effet, cette voix était pleine de sécurité, et ce chant calme et pur annonçait la paix d'une bonne conscience. Le pas du cheval se rapprochait aussi. Évidemment le villageois descendait le chemin qui conduisait au marécage.

Le mendiant recula jusqu'au bord et resta immobile, paraissant montrer plus de prudence que de frayeur.

Marcelle se pencha alors en dehors de la patache pour appeler le passant ; mais il chantait trop fort pour l'entendre, et si son cheval, effrayé à l'aspect de la masse noire que la patache présentait devant lui, ne se fût arrêté en soufflant avec force, le maître eût passé à côté sans y faire attention.

« Que diable est-ce là ? cria enfin une voix de stentor qui n'exprimait aucune crainte, et que Mme de Blanchemont reconnut aussitôt pour celle du grand farinier. Holà hé ! les amis ! votre carrosse ne roule guère. Êtes-vous tous morts là-dedans, que vous ne dites rien ? »

Quand Suzette eut reconnu le meunier, dont la belle prestance l'avait déjà frappée agréablement le matin, malgré son peu de toilette, elle redevint fort gracieuse. Elle exposa le cas piteux où sa maîtresse et elle se trouvaient réduites, et le Grand-Louis, après avoir ri sans façon de leur mésaventure, assura que rien n'était plus facile que de les délivrer. Il alla d'abord se débarrasser d'un gros sac de blé qu'il portait sur son cheval, en travers devant lui, et apercevant le mendiant, qui ne paraissait pas songer à se cacher :

« Tiens, vous êtes donc là, père Cadoche ? lui dit-il d'un ton bienveillant. Rangez-vous que je jette mon sac !

— J'étais là pour essayer d'aider à ces pauvres enfants ! répondit le mendiant ; mais il y a tant d'eau, que je n'ai pas pu avancer.

— Restez tranquille, mon vieux, et ne vous mouillez pas inutilement. À votre âge, c'est dangereux. Je tirerai bien ces femmes de là sans vous. » Et il revint chercher Mme de Blanchemont, en s'enfonçant dans la vase jusqu'au poitrail de sa bête : « Allons, Madame, dit-il gaiement, avancez un peu sur le brancard, et asseyez-vous derrière moi ; il n'y a rien de plus facile. Vous ne vous mouillerez pas seulement le bout des pieds, car vous n'avez pas les jambes si longues que votre serviteur. Faut-il que votre patachon soit bête pour vous avoir fourrées là-dedans, quand, à deux pas sur la gauche, il n'y a pas six pouces de fange !

— Je suis désolée de vous faire prendre un si vilain bain de jambes, dit Marcelle, mais mon enfant…

— Ah ! le petit monsieur ? C'est juste ! lui d'abord. Passez-le-moi… c'est cela… le voilà devant moi. Soyez tranquille, la selle ne le blessera pas, mon cheval n'en use guère, ni moi non plus. Allons, asseyez-vous derrière moi, ma petite dame, et n'ayez pas peur. La Sophie a les reins forts et les jambes sûres. »

Le meunier déposa doucement la mère et l'enfant sur le gazon.

« Et moi, criait Suzette, allez-vous me laisser là-dedans ?

— Non pas, Mademoiselle, dit le Grand-Louis en

retournant la chercher. Donnez-moi aussi vos paquets, nous sortirons tout, soyez tranquille.

« À présent, dit-il, quand il eut effectué le débarquement complet, ce patachon de malheur viendra chercher sa carcasse de voiture quand il voudra. Je n'ai ni traits ni cordes pour y atteler Sophie ; mais je vais vous conduire où vous voudrez, mes petites dames.

— Sommes-nous bien loin de Blanchemont ? demanda Marcelle.

— Diable, oui ! votre patachon a pris un drôle de chemin pour vous y conduire ! Il y a d'ici deux lieues de pays, et quand nous y arriverons tout le monde sera couché ; ce ne sera pas chose aisée que de nous faire ouvrir. Mais si vous voulez, nous ne sommes qu'à une petite lieue de mon moulin d'Angibault ; ça n'est pas riche, mais c'est propre, et ma mère est une bonne femme qui ne fera pas la grimace pour se relever, pour mettre des draps blancs dans les lits, et pour tordre le cou à deux poulets. Ça vous va-t-il ? sans façon, allons, Mesdames ! à la guerre comme à la guerre, au moulin comme au moulin. Demain matin on aura ramassé et décrotté la patache, qui ne s'enrhumera pas pour passer la nuit au frais, et on vous conduira à Blanchemont à l'heure que vous voudrez. »

Il y avait de la cordialité et même une sorte de délicatesse dans la brusque invitation du meunier. Marcelle, gagnée par son bon cœur et par la mention qu'il avait faite de sa mère, accepta avec reconnaissance.

« C'est bien, vous me faites plaisir, dit le farinier ; je ne vous connais pas, vous êtes peut-être la dame de Blanchemont, mais ça m'est égal ; quand vous seriez le diable (et on dit que le diable se fait beau et joli quand il veut), je serais content de vous empêcher de passer une mauvaise nuit. Ah ça ! je ne peux pas laisser mon sac de blé ; je vas le charger sur Sophie, le petit s'assoira dessus, la maman derrière ; ça ne vous gênera pas, au contraire, ça vous servira à vous appuyer. La demoiselle viendra à pied avec moi, en causant avec le père Cadoche, qui n'est pas très bien mis, mais qui a beaucoup d'esprit. Mais où a-t-il passé, ce vieux lézard ? dit-il en cherchant des yeux le mendiant, qui avait disparu. Holà hé ! père Cadoche ! Venez-vous coucher à la maison ?... Il ne répond pas ; allons, ce n'est pas son idée pour ce soir. Marchons, Mesdames.

— Cet homme nous a beaucoup effrayées, dit Marcelle. Vous le connaissez donc ?

— Depuis que je suis au monde. Ce n'est pas un méchant homme, et vous avez eu tort de le craindre.

— Il me semble pourtant qu'il nous a fait des menaces, et sa manière de tutoyer m'a paru peu amicale.

— Il vous a tutoyées ? Vieux farceur ! Il n'est pas honteux, celui-là ! Mais c'est sa manière d'être ; n'y faites pas attention. C'est un homme sans malice, un original ! c'est le père Cadoche enfin, *l'oncle à tout le monde*, comme on l'appelle, et qui promet sa succession à tous les passants, quoiqu'il soit aussi gueux que son bâton. »

Marcelle chemina fort commodément sur la robuste et pacifique Sophie. Le petit Édouard, qu'elle tenait bien serré devant elle, « goûtait fort cette façon d'aller », comme dit le bon La Fontaine. Il talonnait de ses deux petits pieds l'encolure de la bête, qui ne le sentait pas et n'en allait pas plus vite. Elle marchait comme un vrai cheval de meunier, sans avoir besoin d'être guidée, connaissant son chemin par cœur, et se dirigeant dans l'obscurité, à travers l'eau et les pierres, sans jamais se tromper ni faire un faux pas. À la requête de Marcelle, qui craignait, pour son vieux serviteur, une nuit passée à la belle étoile, le meunier fit retentir sa voix tonnante à plusieurs reprises, et Lapierre, qui s'était égaré dans un taillis voisin, et tournait, depuis une demi-heure, dans l'espace d'un arpent, vint bientôt rejoindre la petite caravane.

Au bout d'une heure de marche le bruit d'une écluse se fit entendre, et les premières blancheurs de la lune éclairèrent le toit couvert de pampre du moulin, et les bords argentés de la rivière, jonchés de menthe à de saponaire.

Marcelle sauta légèrement sur ce tapis parfumé, après avoir remis dans les bras du meunier l'enfant, qui, tout joyeux et tout fier de son voyage équestre, lui jeta ses petits bras autour du cou, en lui disant :

«Bonjour, *alochon*[1].»

Ainsi que le Grand-Louis l'avait annoncé, sa vieille mère se releva sans humeur, et avec l'aide d'une petite servante de quatorze à quinze ans, les lits furent bientôt prêts. Mme de Blanchemont avait plus besoin de repos que de souper : elle empêcha la vieille meunière de lui servir autre chose qu'une tasse de lait, et, brisée de fatigue, elle s'endormit avec son enfant

---

1. Petite planche de bois sur laquelle tombe l'eau qui fait tourner la roue du moulin. Ici surnom affectueux.

attaché à son flanc maternel, dans un lit de plume, appelé *couette*, d'une hauteur démesurée et d'un moelleux recherché. Ces lits, dont tout le défaut est d'être trop chauds et trop doux, composent, avec une paillasse rebondie, tout le coucher des habitants aisés ou misérables, d'un pays où les oies abondent, et où les hivers sont très froids.

Fatiguée d'un long voyage de quatre-vingts lieues fait très rapidement, et surtout de la course en patache qui en avait été pour ainsi dire le bouquet, la belle Parisienne eût volontiers dormi la grasse matinée ; mais à peine l'aube eut-elle paru, que le chant des coqs, le *tic-tac* du moulin, la grosse voix du meunier et tous les bruits du travail rustique la forcèrent de renoncer à un plus long repos. D'ailleurs, Édouard qui n'était pas fatigué le moins du monde et que l'air de la campagne stimulait déjà, commençait à gambader sur son lit. Malgré tout le tapage du dehors, Suzette, couchée dans la même chambre, dormait si profondément, que Marcelle se fit conscience de la réveiller. Commençant donc le genre de vie nouveau qu'elle avait résolu d'embrasser, elle se leva et s'habilla sans l'aide de sa femme de chambre, fit elle-même avec un plaisir extrême la toilette de son fils, et sortit pour aller souhaiter le bonjour à ses hôtes. Elle ne trouva que le garçon du moulin et la petite servante, qui lui dirent que le maître et la maîtresse venaient d'aller au bout du pré pour s'occuper du déjeuner. Curieuse de savoir en quoi consistaient ces préparatifs, Marcelle franchit le pont rustique qui servait en même temps de pelle au réservoir du moulin, et laissant sur sa droite une belle plantation de jeunes peupliers, elle traversa la prairie en longeant le cours de la rivière, ou plutôt du ruisseau, qui, toujours plein jusqu'aux bords et rasant l'herbe fleurie, n'a guère en cet endroit plus de dix pieds de large. Ce mince cours d'eau est pourtant d'une grande force, et aux abords du moulin il forme un bassin assez considérable, immobile, profond et uni comme une glace, où se reflètent les vieux saules et les toits moussus de l'habitation. Marcelle contempla ce site paisible et charmant, qui parlait à son cœur sans qu'elle sût pourquoi. Elle en avait vu de plus beaux ; mais il est des lieux qui nous disposent à je ne sais quel attendrissement invincible, et où il semble que la destinée nous attire pour nous y faire accepter des joies, des tristesses ou des devoirs.

V

LE MOULIN

Quand Marcelle pénétra dans les vastes bosquets où elle comptait trouver ses hôtes, elle crut entrer dans une forêt vierge. C'était une suite de terrains minés et bouleversés par les eaux, couverts de la plus épaisse végétation. On voyait que la petite rivière faisait là de grands ravages à la saison des pluies. Des aunes, des hêtres et des trembles magnifiques à demi renversés, et laissant à découvert leurs énormes racines sur le sable humide, semblables à des serpents et à des

hydres entrelacés, se penchaient les uns sur les autres
dans un orgueilleux désordre. La rivière, divisée en
nombreux filets, découpait, suivant son caprice, plusieurs enceintes de verdure, où, sur un gazon couvert
de rosée, s'entrecroisaient des festons de ronces vigoureuses, et cent variétés d'herbes sauvages hautes
comme des buissons et abandonnées à la grâce incom-
parable de leur libre croissance. Jamais jardin anglais
ne pourrait imiter ce luxe de la nature, ces masses si
heureusement groupées, ces bassins nombreux que la
rivière s'est creusés elle-même dans le sable et dans
les fleurs, ces berceaux qui se rejoignent sur les courants, ces accidents heureux du terrain, ces digues
rompues, ces pieux épars que la mousse dévore et qui
semblent avoir été jetés là pour compléter la beauté
du décor. Marcelle resta plongée dans une sorte
de ravissement, et, sans le petit Édouard qui courait
comme un faon échappé, avide d'imprimer le premier
la trace de ses pieds mignons sur les sables fraîchement déposés au rivage, elle se fût oubliée longtemps.
Mais la crainte de le voir tomber dans l'eau réveilla sa
sollicitude ; et, s'attachant à ses pas, courant après lui,
et s'enfonçant de plus en plus dans ce désert enchanté,
elle croyait faire un de ces rêves où la nature nous
apparaît si complète dans sa beauté, qu'on peut dire
avoir vu parfois, en songe, le paradis terrestre.

Enfin le meunier et sa mère se montrèrent sur l'autre
rive ; l'un jetant l'épervier et pêchant des truites,
l'autre trayant sa vache.

« Ah ! ah ! ma petite dame, déjà levée ! dit le farinier. Vous voyez, nous nous occupons de vous. Voilà
la vieille mère qui se tourmente de n'avoir rien de

bon à vous servir ; mais moi je dis que vous vous contenterez de notre bon cœur. Nous ne sommes ni cuisiniers ni aubergistes, mais quand on a bon appétit d'un côté et bonne volonté de l'autre…

— Vous me traitez cent fois trop bien, mes braves gens, répondit Marcelle en se hasardant sur la planche qui servait de pont, avec Édouard dans ses bras, pour aller les rejoindre ; jamais je n'ai passé une si bonne nuit, jamais je n'ai vu une aussi belle matinée que chez vous. Les belles truites que vous prenez là, monsieur le meunier ! Et vous, la mère, le beau lait blanc et crémeux ! Vous me gâtez, et je ne sais comment vous remercier.

— Nous sommes assez remerciés si vous êtes contente, dit la vieille en souriant. Nous ne voyons jamais du si beau monde que vous, et nous ne connaissons pas beaucoup les compliments ; mais nous voyons bien que vous êtes une personne honnête et sans exigence. Allons, venez à la maison, la galette sera bientôt cuite, et le *petit* doit aimer les fraises. Nous avons un bout de jardin où il s'amusera à les cueillir lui-même.

— Vous êtes si bons, et votre pays est si beau, que je voudrais passer ma vie ici, dit Marcelle avec abandon.

— Vrai ? dit le meunier en souriant avec bonhomie ; eh ! si le cœur vous en dit… Vous voyez bien, mère, que notre pays n'est pas si laid que vous croyez. Quand je vous dis, moi, qu'une personne riche pourrait s'y trouver bien !

— Oui ! dit la meunière, à condition d'y bâtir un

château, et encore ce serait un château bien mal placé.

— Est-il possible que vous vous déplaisiez ici? reprit Marcelle étonnée.

— Oh! moi, je ne m'y déplais pas, répondit la vieille. J'y ai passé ma vie et j'y mourrai, s'il plaît à Dieu. J'ai eu le temps de m'y habituer, depuis soixante et quinze ans que j'y *règne*; et, d'ailleurs, on est bien forcé de se contenter du pays qu'on a. Mais vous, Madame, s'il vous fallait passer l'hiver ici, vous ne diriez pas que le pays est beau. Quand les grandes eaux couvrent tous nos prés, et que nous ne pouvons plus même sortir dans notre cour, non, non, ça n'est pas joli!

— Bah! bah! les femmes s'effraient toujours, dit le Grand-Louis. Vous savez bien que les eaux n'emporteront pas la maison, et que le moulin est bien garanti. Et puis quand le mauvais temps vient, il faut bien le prendre comme il est. Tout l'hiver, vous demandez l'été, mère, et tant que dure l'été, vous ne songez qu'à vous inquiéter de l'hiver qui viendra. Moi, je vous dis qu'on pourrait vivre ici heureux et sans souci.

— Et pourquoi donc ne fais-tu pas comme tu dis? reprit la mère. Es-tu sans souci, toi? Te trouves-tu heureux d'être meunier et d'avoir ta maison dans l'eau si souvent? Ah! si je répétais tout ce que tu dis quelquefois sur le malheur de ne pas être bien logé, et de ne pouvoir pas faire fortune!

— C'est très inutile de répéter toutes les bêtises que je dis quelquefois, mère, vous pouvez bien vous en épargner la peine.» En parlant ainsi d'un ton de reproche, le grand meunier regardait sa mère avec une douceur affectueuse et presque suppliante. Leur entretien ne paraissait pas aussi banal à Mme de Blanchemont qu'il peut jusqu'ici le paraître au lecteur. Dans la situation de son esprit, elle désirait savoir comment cette vie rustique, la moins dure encore pour les gens pauvres, était sentie et appréciée par ceux-là même qui étaient forcés de la mener. Elle ne venait pas l'examiner et l'essayer avec des idées trop romanesques. Henri, en doutant de son aptitude à l'embrasser, lui en avait bien fait sentir les privations et les souffrances réelles. Mais elle pensait que ces souffrances n'étaient pas au-dessus de son courage, et ce qui l'intéressait dans l'opinion de ses hôtes du moulin, c'était le degré de philosophie ou d'insensibilité dont les avait pourvus la nature, comparé avec celui que le sentiment poétique et l'amour, sentiment plus religieux et plus puissant encore, pouvaient lui donner à elle-même. Elle laissa donc paraître un peu de curiosité dès que le Grand-Louis, se fut éloigné pour porter ses truites, comme il disait, dans la poêle à frire.

« Ainsi, dit-elle à la vieille meunière, vous ne vous trouvez pas heureuse, et votre fils lui-même, malgré son air de gaieté, se tourmente quelquefois ?

— Eh ! Madame, quant à moi, répondit la bonne femme, je me trouverais assez riche et assez contente de mon sort si je voyais mon fils heureux. Défunt mon pauvre homme était à son aise ; son commerce allait bien ; mais il est mort avant d'avoir pu élever sa famille, et il m'a fallu mener à bien et établir de mon mieux tous mes enfants. À présent la part de chacun

n'est pas grosse ; le moulin est resté à mon Louis,
qu'on appelle le Grand-Louis, comme on appelait son
père le Grand-Jean, et comme on m'appelle la Grand'
Marie. Car, Dieu aidant, on pousse assez bien dans
notre famille, et tous mes enfants étaient de belle
taille. Mais c'est là le plus clair de notre bien ; le
reste est si peu de chose, qu'il n'y a pas de quoi se
faire de fausses espérances.

— Mais enfin, pourquoi voudriez-vous être plus
riches ? Souffrez-vous de la pauvreté ? Il me semble
que vous êtes bien logés, que votre pain est beau,
votre santé excellente.

— Oui, oui, grâce au Bon Dieu, nous avons le
nécessaire, et bien des gens qui valent peut-être mieux
que nous, n'ont pas tout ce qu'il leur faudrait ; mais
voyez-vous, Madame, on est heureux ou malheureux, suivant les idées qu'on se fait...

— Vous touchez la vraie question, dit Marcelle,
qui remarquait dans la physionomie et dans le langage de la meunière de la finesse naïve et un sens
juste. Puisque vous appréciez si bien les choses, d'où
vient donc que vous vous plaignez ?

— Ce n'est pas moi qui me plains, c'est mon
Grand-Louis ! ou, pour mieux parler, c'est moi qui
me plains parce que je le vois mécontent, et c'est lui
qui ne se plaint pas parce qu'il a du courage et craint
de me faire de la peine. Mais quand il en a trop lui-
même, ça lui échappe, le pauvre enfant ! Il ne dit
qu'un mot, mais ça me fend le cœur. Il dit comme
ça : « *Jamais, jamais*, ma mère ! » et ce mot veut dire
qu'il n'espère plus rien. Mais ensuite, comme il est
naturellement porté à la gaieté (comme défunt son

pauvre cher père), il a l'air de se faire une raison, et il me dit toutes sortes de contes, soit qu'il veuille me consoler, soit qu'il s'imagine que ce qu'il s'est mis dans la tête finira par arriver.

— Mais qu'a-t-il dans la tête ? c'est donc de l'ambition ?

— Oh ! oui, c'est une grande ambition, c'est une vraie folie ! ce n'est pourtant pas l'amour de l'argent, car il n'est pas avare, tant s'en faut ! Dans son partage de famille, il a cédé à ses frères et sœurs tout ce qu'ils ont voulu, et quand il a gagné quelque peu, il est prêt à le donner au premier qui a besoin de lui. Ce n'est pas la vanité non plus, car il porte toujours ses habits de paysan, quoiqu'il ait reçu de l'éducation et qu'il ait le moyen d'aller aussi bien vêtu qu'un bourgeois. Enfin, ça n'est ni la mauvaise conduite, ni le goût de la dépense, car il se contente de tout et ne va jamais courir où il n'a pas affaire.

— Eh bien, qu'est-ce donc ? dit Marcelle, dont la douce figure et le ton cordial attiraient insensiblement la confiance de la vieille femme.

— Eh ! qu'est-ce que vous voulez que ce soit, si ce n'est pas l'amour ? dit la meunière avec un sourire mystérieux et ce je ne sais quoi de fin et de délicat qui, sur le chapitre du sentiment, établit en un clin d'œil l'abandon et l'intérêt entre les femmes, malgré les différences d'âge et de rang.

— Vous avez raison, dit Marcelle en se rapprochant de la Grand'Marie, c'est l'amour qui est le grand trouble-fête de la jeunesse ! Et cette femme qu'il aime, elle est donc plus riche que lui ?

— Oh ! ce n'est pas une femme ! mon pauvre Louis

a trop d'honneur pour en conter à une femme mariée !
C'est une fille, une jeune fille, une jolie fille, ma foi,
et une bonne fille, il faut en convenir. Mais elle est
riche, riche, et nous avons beau y penser, jamais ses
parents ne voudront la donner à un meunier. »

Marcelle, frappée du rapport qui existait entre le
roman du meunier et celui de sa propre vie, éprouva
une curiosité mêlée d'émotion.

« Si elle aime votre fils, dit-elle, cette belle et
bonne fille, elle finira par l'épouser.

— C'est ce que je me dis quelquefois ; car elle
l'aime, cela j'en suis sûre, Madame, quoique mon
Grand-Louis ne le soit pas. C'est une fille sage, et
qui n'irait pas dire à un homme qu'elle veut l'épouser malgré la volonté de ses parents. Et puis, elle est
bien un peu rieuse, un peu coquette ; c'est de son âge,
cela n'a que dix-huit ans ! Son petit air malin déses-
père mon pauvre garçon ; aussi, pour le consoler,
quand je vois qu'il ne mange pas et qu'il fait sa
grosse voix avec la Sophie (notre jument, *en parlant
par respect*), je ne peux pas m'empêcher de lui dire
ce que j'en pense. Et il me croit un peu, car il voit
bien que j'en sais plus long que lui sur le cœur des
femmes. Moi, je vois bien que la belle rougit quand
elle le rencontre, et qu'elle le cherche des yeux quand
elle vient se promener par ici ; mais j'ai tort de dire
cela à ce garçon, car je l'entretiens dans sa folie, et je
ferais mieux de lui dire qu'il n'y faut pas songer.

— Pourquoi ? dit Marcelle ; l'amour rend tout possible. Soyez sûre, ma bonne mère, qu'une femme qui
aime est plus forte que tous les obstacles.

— Oui, je pensais cela étant jeune. Je me disais

que l'amour d'une femme est comme la rivière, qui casse tout quand elle veut passer, et qui se moque des barrages et des empellements. J'étais plus riche que mon pauvre Grand-Jean, moi, et pourtant je l'ai épousé. Mais, il n'y avait pas la même différence qu'entre nous maintenant et mademoiselle… »

Ici, le petit Édouard interrompit la meunière en disant à sa mère : « Tiens ! Henri est donc ici ? »

VI

UN NOM SUR UN ARBRE

Mme de Blanchemont tressaillit et faillit laisser échapper un cri du fond de son cœur, en cherchant des yeux ce qui avait pu motiver l'exclamation de l'enfant.

En suivant la direction des regards et des gestes d'Édouard, Marcelle remarqua un nom creusé au canif sur l'écorce d'un arbre. L'enfant commençait à savoir lire, surtout certains mots qui lui étaient familiers, certains noms qu'on lui avait peut-être fait épeler de préférence. Il avait parfaitement reconnu celui d'Henri inscrit sur le tronc lisse d'un peuplier blanc, et il s'imaginait que son ami venait de le tracer. Entraînée par l'imagination de son fils, Marcelle se persuada avec lui, pendant quelques instants, qu'elle allait voir Henri Lémor sortir des bosquets d'aunes et de trembles. Mais il ne lui fallut pas beaucoup réfléchir pour sourire tristement de sa facilité à se faire illusion. Cependant, comme on ne renonce pas volontiers à une espérance, si folle qu'elle soit, elle ne put se défendre de demander à la meunière quelle personne de sa famille ou de son entourage portait le nom d'Henri.

« Aucune que je sache, répondit la mère Marie. Je ne connais point cela. Il y a bien au bourg de Nohant une famille Henri, mais ce sont des gens comme moi, qui ne savent écrire ni sur le papier ni sur les arbres… À moins que le fils qui revient de l'armée… mais bon ! il y a plus de deux ans qu'il n'est venu par ici.

— Vous ne savez donc pas qui peut avoir écrit ce nom ?

— Je ne savais pas seulement qu'il y eût là quelque chose d'écrit. Je n'y ai jamais fait attention. Et quand je l'aurais vu, je ne sais pas lire. J'avais pourtant le moyen d'être bien éduquée, mais dans mon temps ce n'était guère la mode. On faisait une croix sur les actes en guise de signature, et c'était aussi bon devant la loi. »

Le meunier était revenu avertir que le déjeuner était prêt. En voyant l'attention de Marcelle fixée sur ce nom, lui qui savait très bien lire et écrire, mais qui n'avait rien remarqué jusqu'alors, il chercha à expliquer le fait.

« Je ne vois que l'homme de l'autre jour qui ait pu s'amuser à cela, dit-il, car il ne vient guère de gens de la ville par ici.

— Et qu'est-ce que c'est que l'homme de l'autre jour ? demanda Marcelle en s'efforçant de prendre un air d'indifférence.

— C'était un monsieur qui ne nous a pas dit son nom, répondit la vieille. Nous ne savons pas grand-chose, et pourtant nous savons que la curiosité est malhonnête. Louis est comme moi là-dessus, et, au contraire des gens de notre pays qui interrogent à tort et à travers tous les étrangers qu'ils rencontrent, nous ne désirons jamais savoir que ce qu'on désire que nous sachions. Ce monsieur-là avait l'air de vouloir garder son nom et ses intentions pour lui seul.

— Et cependant il faisait beaucoup de questions, ce garçon-là, observa le Grand-Louis, et nous aurions été en droit de lui en faire à notre tour. Je ne sais pas pourquoi je n'ai pas osé. Il n'avait pourtant pas la mine bien méchante, et je ne suis pas très honteux de mon naturel ; mais il avait un air tout drôle et qui me faisait de la peine.

— Quel air avait-il donc ? demanda Marcelle, dont la curiosité et l'intérêt s'éveillaient à chaque mot du meunier.

— Je ne saurais vous dire, répondit celui-ci ; je n'y faisais pas grande attention pendant qu'il était là, et quand il a été parti, je me suis mis à y penser. Vous souvenez-vous, ma mère ?

— Oui, tu me disais : « Tenez, mère, en voilà un qui est comme moi, il n'a pas tout ce qu'il désire. »

— Bah ! bah ! je ne disais pas cela, reprit le Grand-Louis, qui craignait que sa mère ne laissât échapper son secret, et ne se doutait pas qu'il fût déjà révélé. Je disais simplement : « Voilà un particulier qui n'a pas l'air bien content d'être au monde. »

— Il était donc fort triste ? dit Marcelle émue.

— Il avait l'air de penser beaucoup. Il est resté au

moins trois heures tout seul, assis par terre, là où vous êtes maintenant, et il regardait couler la rivière, comme s'il eût voulu compter toutes les gouttes d'eau. J'ai cru qu'il était malade, et j'ai été, par deux fois, lui offrir d'entrer à la maison pour se rafraîchir. Quand j'approchais de lui, il sautait comme un homme qu'on réveille, et il prenait un air fâché. Puis, tout de suite, il avait un visage très doux et très bon, et il me remerciait. Il a fini par accepter un morceau de pain et un verre d'eau, pas davantage.

— C'est Henri ! s'écria le petit Édouard qui, pendu à la robe de sa mère, écoutait avec attention. Tu sais bien, maman, qu'Henri ne boit jamais de vin. »

Mme de Blanchemont rougit, pâlit, rougit encore, et d'une voix qu'elle s'efforçait en vain d'assurer, elle demanda ce que cet étranger était venu faire dans le pays.

« Je n'en sais rien », répondit le farinier, qui, fixant son regard pénétrant sur le beau visage ému de la jeune dame, se dit en lui-même :

« En voilà encore une qui a, comme moi, son idée dans la tête ! »

Et, voulant satisfaire autant que possible la curiosité de Marcelle sur l'étranger, et la sienne propre sur les sentiments de son hôtesse, il entra complaisamment dans tous les détails qu'elle attendait avec anxiété.

L'étranger était arrivé à pied, il y avait environ quinze jours. Il avait erré deux jours dans la Vallée-Noire, et on ne l'avait plus revu. On ne savait pas où il avait passé la nuit ; le meunier présumait que c'était à la belle étoile. Il ne paraissait pas très nanti d'argent. Il avait pourtant offert de payer son maigre repas au moulin ; mais sur le refus du meunier, il avait remercié avec la simplicité d'un homme qui ne rougit pas d'accepter l'hospitalité d'un homme de même condition que lui. Il était vêtu comme un ouvrier propre ou comme un bourgeois de campagne, avec une blouse et un chapeau de paille. Il avait un bien petit havresac sur le dos, et, de temps en temps, il se mettait sur ses genoux, en tirait du papier et avait l'air d'écrire comme s'il eût pris des notes. Il avait été à Blanchemont, à ce qu'il disait, mais personne ne l'y avait vu. Cependant, il parlait de la ferme et du vieux château comme un homme qui a tout examiné. En mangeant son pain et buvant son eau, il avait fait beaucoup de questions au meunier sur l'étendue des terres, sur leur rapport, sur les hypothèques dont elles étaient grevées, sur la réputation et le caractère du fermier, sur les dépenses de feu M. de Blanchemont, sur ses autres terres, etc. ; enfin, on avait fini par le prendre, au moulin, pour un homme d'affaires envoyé par quelque acheteur, pour avoir des informations et reconnaître la qualité du terrain.

« Car il paraît que la terre de Blanchemont va être mise en vente, si elle ne l'est pas déjà », ajouta le meunier, qui n'était pas tout à fait aussi dégagé de la fièvre de curiosité particulière aux paysans de l'endroit, que le prétendait sa mère.

Marcelle, qu'une bien autre sollicitude agitait, entendit à peine la réflexion qui terminait ce récit.

« Quel âge pouvait avoir cet étranger ? demanda-t-elle.

« — Si sa figure ne ment pas, dit la meunière, il peut avoir l'âge de Louis, de vingt-quatre à vingt-cinq ans environ.

— Et... comment est-il de figure ? Est-il brun, de moyenne taille ?

— Il n'est pas grand et il n'est pas blond, dit le meunier. Il n'a pas une vilaine figure, mais il est pâle comme un homme qui ne jouit pas d'une grosse santé. »

« Ce pourrait être Henri », pensa Marcelle, bien que ce portrait un peu rudement esquissé, ne répondît pas assez à l'idéal qu'elle portait dans son cœur.

« C'est un homme qui ne sera peut-être pas très *coulant* en affaires, reprit le Grand-Louis : car pour obliger M. Bricolin, le fermier de Blanchemont, qui veut se porter acquéreur, et pour dégoûter un peu celui-là, je m'amusais à déprécier la propriété ; mais ce garçon ne se laissait pas endormir. La terre vaut ceci et cela, disait-il, et il comptait le revenu, les charges, les frais sur le bout de ses doigts, comme un quelqu'un qui s'y connaît, et qui n'a pas besoin de longues paroles, le verre en main, à la mode du pays, pour voir le fort et le faible d'une affaire. » :

« Allons, je suis folle, pensa Mme de Blanchemont ; cet étranger est le premier venu, quelque régisseur chargé de placer des fonds dans le pays, et son air triste, sa rêverie au bord de l'eau, c'est tout simplement le résultat de la chaleur et de la fatigue. Quant à ce nom d'Henri, c'est un hasard qu'il le porte, si tant est que ce soit lui qui l'ait écrit là. Jamais Henri ne s'est occupé d'affaires ; jamais il n'a su la valeur d'aucune propriété, la source et le cours d'aucune richesse de ce monde. Non, non, ce n'est pas lui. D'ailleurs, n'était-il pas à Paris, il y a quinze jours ? Il y en a trois que je l'ai vu, et il ne m'a pas dit qu'il se fût absenté récemment. Que serait-il venu faire dans la Vallée-Noire ? Savait-il seulement que la terre de Blanchemont, dont je ne me souviens pas de lui avoir jamais parlé, fût située dans cette province ? »

Ayant détaché, non sans quelque effort, ses regards de l'inscription mystérieuse qui avait tant fait travailler sa pensée, elle suivit ses hôtes à la maison, et trouva un excellent déjeuner servi sur une table massive recouverte d'une nappe bien blanche. La fromentée (le mets favori pays), pâte compacte de blé crevé dans l'eau et *habillé* dans le lait, le gâteau de poires à la crème poivrée, les truites de la Vauvre, les poulets maigres et tendres, mis tout palpitants sur le gril, la salade à l'huile de noix bouillante, le fromage de chèvre et les fruits un peu verts ; tout cela parut exquis au petit Édouard[1]. On avait mis le couvert des deux domestiques et des deux hôtes à la même table que Mme de Blanchemont, et la meunière s'étonnait beaucoup du refus de Lapierre et de Suzette, de s'asseoir à côté de leur maîtresse. Mais Marcelle exigea qu'ils se conformassent à l'usage de la campagne, et elle commença gaiement cette vie d'égalité dont l'idée lui souriait.

Les manières du meunier étaient brusques, ouvertes, et jamais grossières. Celles de sa mère étaient un peu plus obséquieuses, et, malgré les remontrances de Grand-Louis, à qui le bon sens tenait lieu de savoir-

---

1. On notera l'intérêt de G. Sand pour les mets régionaux.

vivre, elle persécutait bien un peu ses convives pour
les forcer à manger plus que leur appétit ne le com-
portait ; mais il y avait tant de sincérité dans son
empressement, que Marcelle ne songea point à la
trouver importune. Cette vieille avait du cœur et de
l'intelligence, et son fils tenait d'elle à tous égards. Il
avait de plus qu'elle un bon fonds d'éducation élémentaire. Il avait suivi l'école primaire ; il savait lire
et comprendre beaucoup plus de choses qu'il n'était
pressé de le faire voir. En causant avec lui, Marcelle
trouva plus d'idées justes, de notions saines et de
goût naturel, qu'elle n'en eût attendu la veille de
la part du grand farinier à sa rencontre dans l'auberge. Tout cela avait d'autant plus de prix que, loin
d'en faire montre et d'en tirer vanité, il affectait des
manières de paysan plus rudes que celles dont il
n'ignorait pas l'usage. On eût dit qu'il craignait par-
dessus tout de passer pour un bel esprit de village, et
qu'il avait un profond mépris pour ceux qui renient
leur bonne race et leur honnête condition, en prenant
des airs ridicules. Il parlait avec assez de pureté, à
l'ordinaire, sans toutefois dédaigner les locutions
naïves et pittoresques du terroir. Quand il s'oubliait,
c'est alors qu'il parlait tout à fait bien et qu'on ne
sentait plus du tout le meunier. Mais bientôt, comme
s'il eût été honteux de s'écarter de sa sphère, il revenait à ses plaisanteries sans fiel et à sa familiarité
sans insolence.

Cependant Marcelle fut un peu embarrassée, lorsque
le patachon étant revenu se mettre à sa disposition
vers sept heures du matin, elle voulut, tout en prenant

congé de ses hôtes, payer la dépense qu'elle avait faite chez eux. Ils se refusèrent à rien recevoir.

« Non, ma chère dame, non, lui dit le meunier sans emphase, mais d'un ton ferme ; nous ne sommes pas aubergistes. Nous pourrions l'être, ce ne serait pas au-dessous de nous. Mais, enfin, nous ne le sommes pas, et nous ne prendrons rien.

— Comment ! dit Marcelle, je vous aurai causé tout ce dérangement et toute cette dépense sans que vous me permettiez de vous indemniser ? car je sais que votre mère m'a donné sa chambre, qu'elle a pris votre lit et que vous avez couché dans le foin de votre grenier. Vous vous êtes dérangé de vos occupations ce matin pour pêcher. Votre mère a chauffé le four, elle a pris de la peine, et nous avons fait une certaine consommation chez vous.

— Oh ! ma mère a très bien dormi et moi encore mieux, répondit le Grand-Louis. Les truites de la Vauvre ne me coûtent rien ; c'est aujourd'hui dimanche, et ces jours-là je pêche toute la matinée. Pour un peu de lait, de pain et de farine qui ont servi à votre déjeuner, avec quelque mauvaise volaille, nous ne serons pas ruinés. Ainsi, le service n'est pas grand, et vous pouvez l'accepter de nous sans regret. Nous ne vous le reprocherons pas, d'autant plus que nous ne vous reverrons peut-être jamais.

— J'espère que si, répondit Marcelle, car je compte rester quelques jours au moins à Blanchemont ; je veux revenir remercier votre mère et vous d'une hospitalité si cordiale et que je suis pourtant un peu honteuse d'accepter ainsi.

— Et pourquoi avoir honte de recevoir un petit

service des honnêtes gens ? Quand on est content de
leur bon cœur, on est quitte envers eux. Je sais bien
que dans les grandes villes tout se paie, jusqu'à un
verre d'eau. C'est une vilaine coutume, et dans nos
campagnes, on serait bien malheureux si on ne s'obli-
geait pas les uns les autres. Allons, allons, n'en parlons plus.

— Mais vous ne voulez donc pas que je revienne
vous demander à déjeuner ? vous me forcez à m'abstenir de ce plaisir ou à devenir indiscrète.

— Cela c'est autre chose. Nous n'avons fait que
notre devoir, en vous donnant comme vous dites
l'hospitalité ; car enfin nous sommes élevés à regarder cela comme un devoir ; et, bien que la bonne coutume s'en aille un peu, bien qu'aujourd'hui les pauvres
gens, sans demander qu'on leur paie ces petits services, acceptent presque tout ce qu'on leur donne en
partant, nous ne sommes pas d'avis, ma mère et moi,
de changer les vieux usages quand ils sont bons. S'il
y avait eu aux environs une auberge passable, je vous
y aurais conduite hier soir, pensant que vous y seriez
mieux que chez nous, et voyant bien que vous aviez
le moyen de payer votre gîte. Mais il n'y en a point,
ni bonne, ni mauvaise, et, à moins d'être un homme
sans cœur, je ne pouvais pas vous laisser passer la
nuit dehors. Croyez-vous que je vous aurais invitée à
venir chez nous, si j'avais eu l'intention de vous faire
payer ? Non, puisque, comme je vous le dis, je ne
suis pas aubergiste. Voyez, nous n'avons ni houx, ni
genêt à notre porte.

— J'aurais dû remarquer cela en entrant, dit Marcelle, et mettre plus de discrétion dans ma conduite

ici. Mais que répondez-vous à ma question ? Vous ne voulez donc pas que je revienne ?

— Cela c'est autre chose. Je vous invite à revenir tant que vous voudrez. Vous trouvez l'endroit joli, votre petit aime nos galettes. Ça m'encourage à vous dire que toutes les fois que vous reviendrez, vous nous ferez plaisir.

— Et vous me forcerez comme aujourd'hui à accepter tout *gratis* ?

— Puisque je vous y invite ? Je me suis donc mal expliqué ?

— Et vous ne voyez pas que, selon moi, ce serait abuser de votre bon cœur ?

— Non, je ne vois pas cela. Quand on est invité, on use de son droit en acceptant.

— Allons, dit Mme de Blanchemont, vous avez la vraie politesse, je le comprends, et dans notre monde on ne l'a pas. Vous m'enseignez que la discrétion, cette qualité si vantée et malheureusement si nécessaire parmi nous, est devenue telle depuis que la bienveillance s'est changée en compliments, et depuis que le savoir-vivre n'est plus l'expression de la sincère obligeance.

— Vous parlez bien, dit le meunier dont la figure s'éclaira d'un rayon de vive intelligence, et je suis bien aise d'avoir eu l'occasion de vous obliger, foi d'homme !

— En ce cas, vous me permettrez de vous recevoir à mon tour quand vous viendrez à Blanchemont ?

— Ah ! cela, pardon ! mais je n'irai pas chez vous. J'irai chez vos fermiers, comme j'y vas souvent,

porter du blé ; et je vous saluerai avec plaisir, voilà
tout.

— Ah ! ah ! monsieur Louis, vous ne voulez pas
déjeuner chez moi ?

— Oui et non. Je mange souvent chez vos fermiers ; mais si vous êtes là, ça sera changé. Vous êtes
une dame noble, suffit.

— Expliquez-vous, je ne comprends pas.

— Voyons, est-ce que vous n'avez pas conservé
les usages des anciens seigneurs ? N'enverriez-vous
pas votre meunier manger à la cuisine avec vos
valets, et sans vous bien sûr ? Moi, ça ne me fâcherait
pas de manger avec eux, puisque je l'ai bien fait
aujourd'hui chez moi ; mais ça me paraîtrait drôle de
vous avoir fait asseoir chez moi, et de ne pouvoir pas
m'asseoir chez vous, au coin du feu, et votre chaise à
côté de la mienne. Voilà, je suis un peu fier. Je ne vous
blâmerais pas, chacun suit ses idées et ses usages ;
c'est pourquoi je n'ai pas besoin d'aller me soumettre
à ceux des autres quand je n'y suis pas forcé. »

Marcelle fut très frappée du bon sens et de la sincère hardiesse du meunier. Elle sentit qu'il lui donnait une excellente leçon, et elle se réjouit d'avoir
adopté des projets qui lui permettaient de la recevoir
sans rougir.

« Monsieur Louis, lui dit-elle, vous vous trompez
sur mon compte. Ce n'est pas ma faute, si j'appar-
tiens à la noblesse ; mais il se trouve que par bonheur
ou par hasard, je ne veux plus me conformer à ses
usages. Si vous venez chez moi, je n'oublierai pas
que vous m'avez reçue comme votre égale, que vous
m'avez servie comme votre prochain, et, pour vous

prouver que je ne suis pas ingrate, je mettrai, s'il le faut, votre couvert et celui de votre mère moi-même à ma table, comme vous avez mis le mien à la vôtre.

— Vrai, vous feriez cela ? dit le meunier en regardant Marcelle avec un mélange de surprise, de doute respectueux et de sympathie familière. En ce cas, j'irai… ou plutôt non, je n'irai pas ; car je vois bien que vous êtes une honnête personne.

— Je ne comprends pas non plus à quel propos cette réflexion.

— Ah ! dame ! si vous ne comprenez pas… je suis un peu en peine de m'expliquer mieux.

— Allons, Louis, je crois que tu es fou, dit la vieille Marie qui tricotait d'un air grave en écoutant toute cette conversation. Je ne sais pas où tu prends tout ce que tu dis à notre dame. Excusez, Madame, ce garçon est un sans-souci qui a toujours dit à tout le monde, petits et grands, tout ce qui lui passait par la tête. Il ne faut pas que cela vous fâche, il a bon cœur, croyez-moi, et je vois bien à sa mine qu'il se jetterait dans le feu pour vous à cette heure.

— Dans le feu, pas sûr, dit le meunier en riant ; mais dans l'eau, c'est mon élément. Vous voyez bien, mère, que madame est une femme d'esprit, et qu'on peut lui dire tout ce qu'on pense. Je le dis bien à M. Bricolin, son fermier, qui est certainement plus à craindre qu'elle, ici !

— Dites donc, maître Louis, parlez ! je suis très disposée à m'instruire. Pourquoi, parce que je suis une honnête personne, ne viendriez-vous pas chez moi ?

— Parce que nous aurions tort de nous familiari-

ser avec vous, et que vous auriez tort de nous traiter
en égaux. Ça vous attirerait des désagréments. Vos
pareils vous blâmeraient ; ils diraient que vous oubliez
votre rang, et je sais que cela passe pour très mal à
leurs yeux. Et puis, la bonté que vous auriez avec
nous, il faudrait donc l'avoir avec tous les autres, ou
cela ferait des jaloux et nous attirerait des ennemis. Il
faut que chacun suive sa route. On dit que le monde
est grandement changé depuis cinquante ans ; moi je
dis qu'il n'y a rien de changé que nos idées à nous
autres. Nous ne voulons plus nous soumettre, et ma
mère que voilà, et que j'aime pourtant bien, la brave
femme, voit autrement que moi sur bien des choses.
Mais les idées des riches et des nobles sont ce qu'elles
ont toujours été. Si vous ne les avez pas, ces idées-là,
si vous ne méprisez pas un peu les pauvres gens, si
vous leur faites autant d'honneur qu'à vos pareils, ce
sera peut-être tant pis pour vous. J'ai vu souvent
votre mari, défunt M. de Blanchemont, que quelques-
uns appelaient encore le seigneur de Blanchemont. Il
venait tous les ans au pays et restait deux ou trois
jours. Il nous tutoyait. Si ç'avait été par amitié, passe ;
mais c'était par mépris ; il fallait lui parler debout et
toujours chapeau bas. Moi, cela ne m'allait guère.
Un jour, il me rencontra dans le chemin et me com-
manda de tenir son cheval. Je fis la sourde oreille, il
m'appela butor, je le regardai de travers ; s'il n'avait
pas été si faible, si mince, je lui aurais dit deux mots.
Mais ç'aurait été lâche de ma part, et je passai mon
chemin en chantant. Si cet homme-là était vivant et
qu'il vous entendît me parler comme vous faites, il ne
pourrait pas être content. Tenez ! rien qu'à la figure

de vos domestiques, j'ai bien vu aujourd'hui qu'ils vous trouvaient trop sans façon avec nous autres et même avec eux. Allons, Madame, c'est à vous de revenir vous promener au moulin, et à nous qui vous aimons, de ne pas aller nous attabler au château.

— Pour le mot que vous venez de dire, je vous pardonne tout le reste, et je me promets de vous convaincre, dit Marcelle en lui tendant la main avec une expression de visage dont la noble chasteté commandait le respect, en même temps que ses manières entraînaient l'affection. Le meunier rougit en recevant cette main délicate dans sa main énorme, et, pour la première fois, il devint timide devant Marcelle, comme un enfant audacieux et bon dont l'orgueil est tout à coup vaincu par l'émotion.

« Je vas monter sur Sophie, et vous servir de guide jusqu'à Blanchemont, dit-il après un instant de silence embarrassé ; ce patachon de malheur vous égarerait encore, quoiqu'il n'y ait pas loin.

— Eh bien ! j'accepte, dit Marcelle ; direz-vous encore que je suis fière ?

— Je dirai, je dirai, s'écria le Grand-Louis en sortant avec précipitation, que si toutes les femmes riches étaient comme vous… »

On n'entendit pas la fin de sa phrase, et sa mère se chargea de la terminer.

« Il pense, dit-elle, que si la fille qu'il aime était aussi peu fière que vous, il n'aurait pas tant de tourment.

— Et ne pourrais-je pas lui être utile ? dit Marcelle en songeant avec plaisir qu'elle était riche et saintement prodigue.

— Peut-être qu'en disant du bien de lui devant la demoiselle, car vous la connaîtrez bien vite… Mais bah ! elle est trop riche !

— Nous reparlerons de cela, dit Marcelle en voyant rentrer ses domestiques qui venaient chercher ses paquets. Je reviendrai tout exprès, bientôt, demain, peut-être. »

Le patachon roux et rageur avait passé la nuit sous un arbre, n'ayant pu découvrir, à travers l'obscurité, une maison dans la Vallée-Noire. À la pointe du jour, il avait aperçu le moulin, et il y avait été hébergé et restauré lui et son cheval. Dans sa mauvaise humeur, il était fort disposé à répondre avec insolence aux reproches qu'il s'attendait à recevoir. Mais, d'une part, Marcelle ne lui en fit aucun, et de l'autre, le farinier l'accabla de tant de moqueries, qu'il ne put avoir le dernier, avec lui, et remonta tout penaud sur son brancard. Le petit Édouard supplia sa mère de le laisser aller à cheval devant le meunier qui le prit dans ses bras avec amour, en disant tout bas à la vieille Marie :

« Si nous en avions un comme ça pour nous réjouir à la maison ? hein, mère ? Mais ça ne sera jamais ! »,

Et la mère comprit qu'il ne voulait se marier qu'avec celle à laquelle il ne pouvait raisonnablement prétendre.

VII

BLANCHEMONT

Marcelle ayant embrassé la meunière et largement récompensé en cachette les serviteurs du moulin, remonta gaiement dans l'infernale patache. Son premier essai d'égalité avait épanoui son âme, et la suite du roman[1] qu'elle voulait réaliser se présentait à ses yeux sous les plus poétiques couleurs. Mais le seul aspect de Blanchemont rembrunit singulièrement ses pensées, et son cœur se serra dès qu'elle eut franchi la porte de son domaine.

En remontant le cours de la Vauvre, et après avoir gravi un mamelon assez raide, on se trouve sur le *tré* ou *terrier*, c'est-à-dire le tertre de Blanchemont. C'est une belle pelouse ombragée de vieux arbres, et dominant un site charmant, non pas des plus étendus de la Vallée-Noire, mais frais, mélancolique et d'un aspect assez sauvage, à cause de la rareté des habitations dont on aperçoit à peine les toits de chaume ou de tuile brune au milieu des arbres.

Une pauvre église et les maisonnettes du hameau entourent ce tertre incliné vers la rivière, qui fait en cet endroit de gracieux détours. De là un large chemin raboteux conduit au château situé un peu en arrière au-dessous du tertre, au milieu des champs de

---

1. Le rêve socialiste de Marcelle est présenté ici comme un « roman ».

blé. On rentre en plaine, on perd de vue les beaux horizons bleus du Berri et de la Marche. Il faut monter aux seconds étages du château pour les retrouver.

Ce château n'a jamais été d'une grande défense : les murs n'ont pas plus de cinq à six pieds d'épaisseur en bas, les tours élancées sont encorbellées. Il date de la fin des guerres de la féodalité. Cependant la petitesse des portes, la rareté des fenêtres, et les nombreux débris de murailles et de tourelles qui lui servaient d'enceinte, signalent un temps de méfiance où l'on se mettait encore à l'abri d'un coup de main. C'est un castel assez élégant, un carré long renfermant à tous les étages une seule grande pièce, avec quatre tours contenant de plus petites chambres aux angles, et une autre tour sur la face de derrière servant de cage à l'unique escalier. La chapelle est isolée par la destruction des anciens communs ; les fossés sont comblés en partie, les tourelles d'enceinte sont tronquées à la moitié, et l'étang qui baignait jadis le château du côté du nord est devenu une jolie prairie oblongue, avec une petite source au milieu.

Mais l'aspect encore pittoresque du vieux château ne frappa d'abord que secondairement l'attention de l'héritière de Blanchemont. Le meunier, en l'aidant à descendre de voiture, la dirigeait vers ce qu'il appelait le château neuf et les vastes dépendances de la ferme, situées au pied du manoir antique et bordant une très grande cour fermée d'un côté par un mur crénelé, de l'autre par une haie et un fossé plein d'eau bourbeuse. Rien de plus triste et de plus déplaisant que cette demeure des riches fermiers. Le château neuf n'est qu'une grande maison de paysan, bâtie, il

y a peut-être cinquante ans, avec les débris des forti-
fications. Cependant les murs solides, fraîchement
recrépis, et la toiture en tuiles neuves d'un rouge
criard, annonçaient de récentes réparations. Ce rajeu-
nissement extérieur jurait avec la vétusté des autres
bâtiments d'exploitation et la malpropreté insigne de
la cour. Ces bâtiments sombres, et offrant des traces
d'ancienne architecture, mais solides et bien entre-
tenus, formaient un développement de granges et
d'étables d'un seul tenant qui faisait l'orgueil des
fermiers et l'admiration de tous les agriculteurs du
pays. Mais cette enceinte, si utile à l'industrie agricole, et si commode pour l'emménagement du bétail
et de la récolte, enfermait les regards et la pensée
dans un espace triste, prosaïque et d'une saleté repoussante. D'énormes monceaux de fumier enfoncés dans
leurs fosses carrées en pierres de taille, et s'élevant
encore à dix ou douze pieds de hauteur, laissaient
échapper des ruisseaux immondes qu'on faisait écouler à dessein en toute liberté vers les terrains inférieurs pour réchauffer les légumes du potager. Ces
provisions d'engrais, richesse favorite du cultivateur,
charment sa vue et font glorieusement palpiter son
cœur satisfait, lorsqu'un confrère vient les contempler avec l'admiration de l'envie. Dans les petites
exploitations rustiques, ces détails n'offensent pourtant ni les yeux ni l'esprit de l'artiste. Leur désordre,
l'encombrement des instruments aratoires, la verdure
qui vient tout encadrer, les cachent ou les relèvent ;
mais sur une grande échelle et sur un terrain vaste,
rien de plus déplaisant que cet horizon d'immon-
dices. Des nuées de dindons, d'oies et de canards se

chargent d'empêcher qu'on puisse mettre le pied avec
sécurité sur un endroit épargné par l'écoulement des
fumerioux (les tas de fumier). Le terrain, inégal et
pelé, est traversé par une voie pavée, qui en cet instant, n'était pas plus praticable que le reste. Les débris
de la vieille toiture du château neuf étant restés épars
sur le sol, on marchait littéralement sur un champ de
tuiles brisées. Il y avait pourtant près de six mois que
le travail des couvreurs était terminé ; mais ces réparations étaient à la charge du propriétaire, tandis que
le soin d'enlever le déchet et de nettoyer la cour
regardait le fermier. Il se promettait donc de le faire
quand les occupations de l'été auraient cessé et que
ses serviteurs pourraient s'en charger. D'une part,
il y avait le motif d'économiser quelques journées
d'ouvrier ; de l'autre, cette profonde apathie du Berrichon, qui laisse toujours quelque chose d'inachevé,
comme si, après un effort, l'activité épuisée demandait un repos indispensable et les délices de la négli-
gence avant la fin de la tâche.

Marcelle compara cette grossière et repoussante
opulence agricole, au poétique bien-être du meunier ;
et elle lui aurait adressé quelque réflexion à cet
égard, si, au milieu des cris de détresse des dindons
effarouchés et pourtant immobiles de terreur, du sifflement des oies mères de famille, et des aboiements
de quatre ou cinq chiens maigres au poil jaune, elle
eût pu placer une parole. Comme c'était le dimanche,
les bœufs étaient à l'étable et les laboureurs sur le
pas de la porte, dans leurs habits de fête, c'est-à-dire
en gros drap bleu de Prusse, de la tête aux pieds. Ils
regardèrent entrer la patache avec beaucoup d'éton-

nement, mais aucun ne se dérangea pour la recevoir et pour avertir le fermier de l'arrivée d'une visite. Il fallut que Grand-Louis servît d'introducteur à Mme de Blanchemont ; il n'y fit pas beaucoup de façons et entra sans frapper, en disant :

« Madame Bricolin, venez donc ! voilà Mme de Blanchemont qui vient vous voir. »

Cette nouvelle imprévue causa un si vif saisissement aux trois dames Bricolin qui venaient de rentrer de la messe, et qui étaient en train de manger debout une légère collation, qu'elles restèrent stupéfaites, se regardant comme pour se demander ce qu'il fallait dire et faire en pareille circonstance ; et elles n'avaient pas encore bougé de leur place lorsque Marcelle entra. Le groupe qui se présenta à ses regards était composé de trois générations. La mère Bricolin, qui ne savait ni lire ni écrire, et qui était vêtue en paysanne[1] ; Mme Bricolin, épouse du fermier, un peu plus élégante que sa belle-mère, ayant à peu près la tenue d'une gouvernante de curé : celle-là savait signer son nom lisiblement, et trouver les heures du lever du soleil et les phases de la lune dans l'almanach de Liège ; enfin, Mlle Rose Bricolin, belle et fraîche en effet comme une rose du mois de mai, qui savait très bien lire des romans, écrire la dépense de la maison et danser la contredanse. Elle était coiffée en cheveux, et portait une jolie robe de mousseline couleur

---

1. G. Sand s'intéresse également au costume. Voir ce qu'elle écrit dans *La Vallée-Noire* (p. 296) sur les « coiffes à barbes coquettement relevées, et rappelant les figures du Moyen Âge ». Sur les trois générations des Bricolin, *cf.* notre étude des personnages, p. 483.

de rose, qui dessinait à merveille une taille charmante, un peu trop modelée par l'exagération du corsage et des manches collantes, à la mode du moment. Cette ravissante figure, dont l'expression était fine et naïve à la fois, effaça chez Marcelle le fâcheux effet de la mine aigre et dure de sa mère. La grand-mère, hâlée et ridée comme une campagnarde éprouvée, avait une physionomie ouverte et hardie. Ces trois femmes restaient la bouche béante ; la mère Bricolin se demandant de bonne foi si cette belle jeune dame était la même qu'elle avait vue venir quelquefois au château trente ans auparavant, c'est-à-dire la mère de Marcelle, qu'elle savait pourtant bien être morte depuis longtemps : Mme Bricolin, la fermière, s'apercevant qu'elle avait remis trop vite, en rentrant de la messe, un tablier de cuisine sur sa robe de mérinos marron ; et Mlle Rose pensant rapidement qu'elle était irréprochablement vêtue et chaussée, et qu'elle pouvait, grâce au dimanche, être surprise par une élégante Parisienne, sans avoir à rougir de quelque occupation domestique trop vulgaire.

Mme de Blanchemont avait toujours été, aux yeux de la famille Bricolin, un être problématique qui existait peut-être, qu'on n'avait jamais vu et qu'on ne verrait certainement jamais. On avait connu monsieur son mari, qu'on n'aimait point parce qu'il était hautain, qu'on n'estimait pas parce qu'il était dépensier, et qu'on ne craignait guère parce qu'il avait toujours besoin d'argent et qu'il s'en faisait avancer à tout prix. Depuis sa mort, on pensait n'avoir jamais à traiter qu'avec des hommes d'affaires, vu que le défunt avait dit maintes fois, en produisant la com-

plaisante signature de sa femme : Mme de Blanchemont est un enfant qui ne s'occupera jamais de tout
cela, et qui s'inquiète fort peu d'où lui vient l'argent,
pourvu que je lui en apporte. Bien entendu que le
mari avait coutume de mettre sur le compte des goûts
dispendieux de sa femme les prodigalités qu'il faisait
à ses maîtresses. On ne soupçonnait donc nullement
le caractère véritable de la jeune veuve, et Mme Bricolin crut faire un rêve en la voyant tomber en personne au beau milieu de la ferme de Blanchemont.
Devait-elle s'en réjouir ou s'en affliger ? Cette apparition bizarre était-elle d'un bon ou d'un mauvais
augure pour la prospérité des Bricolin ? Venait-on
réclamer ou demander ?

Tandis que, livrée à ces soudaines perplexités, la
fermière examinait Marcelle à peu près comme une
chèvre qui se met sur la défensive à la vue d'un chien
étranger au troupeau, Rose Bricolin, subitement gagnée
par l'air affable et la mise simple de l'étrangère, avait
eu le courage de faire deux pas vers elle. La grand-
mère fut la moins embarrassée des trois. Le premier
moment de surprise dissipé, et sa tête affaiblie ayant
fait un effort pour comprendre à qui elle avait affaire,
elle s'approcha de Marcelle avec une brusque franchise, et lui fit accueil à peu près dans les mêmes
termes, quoique avec moins de distinction et de grâce
que la meunière d'Angibault. Les deux autres, un peu
rassurées par l'air doux et bienveillant avec lequel
Marcelle leur demanda l'hospitalité pour deux ou trois
jours, ayant, disait-elle, à s'entretenir de ses affaires
avec M. Bricolin, s'empressèrent bientôt de lui offrir
à déjeuner.

Le refus de Marcelle fut motivé sur l'excellent repas qu'elle avait pris une heure auparavant au moulin d'Angibault, et c'est alors seulement que les regards des trois dames Bricolin se portèrent sur le Grand-Louis qui se tenait près de la porte, causant farine avec la servante comme pour avoir prétexte à rester un peu. Ces trois regards furent très différents. Celui de la grand-mère fut amical, celui de sa belle-fille plein de dédain, celui de Rose incertain et indéfinissable comme s'il eût été mêlé de l'un et de l'autre sentiment intérieur.

« Comment ! s'écria Mme Bricolin d'un ton dolent et railleur, lorsque Marcelle eut raconté en peu de mots ses aventures de la nuit, vous avez été forcée de coucher dans ce moulin ? Et nous ne le savions pas ! Eh ! pourquoi cet imbécile de meunier ne vous a-t-il pas amenée ici tout de suite ? Ah ! mon Dieu ! quelle mauvaise nuit vous avez dû passer, Madame !

— Excellente, au contraire. J'ai été traitée comme une reine, et j'ai mille obligations à M. Louis et à sa mère.

— Mais ça ne m'étonne pas, dit la mère Bricolin ; la Grand'Marie est une si brave femme, et elle tient sa maison si proprement ! C'est mon amie de jeunesse, à moi ; nous avons gardé les moutons ensemble, sauf votre respect ; nous étions deux jolies filles dans ce temps-là, à ce qu'on disait, quoiqu'il n'y paraisse plus, n'est-ce pas, Madame ? Nous n'en savions pas plus long l'une que l'autre : filer, tricoter, faire les fromages, et voilà tout. Nous nous sommes mariées bien différemment ; elle a pris plus pauvre qu'elle, et moi j'ai épousé plus riche que moi. C'est l'amour qui a fait ces deux mariages-là! ça se voyait dans notre temps; à présent on ne se marie que par intérêt, et les écus comptent plus que les sentiments. Ce n'en est pas mieux, n'est-ce pas, madame de Blanchemont?

— Je suis tout à fait de votre avis, dit Marcelle.

— Eh! mon Dieu! ma mère, quels contes faites-vous là à Madame? reprit aigrement Mme Bricolin. Croyez-vous que vous l'amusez avec vos vieilles histoires? Eh! meunier, ajouta-t-elle d'un ton impératif, allez donc voir si M. Bricolin est dans la garenne ou à son champ d'avoine derrière la maison. Vous lui direz de venir saluer madame.

— M. Bricolin, répondit le meunier avec un regard clair et un air de bravade enjouée, n'est ni à son champ d'avoine, ni à la garenne; je l'ai aperçu en passant qui buvait chopine et pinte avec M. le curé au presbytère.

— Ah! oui! dit la mère Bricolin, il doit être au *précipitère*. M. le curé a grand soif et grand faim après la grand-messe, et il aime qu'on lui tienne compagnie. Dis-moi, Louis, mon enfant, veux-tu aller le chercher, toi qui es si complaisant?

— J'y vas tout de suite», dit le meunier qui n'avait pas bougé à l'injonction de la fermière.

Et il sortit en courant.

«Si vous le trouvez complaisant, celui-là, grommela Mme Bricolin en regardant sa belle-mère avec humeur, vous n'êtes pas difficile.

— Oh! maman, il ne faut pas dire cela, dit d'une voix douce la belle Rose Bricolin. Grand-Louis a bien bon cœur.

— Et qu'est-ce que vous voulez en faire de son

bon cœur ? riposta la Bricolin avec une irritation crois-
sante. Qu'est-ce que vous avez donc pour lui toutes
les deux, depuis quelque temps ?

— Mais, maman, c'est toi qui es injuste avec lui
depuis quelque temps, répondit Rose, qui ne paraissait pas craindre beaucoup sa mère, habituée qu'elle
était à la protection de son aïeule. Tu le rudoies toujours, et pourtant tu sais que papa l'estime beaucoup.

— Toi, tu ferais mieux, dit la fermière, d'aller, au
lieu de raisonner, préparer ta chambre, qui est la
mieux arrangée de la maison, pour madame, qui aura
peut-être envie de se reposer avant l'heure du dîner.
Madame nous excusera si elle n'est pas très bien logée
ici. Ce n'est que l'année dernière que défunt M. de
Blanchemont a consenti à faire arranger un peu le
château neuf, qui était quasi aussi délabré que l'ancien, et c'est alors seulement que nous avons pu
commencer à nous meubler un peu convenablement
au renouvellement de notre bail. Rien n'est terminé,
les papiers ne sont pas encore collés dans toutes les
chambres, et nous attendons des commodes et des
lits qui ne sont pas encore arrivés de Bourges. Nous
en avons aussi qui ne sont pas encore déballés. Nous
sommes vraiment sens dessus dessous depuis que les
ouvriers ont tout bouleversé ici. »

Les embarras domestiques que Mme Bricolin signalait ainsi par un discours de rigueur, étaient absolument motivés comme ceux que Marcelle avait pu
remarquer à l'extérieur de la maison. L'économie,
jointe à l'apathie, faisait traîner les dépenses en longueur, et reculait indéfiniment le moment de jouir du
luxe qu'on voulait, qu'on pouvait, et qu'on n'osait

encore se permettre. La pièce triste et enfumée où l'on avait été surpris par la châtelaine était la plus laide et la plus malpropre du château neuf. C'était à la fois une cuisine, une salle à manger et un parloir. Les poules y avaient accès, à cause de la porte au rez-de-chaussée constamment ouverte, le soin de les chasser étant une des occupations incessantes de la fermière, comme si l'état de colère et les actes de rigueur perpétuelle où l'entretenaient les récidives de la volaille eussent été nécessaires à son besoin d'agir et de châtier. C'est là qu'on recevait les paysans avec lesquels on avait des relations de tous les instants ; et, comme leurs pieds crottés et le sans-gêne de leurs habitudes eussent inévitablement gâté les parquets et les meubles, on n'y faisait usage que de grossières chaises de paille et de bancs de bois posés sur les dalles nues et inutilement balayées dix fois par jour. Les mouches, qui y tenaient cour plénière, et le feu qui brûlait à toute heure et en toute saison dans la vaste cheminée ornée de crémaillères de toutes dimensions, rendaient cette pièce fort désagréable en été. Et pourtant c'est là que se tenait continuellement la famille, et lorsqu'on fit passer Marcelle dans la pièce voisine, il lui fut aisé de voir que cette espèce de salon était encore vierge, quoiqu'il fût arrangé depuis un an. Il était décoré avec le luxe grossier des chambres d'auberge. Le parquet, tout neuf, n'avait pas encore reçu l'encaustique et le cirage. Les rideaux, d'indienne voyante, étaient suspendus par leurs ornements de cuivre estampés, d'un goût détestable. La garniture de la cheminée répondait à l'éclat et à la laideur de ces ornements prétendus Renaissance. Un guéridon fort riche, sur lequel on devait un jour prendre le café, avait tous ses bronzes dorés encore enveloppés de papier et de ficelle. Le meuble était couvert de housses à carreaux rouges et blancs, sous lesquelles le damas de laine était destiné à s'user sans voir le jour ; et, comme on ne connaît point encore dans ces fermes la distinction du salon avec la chambre à coucher, deux lits d'acajou, non encore garnis de rideaux, étaient disposés en long, les pieds en avant vers la fenêtre, à droite et à gauche de la porte d'entrée. On se disait à l'oreille dans la famille que ce serait la chambre de noces de Rose.

Marcelle trouva cette maison si déplaisante, qu'elle résolut de n'y pas demeurer. Elle déclara qu'elle ne voulait pas causer le moindre dérangement à ses hôtes, et qu'elle chercherait dans le hameau quelque maison de paysan où elle pût prendre gîte, à moins qu'il n'y eût dans le vieux château quelque chambre habitable. Cette dernière idée parut causer quelque souci à Mme Bricolin, et elle n'épargna rien pour en détourner son hôtesse.

« Il est bien vrai, dit-elle, qu'il y a toujours au vieux château ce qu'on appelle la chambre du maître. Lorsque M. le baron, votre défunt mari, nous faisait l'honneur de passer par ici, comme il nous écrivait toujours d'avance pour nous prévenir de son arrivée, nous avions soin de tout nettoyer, afin qu'il ne s'y trouvât pas trop mal. Mais ce malheureux château est si triste, si délabré !... Les rats et les oiseaux de nuit font là-dedans un vacarme si épouvantable, et, d'ailleurs, les toitures sont en si mauvais état, et les murs si branlants, qu'il n'y a vraiment pas de sûreté à y dormir. Je ne conçois pas le goût que M. le baron avait pour cette chambre. Il n'en voulait pas accepter chez nous, et on aurait dit qu'il se serait cru dégradé s'il eût passé une nuit ici ailleurs que sous le toit de son vieux château.

— J'irai voir cette chambre, dit Marcelle, et pour peu qu'on y puisse dormir à couvert, c'est tout ce qu'il me faut. En attendant, je vous supplie de ne rien déranger chez vous. Je ne veux en aucune façon vous être à charge. »

Rose exprima le désir qu'elle aurait au contraire à céder son appartement à Mme de Blanchemont, dans des termes si aimables et avec une physionomie si prévenante, que Marcelle lui prit doucement la main pour la remercier, mais sans changer de résolution. L'aspect du château neuf, joint à une répugnance instinctive pour Mme Bricolin, lui firent refuser obstinément l'hospitalité qu'elle avait fini par accepter de grand cœur au moulin.

Elle se débattait encore contre les cérémonieuses importunités de la fermière, lorsque M. Bricolin arriva.

VIII

LE PAYSAN PARVENU[1]

M. Bricolin était un homme de cinquante ans, robuste et d'une figure régulière. Mais l'embonpoint avait envahi ses membres ramassés, ainsi qu'il arrive à tous les campagnards à leur aise, qui, passant leurs journées au grand air, à cheval la plupart du temps, et menant une vie active mais non pénible, ont juste assez de fatigue pour entretenir l'exubérance de leur santé et la complaisance de leur appétit. Grâce à ce stimulant d'un air vif et d'un exercice continuel, ces hommes supportent quelque temps sans malaise des excès de table journaliers, et, quoique dans leurs occupations champêtres ils soient vêtus d'une manière peu différente des paysans, il est impossible de les

---

1. G. Sand reprend ici le titre du roman de Marivaux. Ce phénomène d'ascension sociale s'était déjà produit avant la Révolution, mais différemment. Le paysan de Marivaux réalise son ascension sociale en venant à Paris d'abord comme domestique. Au XIXe siècle, le paysan réalise cette ascension en restant sur place et en devenant propriétaire. Voir *La Vallée-Noire*, p. 293 : « On dirait que le paysan de la Vallée-Noire cache le maigre trésor qu'il a pu acheter en 93, et qu'il a peur d'éveiller les désirs de son ancien seigneur, toujours prêt, dans l'imagination du paysan, à réclamer et à ressaisir les *biens nationaux*. » Une fois passée la période de l'achat des biens nationaux, il y eut le phénomène que G. Sand va analyser dans *Le Meunier* : l'achat par le paysan enrichi des terres du noble endetté. En revanche, le paysan qui va à la ville au XIXe siècle, ne fera le plus souvent que se fondre dans le sous-prolétariat industriel.

confondre avec eux, même au premier coup d'œil. Tandis que le paysan est toujours maigre, bien proportionné et d'un teint basané qui a sa beauté, le bourgeois de campagne est toujours, dès l'âge de quarante ans, affligé d'un gros ventre, d'une démarche pesante et d'un coloris vineux qui vulgarisent et enlaidissent les plus belles organisations.

Parmi ceux qui ont fait leur fortune eux-mêmes et qui ont commencé leur vie par la sobriété forcée du paysan, on ne trouverait guère d'exception à cet épaississement de la forme et à cette altération de la peau. Car c'est une observation proverbiale que lorsque le paysan commence à se nourrir de viande et à boire du vin à discrétion, il devient incapable de travailler, et que le retour à ses premières habitudes lui serait infailliblement et promptement mortel. On peut donc dire que l'argent passe dans leur sang, qu'ils s'y attachent de corps et d'âme, et que la vie ou la raison doit fatalement succomber chez eux à la perte de leur fortune. Toute idée de dévouement à l'humanité, toute notion religieuse, sont presque incompatibles avec cette transformation que le bien-être opère dans leur être physique et moral. Il serait fort inutile de s'indigner contre eux. Ils ne peuvent pas être autrement. Ils s'engraissent pour arriver à l'apoplexie ou à l'imbécillité. Leurs facultés pour l'acquisition et la conservation de la richesse, très développées d'abord, s'éteignent vers le milieu de leur carrière, et, après avoir fait fortune avec une rapidité et une habileté remarquables, ils tombent de bonne heure dans l'apathie, le désordre et l'incapacité. Aucune idée sociale, aucun sentiment de progrès ne les soutient.

La digestion devient l'affaire de leur vie, et leur richesse si vigoureusement acquise est, avant qu'ils l'aient consolidée, engagée dans mille embarras et compromise par mille maladresses... sans parler de la vanité qui les précipite dans des spéculations au-dessus de leur crédit ; si bien que tous ces riches sont presque toujours ruinés au moment où ils font le plus d'envieux.

M. Bricolin n'en était pas encore là. Il était à cet âge où l'activité et la volonté dans toute leur force, peuvent encore lutter contre la double ivresse de l'orgueil et de l'intempérance. Mais il suffisait de voir ses yeux un peu bridés, son vaste abdomen, son nez luisant et le tremblement nerveux que l'habitude du coup du matin (c'est-à-dire les deux bouteilles de vin blanc à jeun en guise de café), donnait à sa main robuste, pour présager l'époque prochaine où cet homme si dispos, si matinal, si prévoyant, et si impitoyable en affaires, perdrait la santé, la mémoire, le jugement et jusqu'à la dureté de son âme, pour devenir un ivrogne épuisé, un bavard très lourd, et un maître facile à tromper.

Sa figure avait été belle, quoique dépourvue absolument de distinction. Ses traits courts et fortement accentués annonçaient une énergie et une âpreté peu communes. Il avait l'œil vif, noir et dur, la bouche sensuelle, le front étroit et bas, les cheveux crépus, la parole brève et rapide. Il n'y avait point de fausseté dans son regard, ni d'hypocrisie dans ses manières. Ce n'était point un homme fourbe, et le grand respect qu'il avait pour le tien et le mien, aux termes de la société actuelle, le rendait incapable de friponnerie.

D'ailleurs, le cynisme de sa cupidité l'empêchait de farder ses intentions, et quand il avait dit à son semblable : «Mon intérêt est contraire au tien», il pensait lui avoir démontré qu'il agissait en vertu du droit le plus sacré, et qu'il avait fait acte de haute loyauté en le lui annonçant.

Demi-bourgeois, demi-manant, il portait le dimanche un costume mixte entre le paysan et le *monsieur*. Son chapeau avait la forme plus basse que celui des uns, et les bords moins larges que celui des autres. Il avait une blouse grise à ceinture et à plis fixés sur sa taille courte, qui lui donnait l'aspect d'une barrique cerclée. Ses guêtres exhalaient une odeur d'étable indélébile, et sa cravate de soie noire était d'un luisant graisseux. Ce personnage, court et brusque, fit une impression désagréable sur Marcelle, et sa conversation prolixe, roulant toujours sur l'argent, lui fut encore moins sympathique que les prévenances désobligeantes de sa moitié.

Voici quel fut à peu près le résumé du bavardage de deux heures qu'elle eut à subir de la part de maître Bricolin. La propriété de Blanchemont était chargée d'hypothèques pour un grand tiers de sa valeur. Feu M. le baron avait en outre demandé des avances considérables sur les fermages, et avec des intérêts énormes que M. Bricolin *avait été forcé d'exiger*, vu la difficulté de se procurer de l'argent et le taux usuraire établi dans le pays. Mme de Blanchemont devait se soumettre à des conditions encore plus dures, si elle voulait continuer le système auquel son mari avait été autorisé par elle ; ou bien, avant de demander les revenus, elle devait payer l'arriéré, capital et intérêts, et intérêt des intérêts, somme qui s'élevait à plus de cent mille francs. Quant aux autres créanciers, ils voulaient rentrer dans leurs fonds entièrement, ou garder leur créance entière à titre de placement. Il fallait donc vendre la terre ou trouver promptement des capitaux ; en un mot, la terre valait huit cent mille francs, elle était grevée de quatre cent mille francs de dettes, sans compter celle envers M. Bricolin. Il restait trois cent mille francs, unique fortune désormais de Mme de Blanchemont, indépendante de celle que son mari avait ou n'avait pas laissée à son fils et dont elle ne connaissait pas encore la situation.

Marcelle était loin de s'attendre à de si grands désastres, elle n'en avait pas prévu la moitié. Les créanciers n'avaient pas encore réclamé, et, bien nantis de leurs titres, ils attendaient, M. Bricolin tout le premier, que la veuve s'informât de sa position pour lui demander le paiement intégral ou la continuation du revenu que l'emprunt leur assurait. Lorsqu'elle demanda à Bricolin pourquoi, depuis un mois qu'elle était veuve, il ne lui avait pas fait connaître l'état de ses affaires, il lui répondit avec une brutale franchise qu'il n'avait pas de raison pour se presser, que sa créance était bonne, et que chaque jour d'indifférence de la part du propriétaire était un jour de profit pour le fermier, pendant lequel il cumulait les intérêts de son argent sans rien aventurer. Ce raisonnement péremptoire éclaira promptement Marcelle sur le genre de moralité de M. Bricolin.

« C'est juste, lui répondit-elle en souriant avec une ironie que le fermier ne daigna pas comprendre. Je vois que c'est ma faute si chaque jour que je laisse écouler dévore plus que le revenu auquel je croyais pouvoir prétendre. Mais, dans l'intérêt de mon fils, je dois mettre un terme à cette espèce de débâcle, et j'attends de vous, monsieur Bricolin, un bon conseil à cet égard. »

M. Bricolin, très surpris du calme avec lequel la dame de Blanchemont venait d'apprendre qu'elle était à peu près ruinée, et encore plus de la confiance avec laquelle elle le consultait, la regarda entre les deux yeux. Il vit dans sa physionomie une sorte de défi malicieux porté par la plus parfaite candeur à sa cupidité.

« Je vois bien, dit-il, que vous voulez me tenter, mais je ne veux pas m'exposer à des reproches de la part de votre famille. Cela fait tort à un homme d'être accusé de complaisance intéressée à des prêts usuraires. Il faut, madame de Blanchemont, que je vous parle sérieusement : mais ici les murs sont trop minces et ce que j'ai à vous dire n'a pas besoin d'être ébruité. Si vous voulez faire semblant de venir avec moi examiner le vieux château, je vous dirai, 1° ce que je vous conseillerais de faire si j'étais votre parent ; 2° ce que, étant votre créancier, je désire que vous fassiez ; vous verrez s'il y a un troisième avis à examiner. Je ne le pense pas. »

Si le vieux château n'eût pas été entouré d'orties, de mares stagnantes et fétides, et de mille décombres mutilés qui n'avaient plus aucune autre physionomie que celle d'un désordre barbare, c'eût été un débris du passé assez pittoresque. Il y avait un reste de fossé avec de grands roseaux, de superbes lierres sur toute une face du bâtiment, et un éboulement où des cerisiers sauvages avaient acquis un développement magnifique. Ce côté ne manquait pas de poésie. M. Bricolin montra à Marcelle la chambre que son mari avait coutume d'habiter en passant. Il y avait un reste d'ameublement du temps de Louis XVI, très malpropre et très fané. Cependant cette pièce était habitable, et Mme de Blanchemont résolut d'y passer la nuit.

«Cela contrariera un peu ma femme, qui tenait à honneur de vous recevoir dans ses meubles, dit M. Bricolin ; mais je ne connais rien de plus mal à propos que de tourmenter les personnes. Si le vieux château vous plaît, il ne faut pas disputer des goûts, comme on dit, et j'y ferai transporter vos effets. On mettra un lit de sangle dans ce cabinet pour votre *fille de chambre.* En attendant, je vais vous parler sérieusement de vos affaires, madame de Blanchemont : c'est le plus pressé.»

Et, tirant un fauteuil, Bricolin s'y installa et commença ainsi :

«D'abord, permettez-moi de vous demander si vous avez par devers vous une autre fortune que la terre de Blanchemont ? je ne crois pas, si je suis bien informé.

— Je n'ai à moi rien autre chose, répondit Marcelle avec tranquillité.

— Et pensez-vous que votre fils ait à hériter d'une grosse fortune du chef de son père ?

— Je n'en sais rien. Si les propriétés de M. de Blanchemont sont aussi grevées que la mienne…

— Ah ! vous n'en savez rien ? Vous ne vous occupez donc pas de vos affaires ? c'est drôle ! Mais tous les nobles sont comme cela. Moi, je suis obligé de

connaître votre position. C'est mon métier et mon intérêt. Or donc, voyant que feu M. le baron allait grand
train, et ne prévoyant pas qu'il mourrait si jeune, j'ai
dû m'assurer des brèches qu'il pouvait avoir faites à
sa fortune, afin d'être en garde contre des emprunts
qui auraient pu excéder un jour la valeur des terres
d'ici, et me laisser sans garantie. J'ai donc fait courir
et fureter les gens du métier, et je sais, à un sou près,
ce qui reste, *au jour d'aujourd'hui* [1], à votre petit
bonhomme.

— Faites-moi donc le plaisir de me l'apprendre,
monsieur Bricolin.

— C'est facile, et vous pourrez le vérifier. Si je me
trompe de dix mille francs, c'est tout le bout du monde.
Votre mari avait environ un million de fortune, il reste
cela au soleil, sauf qu'il y a neuf cent quatre-vingts ou
quatre-vingt-dix mille francs de dettes à payer.

— Ainsi, mon fils n'a plus rien ? dit Marcelle troublée de cette révélation nouvelle.

— Comme vous dites. Avec ce que vous avez
il aura encore trois cent mille francs un jour. C'est
encore joli si vous voulez rassembler et liquider cela.
En terres, ça représente six ou sept mille livres de
rente. Si vous voulez le manger, c'est encore plus
joli.

— Je n'ai pas l'intention de détruire l'unique avenir de mon fils. Mon devoir est de me dégager autant
que possible des embarras où je me trouve.

---

1. On sait que G. Sand avait d'abord songé à prendre pour
titre cette expression favorite du père Bricolin, dont le rôle dramatique va être important et qui met bien l'accent sur un aspect
du roman : la peinture réaliste de la classe paysanne en 1844.

— En ce cas, écoutez : Vos terres et les siennes rapportent deux pour cent. Vous payez les intérêts de vos dettes quinze et vingt pour cent ; avec les intérêts cumulés, vous arriverez promptement à augmenter sans fin le capital de la dette. Comment allez-vous faire ?

— Il faut vendre, n'est-ce pas ?

— Comme vous voudrez. Je crois que c'est dans votre intérêt bien entendu, à moins que, pourtant, comme vous avez pour longtemps la jouissance du bien de votre fils, vous ne préfériez profiter du désordre, et faire votre part.

— Non, monsieur Bricolin, telle n'est pas mon intention.

— Mais vous pourriez encore tirer de l'argent de cette fortune-là, et comme le petit a encore des grands-parents dont il héritera, il pourrait n'être pas banqueroutier à l'époque de sa majorité.

— C'est très bien raisonné, dit froidement Marcelle ; mais je veux agir tout autrement. Je veux tout vendre, afin que les dettes de la succession n'excèdent pas le capital ; et quant à ma fortune, je veux la liquider, afin d'avoir le moyen d'élever convenablement mon fils.

— En ce cas, vous voulez vendre Blanchemont ?

— Oui, monsieur Bricolin, tout de suite.

— Tout de suite ? Oh ! je le crois bien ; quand on est dans votre position, et qu'on veut en sortir franchement, il n'y a pas un jour à perdre, puisque chaque jour fait un trou à la bourse. Mais croyez-vous que ce soit bien facile de vendre une terre de cette importance tout de suite, soit en bloc, soit en détail ? Autant vaudrait dire que du jour au lendemain on va vous bâtir un château comme celui-ci, assez solide pour durer cinq ou six cents ans. Sachez donc *qu'au jour d'aujourd'hui* on ne remue de fonds que dans l'industrie, les chemins de fer et autres grosses affaires où il y a cent pour cent à perdre ou à gagner. Quant aux propriétés territoriales, c'est le diable à déloger. Dans notre pays, tout le monde voudrait vendre, et personne ne veut acheter, tant on est las d'enterrer dans les sillons de gros capitaux pour un mince revenu. La terre est bonne pour quiconque y réside, en vit et y fait des économies ; c'est la vie des campagnards comme moi. Mais pour vous autres gens des villes, c'est un revenu misérable. Ainsi donc, un bien de cinquante, cent mille francs au plus, trouvera parmi mes pareils des acquéreurs empressés. Un bien de huit cent mille francs dépasse généralement nos moyens, et il vous faudra chercher, dans l'étude de votre notaire à Paris un capitaliste qui ne sache que faire de ses fonds. Pensez-vous qu'il y en ait beaucoup *au jour d'aujourd'hui*, quand on peut jouer à la bourse, à la roulette, aux *z'houlières*, aux chemins de fer, aux places et à mille autres gros jeux ! Il vous faudra donc rencontrer quelque vieux noble peureux qui aime mieux placer son argent à deux pour cent, dans la crainte d'une révolution, que de se lancer dans les belles spéculations qui tentent tout le monde *au jour d'aujourd'hui*. Encore faudrait-il qu'il y eût une belle maison d'habitation où un vieux rentier pût venir finir ses jours. Mais vous voyez votre château ? je n'en voudrais pas pour les matériaux. La peine de le jeter par terre ne vaudrait pas ce qu'on en retirerait de charpente pourrie et de moellons fendus. Ainsi donc, vous pouvez bien, en faisant afficher votre terre, la vendre en bloc un de ces matins ; mais vous pouvez bien aussi attendre dix ans ; car votre notaire aura beau dire et imprimer sur ses pancartes, comme c'est l'usage, qu'elle rapporte trois, et trois et demi ; on verra mon bail, et on saura que, les impôts défalqués, elle n'en rapporte pas deux.

— Votre bail a peut-être été conclu en raison des avances que vous aviez faites à M. de Blanchemont ? dit Marcelle en souriant.

— Comme de juste ! répondit Bricolin avec aplomb, et mon bail est de vingt ans ; il y en a un d'écoulé, reste dix-neuf. Vous le savez bien, vous l'avez signé. Après cela, vous ne l'avez peut-être pas lu… Dame ! c'est votre faute.

— Aussi, je ne m'en prends à personne. Donc, je ne puis pas vendre en bloc, mais en détail ?

— En détail, vous vendrez bien, vous vendrez cher, mais on ne vous paiera pas.

— Pourquoi cela ?

— Parce que vous serez forcée de vendre à beaucoup de gens dont la plupart ne seront pas solvables, à des paysans qui, les meilleurs, s'acquitteront sou par sou à la longue, et, les plus gueux, qui se laisseront tenter par l'amour de posséder un peu de terre, comme ils font tous *au jour d'aujourd'hui*, et qu'il vous faudra exproprier au bout de dix ans, sans avoir touché de revenu. Cela vous ennuiera de les tourmenter !

— Et je ne m'y résoudrai jamais. Ainsi, monsieur Bricolin, selon vous, je ne puis ni vendre ni conserver ?

— Si vous voulez être raisonnable, ne pas vendre cher et palper du comptant, vous pouvez vendre à quelqu'un que je connais.

— À qui donc ?

— À moi.

— À vous, monsieur Bricolin ?

— À moi, Nicolas-Étienne Bricolin.

— En effet, dit Marcelle, qui se rappela en cet instant quelques paroles échappées au meunier d'Angibault ; j'ai entendu parler le cela. Et quelles sont vos propositions ?

— Je m'arrange avec vos créanciers hypothécaires, je démembre la terre, je vends à ceux-ci, j'achète à ceux-là, je garde ce qui est à ma convenance et je vous paie le reste.

— Et les créanciers, vous les payez comptant aussi ? Vous êtes énormément riche, monsieur Bricolin !

— Non, je les fais attendre, et, d'une manière ou de l'autre, je vous en débarrasse.

— Je croyais qu'ils voulaient tous être remboursés immédiatement ; vous me l'aviez dit ?

— Ils seraient exigeants avec vous ; ils me feront crédit, à moi.

— C'est juste. Je passe pour insolvable peut-être ?

— Possible ! *au jour d'aujourd'hui*, on est très méfiant. Voyons, madame de Blanchemont ! vous me devez cent mille francs, je vous en donne deux cent cinquante mille, et nous sommes quittes.

— C'est-à-dire que vous voulez payer deux cent cinquante mille francs ce qui en vaut trois cent mille ?

— C'est un petit *boni* qu'il est juste que vous m'accordiez : je paie comptant. Vous direz que c'est mon avantage de ne pas servir d'intérêts ayant l'argent. C'est votre avantage aussi de palper votre fortune, dont vous n'aurez plus ni sou ni maille si vous tardez.

— Ainsi, vous voulez profiter des embarras de ma position pour réduire d'un sixième le peu qui me reste ?

— C'est mon droit, et tout autre que moi exigerait davantage. Soyez sûre que je prends vos intérêts autant que possible. Allons, mon premier mot sera le dernier. Vous y penserez.

— Oui, monsieur Bricolin, il me semble qu'il faut y penser.

— Diable ! je le crois bien ! Il faut d'abord vous assurer que je ne vous trompe pas, et que je ne me trompe pas moi-même sur votre situation et sur la valeur de vos biens. Vous voilà ici ; vous vous renseignerez, vous verrez tout par vous-même, vous pourrez même aller visiter les terres de votre mari du côté du Blanc, et quand vous serez au courant, dans un mois environ, vous me direz votre réponse. Seulement, vous pouvez bien résumer mes offres en établissant ainsi votre calcul sur une base dont je ne crains pas la vérification : vous pouvez, 1° vendre ce qui vous reste de net le double de ce que je vous en offre, mais vous n'en toucherez pas la moitié, ou bien vous attendrez dix ans, durant lesquels vous aurez à servir tant d'intérêts qu'il ne vous restera rien ; 2° vous pouvez me vendre à un sixième de perte et toucher, d'ici à trois mois, deux cent cinquante mille francs en bon or ou en bon argent, ou en jolis billets de banque, à votre choix. Allons, j'ai dit ! maintenant revenez à la maison dans une petite heure, vous dînerez avec nous. Il faudra faire chez nous comme chez vous, entendez-vous, madame la baronne ? Nous sommes en affaires, et si vous ne me demandez pas d'autre *pot-de-vin*, ce ne sera pas grand-chose. »

La position où Marcelle se trouvait désormais vis-à-vis des Bricolin lui ôtait tout scrupule, et nécessitait d'ailleurs l'acceptation de cette offre. Elle promit donc d'en profiter ; mais elle demanda, en attendant l'heure du repas, à rester au vieux château pour écrire une lettre, et M. Bricolin la quitta pour lui envoyer ses domestiques et ses paquets.

IX

UN AMI IMPROVISÉ

Pendant quelques instants qu'elle demeura seule, Marcelle fit rapidement beaucoup de réflexions, et bientôt elle sentit que l'amour lui donnait une énergie dont elle n'eût pas été capable peut-être sans cette toute-puissante inspiration. Au premier aspect, elle avait été un peu effrayée de ce triste manoir, l'unique demeure qui lui restât en propre. Mais en apprenant que cette ruine même n'allait bientôt plus lui appartenir, elle se prit à sourire en la regardant avec une curiosité complètement désintéressée. L'écusson seigneurial de sa famille était encore intact au manteau des vastes cheminées.

« Ainsi, se dit-elle, tout va être rompu entre moi et le passé. Richesse et noblesse s'éteignent de compagnie, *au jour d'aujourd'hui*, comme dit ce Bricolin. Ô mon Dieu ! que vous êtes bon d'avoir fait l'amour de tous les temps et immortel comme vous-même ! »

Suzette entra, apportant le nécessaire de voyage que sa maîtresse avait demandé pour écrire. Mais, en l'ouvrant, Marcelle jeta par hasard les yeux sur sa soubrette, et lui trouva une si étrange expression en contemplant les murailles nues du vieux castel, qu'elle ne put s'empêcher de rire. La figure de Suzette se rembrunit davantage, et sa voix prit un diapason de révolte bien marqué. « Ainsi, dit-elle, Madame est résolue à coucher ici ?

— Vous le voyez bien, répondit Marcelle, et vous avez là un cabinet pour vous, avec une vue magnifique et beaucoup d'air.

— Je suis fort obligée à Madame, mais Madame peut être assurée que je n'y coucherai pas. J'y ai peur en plein jour ; que serait-ce la nuit ? on dit qu'il y revient, et je n'ai pas de peine à le croire.

— Vous êtes folle, Suzette. Je vous défendrai contre les revenants.

— Madame aura la bonté de faire coucher ici quelque servante de la ferme, car j'aimerais mieux m'en aller tout de suite à pied de cet affreux pays…

— Vous le prenez tragiquement, Suzette. Je ne veux vous contraindre en rien, vous coucherez où vous voudrez ; cependant je vous ferai observer que si vous preniez l'habitude de me refuser vos services, je me verrais dans la nécessité de me séparer de vous.

— Si Madame compte rester longtemps dans ce pays-ci, et habiter cette masure…

— Je suis forcée d'y rester un mois, et peut-être davantage ; qu'en voulez-vous conclure ?

— Que je demanderai à Madame de vouloir bien me renvoyer à Paris ou dans quelque autre terre de Madame, car je fais serment que je mourrais ici au bout de trois jours.

— Ma chère Suzette, répondit Marcelle avec beaucoup de douceur, je n'ai plus d'autre terre, et je ne retournerai probablement jamais demeurer à Paris. Je n'ai plus de fortune, mon enfant, et il est probable que je ne pourrai vous garder longtemps à mon service. Puisque ce séjour vous est odieux, il est inutile que je vous l'impose durant quelques jours. Je vais vous payer vos gages et votre voyage. La patache qui nous a amenées n'est pas repartie. Je vous donnerai de bonnes recommandations, et mes parents vous aideront à vous placer[1].

— Mais comment Madame veut-elle que je m'en aille comme cela toute seule ? Vraiment, c'était bien la peine de m'amener si loin dans un pays perdu !

— J'ignorais que j'étais ruinée, et je viens de l'apprendre à l'instant même, répondit Marcelle avec calme ; ne me faites donc pas de reproches, c'est involontairement que je vous ai causé cette contrariété. D'ailleurs, vous ne partirez pas seule ; Lapierre retournera à Paris avec vous.

---

1. On remarquera que malgré sa bonté d'âme, Marcelle risque dans sa réforme de vie (en partie seulement volontaire) de condamner à ce que nous appellerions le chômage, ses domestiques.

— Madame renvoie aussi Lapierre ? reprit Suzette consternée.

— Je ne renvoie pas Lapierre. Je le rends à ma belle-mère, qui me l'avait donné, et qui reprendra avec plaisir ce vieux et bon serviteur. Allez dîner, Suzette, et préparez-vous à partir. »

Confondue du sang-froid et de la tranquille douceur de sa maîtresse, Suzette fondit en larmes, et, par un retour d'affection, peut-être irréfléchi, elle la supplia de lui pardonner et de la garder auprès d'elle.

« Non, ma chère fille, répondit Marcelle, vos gages sont désormais au-dessus de ma position. Je vous regrette malgré vos travers, et peut-être me regretterez-vous aussi malgré mes défauts. Mais c'est un sacrifice inévitable, et le moment où nous sommes n'est pas celui de la faiblesse.

— Et que va devenir Madame ? sans fortune, sans domestiques, et avec un petit enfant sur les bras, dans un pareil désert ! Ce pauvre petit Édouard !

— Ne vous affligez pas, Suzette ; vous vous placerez certainement chez quelqu'un de ma connaissance. Nous nous reverrons. Vous reverrez Édouard. Ne pleurez pas devant lui, je vous en supplie ! »

Suzette sortit ; mais Marcelle n'avait pas encore mis sa plume dans l'encre pour écrire, que le grand farinier parut devant elle, portant Édouard sur un bras, et un sac de nuit sur l'autre.

« Ah ! lui dit Marcelle en recevant l'enfant qu'il déposa sur ses genoux, vous êtes donc toujours occupé à m'obliger, monsieur Louis ? Je suis bien aise que vous ne soyez pas encore parti. Je ne vous avais presque pas remercié, et j'aurais eu du regret de ne pas vous dire adieu.

— Non, je ne suis pas encore parti, dit le meunier, et à dire vrai, je ne suis pas très pressé de m'en aller. Mais tenez, Madame, si ça vous est égal, vous ne m'appellerez plus *monsieur*. Je ne suis pas un monsieur, et de votre part ça me contrarie à présent, cette cérémonie ! vous m'appellerez Louis tout court, ou Grand-Louis, comme tout le monde.

— Mais je vous ferai observer que cela sera très contraire à l'égalité, et que d'après vos réflexions de ce matin…

— Ce matin j'étais une bête, un cheval, et un cheval de moulin qui pis est. J'avais des préventions… à cause de la noblesse et de votre mari… que sais-je ? Si vous m'aviez appelé Louis, je crois que je vous aurais appelée… Comment vous appelez-vous ?

— Marcelle.

— J'aime assez ce nom-là, madame Marcelle ! Eh bien ! je vous appellerai comme cela : ça ne me rappellera plus monsieur le baron.

— Mais si je ne vous appelle plus monsieur, vous m'appellerez donc Marcelle tout court ? dit Mme de Blanchemont en riant.

— Non, non, vous êtes une femme… et une femme comme il y en a peu, le diable m'emporte !… Tenez, je ne m'en cache pas, je vous porte dans mon cœur, surtout depuis un moment.

— Pourquoi depuis un moment, Grand-Louis ? dit Marcelle qui commençait à écrire et qui n'écoutait plus le meunier qu'à demi.

— C'est que pendant que vous causiez avec votre

fille de chambre, tout à l'heure, j'étais là dans l'escalier avec votre coquin d'enfant qui me faisait mille
niches pour m'empêcher d'avancer, et, malgré moi,
j'ai entendu tout ce que vous disiez. Je vous en
demande pardon.

— Il n'y a pas de mal à cela, dit Marcelle ;
ma position n'est pas un secret, puisque je la faisais
connaître à Suzette, et, d'ailleurs, je suis certaine qu'un
secret serait bien placé entre vos mains.

— Un secret de vous serait placé dans mon cœur,
reprit le meunier attendri. Ah çà ! vous ne saviez donc
pas, avant de venir ici, que vous étiez ruinée ?

— Non, je ne le savais pas. C'est M. Bricolin qui
vient de me l'apprendre. Je m'attendais à des pertes
réparables, voilà tout.

— Et vous n'en avez pas plus de chagrin que
cela ? »

Marcelle, qui écrivait, ne songea pas à répondre,
mais au bout d'un instant, elle leva les eux sur le
Grand-Louis, et le vit debout devant elle, les bras
croisés et la contemplant avec une sorte d'enthousiasme naïf et d'étonnement profond.

« C'est donc bien surprenant, lui dit-elle, de voir
une personne qui perd sa fortune sans perdre l'esprit.
D'ailleurs, ne me reste-t-il pas de quoi vivre ?

— Ce qui vous reste, je le sais à peu près. Je
connais vos affaires peut-être mieux que vous ; car le
père Bricolin, quand il a bu un coup, aime à causer,
et il m'a assez cassé la tête de tout cela, alors que ça
ne m'intéressait guère. Mais c'est égal, voyez-vous ;
une personne qui voit sans sourciller un million d'un
côté et un demi-million de l'autre, s'en aller de devant

elle... crac ! en un clin d'œil !... je n'ai jamais vu cela, et je ne le comprends pas encore !

— Vous comprendriez encore moins si je vous disais que, quant à ce qui me concerne, cela me fait un plaisir extrême.

— Ah ! mais par rapport à votre fils ! dit le meunier en baissant la voix pour que l'enfant qui jouait dans la pièce voisine n'entendît pas ses paroles.

— Au premier moment j'ai été un peu effrayée, répondit Marcelle, et puis, je me suis bientôt consolée. Il y a longtemps que je me dis que c'est un malheur que de naître riche, et d'être destiné à l'oisiveté, à la haine des pauvres, à l'égoïsme et à l'impunité que donne la richesse. J'ai regretté bien souvent de n'être pas fille et mère d'ouvrier. À présent, Louis, je serai du peuple, et les hommes comme vous ne se méfieront plus de moi.

— Vous ne serez pas du peuple, dit le meunier ; il vous reste encore une fortune qu'un homme du peuple regarderait comme immense, quoique ce ne soit pas grand-chose pour vous. D'ailleurs ce petit enfant a des parents riches qui ne le laisseront pas élever comme un pauvre. Tout cela, madame Marcelle, c'est donc des romans que vous vous faites ; mais où diable, avez-vous donc pris ces idées-là ? Il faut que vous soyez une sainte, le diable m'enlève ! Ça me fait un singulier effet de vous entendre dire des choses pareilles, quand toutes les autres personnes riches ne songent qu'à le devenir davantage. Vous êtes la première de votre espèce que je vois. Est-ce qu'il y a à Paris d'autres riches et d'autres nobles qui pensent comme vous ?

— Il n'y en a guère, je dois en convenir. Mais ne m'en faites pas tant de mérite, Grand-Louis. Un jour viendra où je pourrai peut-être vous faire comprendre pourquoi je suis ainsi.

— Faites excuse, mais je m'en doute.

— Non.

— Si fait, et la preuve, c'est que je ne peux pas vous le dire. Ce sont des affaires délicates, et vous me diriez que je suis trop osé de vous questionner là-dessus. Si vous saviez pourtant, comme sur ce chapitre-là, je suis penaud et capable de comprendre les peines des autres ! Je vous dirai mes soucis, moi ! Oui, le tonnerre m'écrase ! je vous les dirai. Il n'y aura que vous et ma mère qui saurez cela. Vous me direz quelques bonnes paroles qui me remettront peut-être l'esprit.

— Et si je vous disais, à mon tour, que je m'en doute ?

— Vous devez vous en douter ! preuve qu'il y a de l'amour et de l'argent mêlés dans toutes ces affaires-là.

— Je veux que vous me fassiez vos confidences, Grand-Louis ; mais voici le vieux Lapierre qui monte. Nous nous reverrons bientôt, n'est-ce pas ?

— Il le faut, dit le meunier en baissant la voix, car j'ai sur vos affaires avec le Bricolin bien des choses à vous demander. J'ai peur que ce gaillard-là ne vous mène un peu trop durement, et qui sait ! tout paysan que je suis, je pourrais peut-être vous rendre service. Voulez-vous me traiter en ami ?

— Certainement.

— Et vous ne ferez rien sans m'avertir ?

— Je vous le promets, ami. Voici Lapierre.

— Faut-il que je m'en aille ?

— Allez ici à côté, avec Édouard. J'aurai peut-être besoin de vous consulter, si vous avez le temps d'attendre quelques minutes de plus.

— C'est dimanche… D'ailleurs, ça serait tout autre jour… ! »

X

CORRESPONDANCE

Lapierre entra. Suzette lui avait déjà tout dit. Il était pâle et tremblant. Vieux et incapable d'un service pénible, il n'était pour Marcelle qu'un porte-respect en voyage. Mais, sans le lui avoir jamais exprimé, il lui était sincèrement attaché, et, malgré l'aversion qu'il éprouvait déjà, aussi bien que Suzette, pour la Vallée-Noire et le vieux château, il refusa de quitter sa maîtresse et déclara qu'il la servirait pour aussi peu de gages qu'elle jugerait à propos de lui en donner.

Marcelle, touchée de son noble dévouement, lui serra affectueusement les mains, et vainquit sa résistance en lui démontrant qu'il lui serait plus utile en retournant à Paris qu'en restant à Blanchemont. Elle voulait se défaire de son riche mobilier, et Lapierre était très capable de présider à cette vente, d'en recueillir le prix et de le consacrer au paiement des petites dettes courantes que Mme de Blanchemont avait pu laisser à Paris. Probe et entendu, Lapierre fut flatté de jouer le rôle d'une espèce d'homme d'affaires, d'un homme de confiance, à coup sûr, et de rendre service à celle dont il se séparait à regret. Les arrangements de départ furent donc faits. Ici, Marcelle, qui pensait à tous les détails de sa position avec un sang-froid remarquable, rappela le Grand-Louis et lui demanda s'il pensait qu'on pût vendre dans le pays la calèche qu'elle avait laissée à ***.

«Ainsi vous brûlez vos vaisseaux ? répondit le meunier. Tant mieux pour nous ! Vous resterez peut-être ici, et je ne demande qu'à vous y garder. Je vais souvent à *** pour des affaires que j'y ai, et pour voir une de mes sœurs qui y est établie. Je sais à peu près tout ce qui se passe dans ce pays-là, et je vois bien d'ailleurs que tous nos bourgeois, depuis quelques années, ont la rage des belles voitures et de toutes les choses de luxe. J'en sais un qui veut en faire venir une de Paris ; la vôtre est toute rendue, ça lui épargnera la dépense du transport, et dans notre pays, tout en faisant de grosses folies, on regarde encore aux petites économies. Elle m'a paru belle et bonne, cette voiture. Combien cela vaut-il, une affaire comme ça ?

— Deux mille francs.

— Voulez-vous que j'aille avec M. Lapierre jusqu'à *** ? Je le mettrai en rapport avec les acheteurs, et il touchera l'argent, car chez nous on ne paie comptant qu'aux étrangers.

— Si ce n'était pas abuser de votre temps et de votre obligeance, vous feriez seul cette affaire.

— J'irai avec plaisir ; mais ne parlez pas de cela à M. Bricolin, il serait capable de vouloir l'acheter, lui, la calèche !

— Eh bien ! pourquoi non ?

— Ah bon ! il ne manquerait plus que ça pour faire tourner la tête à… aux personnes de sa famille ! D'ailleurs, le Bricolin trouverait moyen de vous la payer moitié de ce qu'elle vaut. Je vous dis que je m'en charge.

— En ce cas, vous me rapporterez l'argent, s'il est possible ? car je croyais avoir à en toucher ici, au lieu qu'il me faudra sans doute en restituer.

— Eh bien, nous partirons ce soir ; à cause du dimanche, ça ne me dérangera pas ; et si je ne reviens pas demain soir ou après-demain matin avec deux mille francs, prenez-moi pour un vantard.

— Que vous êtes bon, vous ! dit Marcelle en songeant à la rapacité de son riche fermier.

— Il faudra que je vous rapporte aussi vos malles, que vous avez laissées là-bas ? dit le Grand-Louis.

— Si vous voulez bien louer une charrette et me les faire envoyer…

— Non pas ! à quoi bon louer un homme et un cheval ? Je mettrai Sophie au tombereau, et je parie que Mlle Suzette aimera mieux voyager en plein air sur une botte de paille, avec un bon conducteur comme moi, qu'avec cet enragé patachon dans son panier à salade. Ah çà ! tout n'est pas dit. Il vous faut une servante, celles de M. Bricolin ont trop d'occupation pour amuser votre coquin d'enfant du matin au soir. Ah ! si j'avais le temps, moi ! nous ferions une belle vie ensemble, avec ça que j'adore les enfants et que celui-là a plus d'esprit que moi ! je vais vous prêter la petite Fanchon, la servante à ma mère. Nous nous en passerons bien pendant quelque temps. C'est une petite fille qui aura soin du petit comme de la prunelle de ses yeux, et qui fera tout ce que vous lui commanderez. Elle n'a qu'un défaut, c'est de dire trois fois *plaît-il ?* à chaque parole qu'on lui adresse. Mais que voulez-vous, elle s'imagine que c'est une politesse, et qu'on la gronderait si elle ne faisait pas semblant d'être sourde.

— Vous êtes ma Providence, dit Marcelle, et j'admire que, dans une situation qui devait me susciter mille embarras, il se trouve sur mon chemin un cœur excellent qui vienne à mon secours.

— Bah ! bah ! ce sont de petits services d'amitié, que vous me rendrez d'une autre façon. Vous m'avez déjà grandement servi, sans vous en douter, depuis que vous êtes ici !

— Et comment cela ?…

— Ah ! dame ! nous causerons de cela plus tard », dit le meunier d'un air mystérieux, et avec un sourire où le sérieux de sa passion faisait un étrange contraste avec l'enjouement de son caractère.

Le départ du meunier et des domestiques ayant été résolu d'un commun accord pour le soir même, *à la fraîche*, comme disait Grand-Louis, Marcelle, n'ayant plus que quelques instants pour écrire avant le dîner de la ferme, traça rapidement les deux billets suivants :

PREMIER BILLET

*Marcelle, baronne de Blanchemont,
à la comtesse de Blanchemont, sa belle-mère.*

« Chère maman,

« Je m'adresse à vous comme à la plus courageuse des femmes et à la meilleure tête de la famille, pour vous annoncer et vous charger d'annoncer au respectable comte et à nos autres chers parents, une nouvelle qui vous affectera, j'en suis sûre, plus que moi. Vous m'avez souvent fait part de vos appréhensions, et nous avons trop causé du sujet qui m'occupe en ce moment pour que vous ne m'entendiez pas à demi-mot. *Il n'y a plus rien* (mais rien) *de la fortune d'Édouard.* De la mienne, il reste deux cent cinquante mille ou trois cent mille francs. Je ne connais encore ma situation que par un homme qui serait intéressé à exagérer le désastre, si la chose était possible, mais qui a trop de bon sens pour tenter de me tromper, puisque demain, après-demain, je puis m'instruire par moi-même. Je vous renvoie le bon Lapierre, et n'ai pas besoin de vous engager à le reprendre chez vous. Vous me l'aviez donné pour qu'il mît un peu d'ordre et d'économie dans les dépenses de la maison. Il a fait son possible ; mais qu'était-ce que ces épargnes domestiques, lorsqu'au dehors la prodigalité était sans contrôle et sans limites ? De petites raisons qu'il vous expliquera lui-même me forcent à brusquer son départ ; voilà pourquoi je vous écris en courant, et sans entrer dans des détails que je ne possède pas moi-même, et qui viendront plus tard. Je tiens à ce que Lapierre vous voie seule et vous remette ceci, afin que vous ayez quelques heures ou quelques jours au besoin pour préparer le comte à cette révélation. Vous l'adoucirez en lui disant mille fois tout ce que vous savez de moi, combien je suis indifférente aux jouissances de la richesse, et combien je suis incapable de maudire qui que ce soit et quoi que ce soit dans le passé. Comment ne pardonnerais-je pas à celui qui a eu le malheur de ne pas vivre assez pour tout réparer ! Chère maman, que sa mémoire reçoive de votre cœur et du mien une entière et facile absolution !

« Maintenant, deux mots sur Édouard et sur moi, qui ne faisons qu'un dans cette épreuve de la destinée. Il me restera, je l'espère, de quoi pourvoir à tous ses besoins et à son éducation. Il n'est pas d'âge à s'affliger de pertes qu'il ignore et qu'il sera bon de lui laisser ignorer autant que possible lorsqu'il sera capable de les comprendre. N'est-il pas heureux pour lui que ce changement dans sa situation s'opère avant qu'il ait pu se faire un besoin de vivre dans l'opulence ? Si c'est un malheur d'être réduit au nécessaire (ce n'en est pas un à mes yeux), il ne le sentira pas, et, habitué désormais à vivre modestement, il se croira assez riche. Puisqu'il était destiné à tomber dans une condition médiocre, c'est donc un bienfait de la Providence de l'y avoir fait descendre dans un âge où la leçon, loin d'être amère, ne peut que lui être utile. Vous me direz que d'autres héritages lui sont réservés. Je suis étrangère à cet avenir, et ne veux, en aucune façon, en profiter d'avance. Je refuserais presque comme un affront les sacrifices que sa famille voudrait s'imposer pour me procurer ce qu'on appelle un genre de vie honorable. Dans l'appréhension de ce que je viens d'apprendre, j'avais déjà fait mon plan de conduite. Je viens de m'y conformer, et rien au monde ne m'en fera départir. Je suis résolue à m'établir en province, au fond d'une campagne, où j'habituerai les premières années de mon fils à une vie laborieuse et simple, et où il n'aura pas le spectacle et le contact de la richesse d'autrui pour détruire le bon effet de mes exemples et de mes leçons. Je ne perds pas l'espérance d'aller vous le présenter quelquefois, et vous verrez avec plaisir un enfant robuste et enjoué, au lieu de cette frêle et rêveuse créature pour l'existence de laquelle nous n'avions cessé de trembler. Je sais les droits que vous avez sur lui et le respect que je dois à vos volontés et à vos conseils ; mais j'espère que vous ne blâmerez pas mon projet, et que vous me laisserez gouverner cette enfance durant laquelle les soins assidus d'une mère et les salutaires influences de la campagne seront plus utiles que les leçons superficielles d'un professeur grassement payé, des exercices de manège et des promenades en voiture au bois de Boulogne. Quant à moi, ne vous inquiétez nullement ; je n'ai aucun regret à ma vie nonchalante et à mon entourage d'oisiveté. J'aime la campagne de passion, et j'occuperai les longues heures que le monde ne me volera plus à m'instruire pour instruire mon fils. Vous avez eu jusqu'ici quelque confiance en moi, voici le moment d'en avoir une entière. J'ose y compter, sachant que vous n'avez qu'à interroger votre âme énergique et votre cœur profondément maternel pour comprendre mes desseins et mes résolutions.

« Tout cela rencontrera bien quelque opposition dans les idées de la famille ; mais quand vous aurez prononcé que j'ai raison, tous seront de votre avis. Je remets donc notre présent et notre avenir entre vos mains, et je suis avec dévouement, tendresse et respect, à vous pour la vie.

MARCELLE. »

Suivait un post-scriptum relatif à Suzette, et la demande d'envoyer l'homme d'affaires de la famille au Blanc, afin qu'il pût constater la ruine de cette fortune territoriale et s'occuper activement de la liquidation. Quant à ses affaires personnelles, Marcelle voulait et pouvait les liquider elle-même avec l'aide des hommes compétents de la localité.

La seconde lettre était adressée à Henri Lémor :

« Henri, quel bonheur ! quelle joie ! je suis ruinée. Vous ne me reprocherez plus ma richesse, vous ne haïrez plus mes chaînes dorées. Je redeviens une femme que vous pouvez aimer sans remords, et qui n'a plus de sacrifices à s'imposer pour vous. Mon fils n'a plus de riche héritage à recueillir, du moins immédiatement. J'ai le droit désormais de l'élever comme vous l'entendez, d'en faire un homme, de vous confier son éducation, de vous livrer son âme tout entière. Je ne veux pas vous tromper, nous aurons peut-être une petite lutte à soutenir contre la famille de son père, dont l'aveugle tendresse et l'orgueil aristocratique voudront le rendre au monde en l'enri-

chissant malgré moi. Mais nous triompherons avec
de la douceur, un peu d'adresse et beaucoup de fermeté. Je me tiendrai assez loin de leur influence pour
la paralyser, et nous entourerons d'un doux mystère
le développement de cette jeune âme. Ce sera l'enfance de Jupiter au fond des grottes sacrées. Et quand
il sortira de cette divine retraite pour essayer sa puissance, quand la richesse viendra le tenter, nous lui
aurons fait une âme forte contre les séductions du
monde et la corruption de l'or. Henri, je me berce des
plus douces espérances, ne venez pas les détruire avec
des doutes cruels et des scrupules que j'appellerais
alors pusillanimes. Vous me devez votre appui et votre
protection, maintenant que je vais m'isoler d'une
famille pleine de sollicitude et de bonté, mais que je
quitte et vais combattre par la seule raison qu'elle ne
partage pas vos principes. Ce que je vous ai écrit, il y
a deux jours, en quittant Paris, est donc pleinement et
facilement confirmé par ce billet. Je ne vous appelle
pas auprès de moi maintenant, je ne le dois pas, et la
prudence, d'ailleurs, exige que je reste assez longtemps sans vous voir, pour qu'on n'attribue pas à
mes sentiments pour vous l'exil que je m'impose. Je
ne vous dis pas le lieu que j'aurai choisi pour ma
retraite, je l'ignore. Mais dans un an, Henri, cher
Henri, à partir du 15 août, vous viendrez me rejoindre
où je serai fixée alors et où je vous appellerai. Jusque-
là, si vous ne partagez pas ma confiance en moi-
même, j'aime mieux que vous ne m'écriviez pas…
Mais aurai-je la force de vivre un an sans rien savoir
de vous ! Non, ni vous non plus ! Écrivez donc deux
mots, seulement pour dire : *J'existe et j'aime !* Et

vous adresserez pour moi à mon fidèle vieux Lapierre
à l'hôtel de Blanchemont. Adieu, Henri. Oh ! si vous
pouviez lire dans mon cœur et voir que je vaux
mieux que vous ne pensez ! — Édouard se porte bien,
il ne vous oublie pas. Lui seul désormais me parlera
de vous.

M. B. »

Ayant cacheté ces deux lettres, Marcelle qui n'avait
plus d'autre vanité au monde que la beauté angélique
de son fils, rafraîchit un peu la toilette d'Édouard,
et traversa la cour de la ferme. On l'attendait pour
dîner, et, pour lui faire honneur, on avait mis le couvert dans le salon, vu qu'on n'avait pas d'autre salle
à manger que la cuisine, où l'on ne craignait pas de
salir les meubles, et où Mme Bricolin se trouvait
beaucoup plus à portée des mets qu'elle confection-
nait elle-même avec l'aide de sa belle-mère et de sa
servante ; Marcelle s'aperçut bientôt de cette déroga-
tion aux habitudes de la famille. Mme Bricolin, dont
l'empressement était instinctivement empreint de la
mauvaise humeur qui constitue la seule mauvaise éducation en ce genre, eut soin de l'en instruire en lui
demandant à tout propos pardon de ce que le service
se faisait si mal et déroutait complètement ses servantes. Marcelle demanda et exigea dès lors qu'on
reprît le lendemain les habitudes de la maison, assu-
rant avec un sourire enjoué, qu'elle irait dîner au
moulin d'Angibault, si on la traitait avec cérémonie.

« Et à propos de moulin, dit Mme Bricolin après
quelques phrases de politesse mal tournées, il faut
que je fasse une scène à M. Bricolin. — Ah ! le voilà

justement ! Dis donc, monsieur Bricolin, est-ce que tu as perdu l'esprit ; d'inviter ce meunier à dîner avec nous, un jour où madame la baronne nous fait l'honneur d'accepter notre repas ?

— Ah ! diable ! je n'y avais pas songé, répondit naïvement le fermier, ou plutôt… je pensais, quand j'ai invité Grand-Louis, que madame ne nous ferait pas cet honneur-là. M. le baron refusait toujours, tu sais bien… on le servait dans sa chambre, ce qui n'était guère commode, par parenthèse… Enfin, Thibaude, si ça déplaît à madame de manger avec ce garçon-là, tu le lui diras, toi qui n'as pas ta langue dans ta poche ; moi, je ne m'en charge pas : j'ai fait la bêtise, ça me coûte de la réparer.

— Et ça me regarde comme de coutume ! dit l'aigre Mme Bricolin, qui, étant l'aînée des filles Thibaut, conservait son nom de famille féminisé, suivant l'ancien usage du pays. Allons, je vais renvoyer ton beau Louis à sa farine.

— Ce serait me faire beaucoup de peine, et je crois que je m'en irais moi-même, dit Mme de Blanchemont d'un ton ferme et même un peu sec, qui imposa à la fermière ; j'ai déjeuné ce matin avec ce garçon, chez lui, et je l'ai trouvé si obligeant, si poli et si aimable, que ce serait un vrai chagrin pour moi de dîner sans lui ce soir.

— Vraiment ? » dit la belle Rose, qui avait écouté Marcelle avec beaucoup d'attention et dont les yeux animés exprimaient une surprise mêlée de plaisir ; mais elle les baissa et devint toute rouge en rencontrant le regard scrutateur et menaçant de sa mère.

« Il en sera comme madame voudra », dit Mme Bri-

colin ; et elle ajouta tout bas en s'adressant à sa servante qui avait le privilège de ses observations confi-
dentielles quand elle était en colère :

« Ce que c'est que d'être un bel homme ! »

La Chounette (diminutif de Fanchon) sourit d'un
air malicieux qui la rendit plus laide que de coutume.
Elle trouvait le meunier un fort bel homme, en effet,
et lui en voulait de ce qu'il ne lui faisait pas la cour.

« Allons ! dit M. Bricolin, le meunier dînera donc
avec nous. Madame a raison de ne pas être fière. C'est
le moyen de trouver toujours de la bonne volonté
chez les autres. Rose, va donc appeler le Grand-Louis
qui est par là dans la cour. Dis-lui que la soupe est
sur la table. Ça m'aurait coûté de faire un affront à ce
garçon. Savez-vous, madame la baronne, que j'ai raison de tenir à ce meunier-là ? C'est le seul qui ne
retienne pas double mesure et qui ne change pas
le grain. Oui, c'est le seul du pays, le diable me
confonde ! Ils sont tous plus voleurs les uns que les
autres. D'ailleurs, le proverbe du pays le dit : « Tout
meunier, tout voleur. » Je les ai tous essayés, et je
n'ai encore trouvé que celui-là qui ne fît pas de mauvais comptes et de vilains mélanges. Outre qu'il a
toutes sortes d'attentions pour nous. Il ne moudrait
jamais mon froment à la meule qui vient de broyer de
l'orge et du seigle. Il sait que cela gâte la farine et lui
ôte sa blancheur. Il met de l'amour-propre à me
contenter, parce qu'il sait que je tiens à avoir du beau
pain sur ma table. C'est ma seule fantaisie, à moi ! Je
suis humilié quand quelqu'un, venant chez moi, ne
me dit pas : « Ah ! le beau pain ! Il n'y a que vous,

maître Bricolin, pour faire du pareil blé ! — Tout blé
d'Espagne, mon cher, on s'en flatte !

— Il est certain qu'il est magnifique, votre pain !
dit Marcelle, pour faire valoir le meunier autant que
pour satisfaire la vanité de M. Bricolin.

— Ah ! mon Dieu ! que de soucis pour un œil de
plus ou de moins dans le pain, et pour un boisseau de
plus ou de moins par semaine ! dit Mme Bricolin.
Quand nous avons des meuniers beaucoup plus près,
et un moulin au bas du terrier, avoir affaire à un
homme qui demeure à une lieue d'ici !

— Qu'est-ce que ça te fait ? dit M. Bricolin, puisqu'il vient chercher les sacs et qu'il les rapporte sans
prendre un grain de blé de plus que la mouture* ?
D'ailleurs, il a un beau et bon moulin, deux grandes
roues neuves, un fameux réservoir, et l'eau ne manque
jamais chez lui. C'est agréable de ne jamais attendre.

— Et puis, comme il vient de loin, dit la fermière,
vous vous croyez toujours obligé de l'inviter à dîner
ou à goûter ; voilà une économie ! »

Le meunier en arrivant mit fin à cette discussion
conjugale. M. Bricolin se contentait, quand sa femme
le grondait, de hausser un peu les épaules, et de parler un peu plus vite que de coutume. Il lui pardonnait
son humeur acariâtre, parce que l'activité et la parcimonie de sa ménagère lui étaient fort utiles.

---

* On ne paie jamais les meuniers dans la Vallée-Noire : ils
prélèvent leur part de grain avec plus ou moins de fidélité sur la
mouture, et ils sont généralement plus honnêtes que ne le prétend M. Bricolin. Quand ils ont beaucoup de pratiques, ils reti-
rent de cette industrie beaucoup plus que leur consommation, et
peuvent se livrer à un petit commerce de grains.

«Allons, donc, Rose, s'écria Mme Bricolin à sa fille, qui rentrait avec le Grand-Louis, nous t'attendons pour nous mettre à table. Tu aurais bien pu faire avertir le meunier par la Chounette, au lieu d'y courir toi-même.

— Mon père me l'avait commandé, dit Rose.

— Et vous n'y seriez pas venue sans cela, j'en suis bien sûr, dit le meunier tout bas à la jeune fille.

— C'est pour me remercier d'être grondée à cause de vous que vous me dites cela ?» répondit Rose sur le même ton.

Marcelle n'entendit pas ce qu'ils se disaient, mais ces paroles furtives échangées entre eux, la rougeur de Rose, et l'émotion du Grand-Louis la confirmèrent dans les soupçons que lui avait déjà fait concevoir l'aversion de Mme Bricolin pour le pauvre farinier : la belle Rose était l'objet des pensées du meunier d'Angibault.

XI

LE DÎNER À LA FERME

Désireuse de servir les intérêts de cœur de son nouvel ami, et n'y voyant pas de danger pour Mlle Bricolin, puisque son père et sa grand-mère paraissaient favoriser le Grand-Louis, Mme de Blanchemont affecta de lui parler beaucoup durant le repas, et d'amener la conversation sur les sujets où véritablement son instruction et son intelligence le rendaient très supérieur à toute la famille Bricolin, peut-être à la charmante Rose elle-même. En agriculture, considérée comme science naturelle plus que comme expérimentation commerciale, en politique, considérée comme recherche du bonheur et de la justice humaine ; en religion et en morale, le Grand-Louis avait des notions élémentaires, mais justes, élevées, marquées au coin du bon sens, de la perspicacité et de la noblesse de l'âme, qui n'avaient jamais été mises en lumière à la ferme. Les Bricolin n'y avaient jamais que des sujets de conversation grossièrement vulgaires, et tout l'esprit qu'on y dépensait était tourné en propos dénigrants et peu charitables contre le prochain. Grand-Louis, n'aimant ni les lieux communs ni les méchancetés, y parlait peu et n'avait jamais fait remarquer sa capacité. M. Bricolin avait décrété qu'il était fort sot comme tous les beaux hommes, et Rose, qui l'avait toujours trouvé amoureux craintif ou mécontent, c'est-à-dire taquin ou timide, ne pouvait l'excuser de son manque d'esprit qu'en vantant son excellent cœur. On fut donc étonné d'abord de voir Mme de Blanchemont causer avec lui avec une sorte de préférence, et quand elle l'eut amené à oublier le trouble que lui causait la présence de Rose et le mauvais vouloir de sa mère, on fut bien plus étonné encore de l'entendre si bien parler. Cinq ou six fois, M. Bricolin, qui, ne se doutant nullement de son amour pour sa fille, l'écoutait avec bienveillance, fut émerveillé, et s'écria en frappant sur la table :

« Tu sais donc cela, toi ? Où diable as-tu pêché tout cela ?

— Bah ! dans la rivière ! » répondait Grand-Louis avec gaieté.

Mme Bricolin tomba peu à peu dans un silence sombre en voyant le succès de son ennemi ; elle formait la résolution d'avertir le soir même M. Bricolin de la découverte qu'elle avait faite ou cru faire des sentiments de ce paysan pour *sa demoiselle*.

Quant à la vieille mère Bricolin, elle ne comprenait rien du tout à la conversation ; mais elle trouvait que le meunier parlait comme un livre, parce qu'il assemblait plusieurs phrases de suite, sans hésiter et sans se reprendre. Rose n'avait pas l'air d'écouter, mais elle ne perdait rien ; et involontairement ses yeux s'arrêtaient sur le Grand-Louis. Il y avait là un cinquième Bricolin auquel Marcelle fit peu d'attention. C'était le vieux père Bricolin, vêtu en paysan comme sa femme, mangeant bien, ne disant mot, et n'ayant pas l'air d'en penser davantage. Il était presque sourd, presque aveugle, et paraissait complètement idiot. Sa vieille moitié l'avait amené à table en le conduisant comme un enfant. Elle s'occupait beaucoup de lui, remplissait son assiette et son verre, lui ôtait la mie de son pain, parce que, n'ayant plus de dents, ses gencives, durcies et insensibles, ne pouvaient broyer que les croûtes les plus dures, et ne lui adressait pas une parole, comme si c'eût été peine perdue. Lorsqu'il s'assit, elle lui fit entendre cependant qu'il fallait ôter son chapeau à cause de Mme de Blanchemont. Il obéit, mais ne parut pas comprendre pourquoi, et il le remit aussitôt, liberté que, d'après l'usage du pays, M. Bricolin, son fils, se permit également. Le meunier, qui n'y avait pas dérogé le matin au moulin, fourra cependant son bonnet dans sa poche sans qu'on s'en aperçût, partagé entre un nouvel instinct de déférence que Marcelle lui inspirait pour les femmes, et la crainte de paraître jouer au freluquet pour la première fois de sa vie.

Cependant, tout en admirant ce qu'il appelait le beau *bagou* du grand farinier, M. Bricolin se trouva bientôt d'un autre avis que lui sur toutes choses. En agriculture, il prétendait qu'il n'y avait rien de neuf à tenter, que les savants n'avaient jamais rien découvert, qu'en voulant innover on se ruinait toujours ; que depuis que le *monde est monde jusqu'au jour d'aujourd'hui*, on avait toujours fait de même, et qu'on ne ferait jamais mieux.

« Bon ! dit le meunier. Et les premiers qui ont fait ce que nous faisons aujourd'hui, ceux qui ont attelé des bœufs pour ouvrir la terre et pour ensemencer, ils ont fait du neuf cependant, et on aurait pu les en empêcher en se persuadant qu'une terre qu'on n'avait jamais cultivée ne deviendrait jamais fertile ? C'est comme en politique ; dites donc, monsieur Bricolin, s'il y a cent ans, on vous avait dit que vous ne paieriez plus ni dîmes ni redevances ; que les couvents seraient détruits…

— Bah ! bah ! je ne l'aurais peut-être pas cru, c'est vrai ; mais c'est arrivé parce que ça devait arriver. Tout est pour le mieux *au jour d'aujourd'hui* ; tout le monde est libre de faire fortune, et on n'inventera jamais mieux que ça.

— Et les pauvres, les paresseux, les faibles, les *bêtes*, qu'est-ce que vous en faites ?

— Je n'en fais rien, puisqu'ils ne sont bons à rien. Tant pis pour eux !

— Et si vous en étiez, monsieur Bricolin, ce qu'à Dieu ne plaise ! (vous en êtes bien loin) diriez-vous : « Tant pis pour moi ? » Non, non, vous n'avez pas dit ce que vous pensiez, en répondant tant pis pour eux ! vous avez trop de cœur et de religion pour ça.

— De la religion, moi ? Je m'en moque, de la religion, et toi aussi. Je vois bien que ça essaie de revenir, mais je ne m'en inquiète guère. Notre curé est un bon vivant, et je ne le contrarie pas. Si c'était un cagot, je l'enverrais joliment promener. Qu'est-ce qui croit à toutes ces bêtises-là *au jour d'aujourd'hui* ?

— Et votre femme, et votre mère, et votre fille, disent-elles que ce sont des bêtises ?

— Oh ! ça leur plaît, ça les amuse. Les femmes ont besoin de ça à ce qu'il paraît.

— Et nous autres paysans, nous sommes comme les femmes, nous avons besoin de religion.

— Eh bien ! vous en avez une sous la main ; allez à la messe, je ne vous en empêche pas, pourvu que vous ne me forciez pas d'y aller.

— Cela peut arriver cependant, si la religion que nous avons redevient fanatique et persécutante comme elle l'a été si fort et si souvent.

— Elle ne vaut donc rien ? laissez-la tomber. Je m'en passe bien, moi ?

— Mais puisqu'il nous en faut une absolument, à nous autres, c'est donc une autre qu'il faudrait avoir ?

— Une autre ! une autre ! diable ! comme tu y vas ! Fais-en donc une, toi !

— J'en voudrais avoir une qui empêchât les hommes de se haïr, de se craindre et de se nuire.

— Ça serait neuf, en effet ! J'en voudrais bien une comme ça qui empêcherait mes métayers de me voler mon blé la nuit, et mes journaliers de mettre trois heures par jour à manger leur soupe.

— Cela serait, si vous aviez une religion qui vous commandât de les rendre aussi heureux que vous-même.

— Grand-Louis, vous avez la vraie religion dans le cœur, dit Marcelle.

— C'est vrai, cela ! » dit Rose avec effusion.

M. Bricolin n'osa répliquer. Il tenait beaucoup à gagner la confiance de Mme de Blanchemont et à ne pas lui donner mauvaise opinion de lui. Grand-Louis, qui vit le mouvement de Rose, regarda Marcelle avec un œil plein de feu qui semblait dire : Je vous remercie.

Le soleil baissait, et le dîner, qui avait été copieux, touchait à sa fin. M. Bricolin, qui s'appesantissait sur sa chaise, grâce à une large réfection et des rasades abondantes, eût voulu se livrer à son plaisir favori qui était de prendre du café arrosé d'eau-de-vie et entremêlé de liqueurs, pendant deux ou trois heures de la soirée. Mais le Grand-Louis, sur lequel il avait compté pour lui tenir tête, quitta la table et alla se préparer au départ. Mme de Blanchemont alla recevoir les adieux de ses domestiques et régler leurs comptes. Elle leur remit sa lettre pour sa belle-mère, et prenant le meunier à l'écart, elle lui confia celle qui était adressée à Henri, en le priant de la mettre lui-même à la poste.

« Soyez tranquille, dit-il, comprenant qu'il y avait

là un peu de mystère ; cela ne sortira de ma main que pour tomber dans la boîte, sans que personne y ait jeté les yeux, pas même vos domestiques, n'est-ce pas ?

— Merci, mon brave Louis.

— Merci ! vous me dites merci, quand c'est moi qui devrais vous dire cela à deux genoux. Allons, vous ne savez pas ce que je vous dois ! Je vas passer par chez nous, et dans deux heures la petite Fanchon sera auprès de vous. Elle est plus propre et plus douce que la grosse Chounette d'ici. »

Quand Louis et Lapierre furent partis, Marcelle eut un instant de détresse morale en se trouvant seule à la merci de la famille Bricolin. Elle se sentit fort attristée, et prenant Édouard par la main, elle s'éloigna et gagna un petit bois qu'elle voyait de l'autre côté de la prairie. Il faisait encore grand jour, et le soleil, en s'abaissant derrière le vieux château, projetait au loin l'ombre gigantesque de ses hautes tours. Mais elle n'alla pas loin sans être rejointe par Rose, qui se sentait une grande attraction pour elle, et dont l'aimable figure était le seul objet agréable qui pût frapper ses regards en cet instant.

« Je veux vous faire les honneurs de la garenne, dit la jeune fille ; c'est mon endroit favori, et vous l'aimerez, j'en suis sûre.

— Quel qu'il soit, votre compagnie me le fera trouver agréable », répondit Marcelle en passant familièrement son bras sous celui de Rose.

L'ancien parc seigneurial de Blanchemont, abattu à l'époque de la Révolution, était clos désormais par un fossé profond, rempli d'eau courante, et par de

grandes haies vives, où Rose laissa un bout de garniture de sa robe de mousseline, avec la précipitation
et l'insouciance d'une fille dont le trousseau est au
grand complet. Les anciennes souches des vieux
chênes s'étaient couvertes de rejets, et la garenne
n'était plus qu'un épais taillis sur lequel dominaient
quelques *sujets* épargnés par la cognée, semblables à
de respectables ancêtres étendant leurs bras noueux
et robustes sur une nombreuse et fraîche postérité.
De jolis sentiers montaient et descendaient par des
gradins naturels établis sur le roc, et serpentaient sous
un ombrage épais quoique peu élevé. Ce bois était
mystérieux. On y pouvait errer librement, appuyée
au bras d'un amant. Marcelle chassa cette pensée qui
faisait battre son cœur, et tomba dans la rêverie en
écoutant le chant des rossignols, des linottes et des
merles qui peuplaient le bocage désert et tranquille.

La seule avenue que le taillis n'eût pas envahie
était située à la lisière extrême du bois, et servait de
chemin d'exploitation. Marcelle en approchait avec
Rose, et son enfant courait en avant. Tout d'un coup
il s'arrêta et revint lentement sur ses pas, indécis,
sérieux et pâle.

« Qu'est-ce qu'il y a ? lui demanda sa mère, habituée à deviner toutes ses impressions, en voyant qu'il
était combattu entre la crainte et la curiosité.

— Il y a une vilaine femme là-bas, répondit
Édouard.

— On peut être vilain et bon, répondit Marcelle.
Lapierre est bien bon et il n'est pas beau.

— Oh ! Lapierre n'est pas laid ! dit Édouard, qui,

comme tous les enfants, admirait les objets de son affection.

— Donne-moi la main, reprit Marcelle, et allons voir cette vilaine femme.

— Non, non, n'y allez pas, c'est inutile, dit Rose d'un air triste et embarrassé, sans pourtant manifester aucune crainte. Je ne pensais pas qu'*elle* était là.

— Je veux habituer Édouard à vaincre la peur», lui répondit Marcelle à demi-voix.

Et Rose n'osant la retenir, elle doubla le pas. Mais lorsqu'elle fut au milieu de l'avenue, elle s'arrêta, frappée d'une sorte de terreur à l'aspect de l'être bizarre qui venait lentement à sa rencontre.

XII

LES CHÂTEAUX EN ESPAGNE

Sous le majestueux berceau que formaient les grands chênes le long de l'avenue, et que le soleil sur son déclin coupait de fortes ombres et de brillants reflets, marchait à pas comptés une femme ou plutôt un être sans nom qui paraissait plongé dans une méditation farouche. C'était une de ces figures égarées et abruties par le malheur, qui n'ont pas plus d'âge que de sexe. Cependant, ses traits réguliers avaient eu une certaine noblesse qui n'était pas complètement effacée, malgré les affreux ravages du chagrin et de la maladie, et ses longs cheveux noirs en désordre s'échap-

pant de dessous son bonnet blanc surmonté d'un chapeau d'homme d'un tissu de paille brisé et déchiré en
mille endroits, donnaient quelque chose de sinistre à
la physionomie étroite et basanée qu'ils ombrageaient
en grande partie. On ne voyait, de cette face jaune
comme du safran et dévastée par la fièvre, que deux
grands yeux noirs d'une fixité effrayante, dont on rencontrait rarement le regard préoccupé, un nez très
droit et d'une forme assez belle quoique très prononi-
cée, et une bouche livide à demi entrouverte. Son
habillement, d'une malpropreté repoussante, appartenait à la classe bourgeoise ; une mauvaise robe d'étoffe
jaune dessinait un corps informe où les épaules hautes
et constamment voûtées avaient acquis en largeur un
développement disproportionné avec le reste du corps
qui semblait étique, et sur lequel flottait la robe détachée et traînante d'un côté. Ses jambes maigres et
noires étaient nues, et des savates immondes défen-
daient mal ses pieds contre les cailloux et les épines
auxquels du reste ils semblaient insensibles. Elle marchait gravement, la tête penchée en avant, le regard
attaché sur la terre et les mains occupées à rouler et à
presser un mouchoir taché de sang.

Elle venait droit sur Mme de Blanchemont, qui,
dissimulant son effroi pour ne pas le communiquer à
Édouard, attendait avec angoisse qu'elle prît à gauche
ou à droite, pour passer auprès d'elle. Mais le spectre,
car cette créature ressemblait à une apparition sinistre,
marchait toujours, sans paraître prendre garde à personne, et sa physionomie, qui n'exprimait pas l'idio-
tisme, mais un désespoir sombre passé à l'état de
contemplation abstraite, ne semblait recevoir aucune

impression des objets extérieurs. Cependant, lorsqu'elle arriva jusqu'à l'ombre que Marcelle projetait à ses pieds, elle s'arrêta comme si elle eût rencontré un obstacle infranchissable, et tourna brusquement le dos pour reprendre sa marche incessante et monotone.

« C'est la pauvre *Bricoline*[1], dit Rose sans baisser la voix, quoiqu'elle fût à portée d'être entendue. C'est ma sœur aînée, qui est *dérangée* (c'est-à-dire folle, en termes du pays). Elle n'a que trente ans, quoiqu'elle ait l'air d'une vieille femme, et il y en a douze qu'elle ne nous a pas dit un mot, ni paru entendre notre voix. Nous ne savons pas si elle est sourde. Elle n'est pas muette, car lorsqu'elle se croit seule, elle parle quelquefois, mais cela n'a aucun sens. Elle veut toujours être seule, et elle n'est pas méchante quand on ne la contrarie pas. N'en ayez pas peur ; si vous avez l'air de ne pas la voir, elle ne vous regardera seulement pas. Il n'y a que quand nous voulons la *rapproprier* un peu, qu'elle se met en colère et se débat en criant comme si nous lui faisions du mal.

— Maman, dit Édouard qui essayait de cacher son épouvante, ramène-moi à la maison, j'ai faim.

— Comment aurais-tu faim ? Tu sors de table, dit Marcelle qui n'avait pas plus envie que son fils de contempler plus longtemps ce triste spectacle. Tu te trompes assurément ; viens dans une autre allée : peut-

---

1. Ce personnage de la Bricoline va avoir un rôle déterminant, *cf.* notre étude sur les personnages. Il a pu être inspiré à G. Sand par le cas de Fanchette, jeune débile mentale qui avait été abandonnée par les religieuses et dont G. Sand s'occupa. *Cf.* S. Vierne, éd. de *Jeanne*. p. 10. Sur le thème des amours contrariées, voir notre préface.

être qu'il fait encore trop de soleil dans celle-ci, et que la chaleur te fatigue.

— Oui, oui, rentrons dans le taillis, dit Rose ; ceci n'est pas gai à voir. Il n'y a pas de risque qu'elle nous suive, et d'ailleurs, quand elle est dans une allée, elle ne la quitte pas souvent ; vous pouvez voir que dans celle-ci, l'herbe est brûlée au milieu, tant elle y a passé et repassé, toujours au même endroit. Pauvre sœur, quel dommage ! elle était si belle et si bonne ! Je me souviens du temps où elle me portait dans ses bras et s'occupait de moi comme vous vous occupez de ce bel enfant-là. Mais depuis son malheur elle ne me connaît plus et ne se souvient pas seulement que j'existe.

— Ah ! ma chère mademoiselle Rose, quel affreux malheur en effet ! Et quelle en est la cause ? Est-ce un chagrin ou une maladie ? Le sait-on ?

— Hélas ! oui, on le sait bien. Mais on n'en parle pas.

— Je vous demande pardon si l'intérêt que je vous porte m'a entraînée à vous faire une question indiscrète.

— Oh ! pour vous, Madame, c'est bien différent. Il me semble que vous êtes si bonne qu'on n'est jamais humilié devant vous. Je vous dirai donc, entre nous, que ma pauvre sœur est devenue folle par suite d'*une amour contrariée*. Elle aimait un jeune homme très bien et très honnête, mais qui n'avait rien, et nos parents n'ont pas voulu consentir au mariage. Le jeune homme s'est engagé et a été se faire tuer à Alger. La pauvre Bricoline, qui avait toujours été triste et silencieuse depuis son départ, et à qui on supposait seulement de l'humeur et un chagrin qui passerait avec le temps, apprit sa mort d'une manière un peu trop cruelle. Ma mère, croyant qu'en perdant toute espérance elle en prendrait enfin son parti, lui jeta cette mauvaise nouvelle à la tête, avec des termes assez durs et dans un moment où une émotion pareille pouvait être mortelle. Ma sœur ne parut pas entendre et ne répondit rien. On était en train de souper, je m'en souviens comme d'hier, quoique je fusse bien jeune. Elle laissa tomber sa fourchette et regarda ma mère pendant plus d'un quart d'heure sans dire un mot, sans baisser les yeux, et d'un air si singulier que ma mère eut peur et s'écria : « Ne dirait-on pas qu'elle veut me dévorer ? — Vous en ferez tant, dit ma grand-mère, qui est une femme excellente et qui aurait voulu marier Bricoline avec son amoureux, vous lui donnerez tant de soucis que vous la rendrez folle. »

« Ma grand-mère n'avait que trop bien jugé. Ma sœur était folle, et depuis ce jour-là, elle n'a plus jamais mangé avec nous. Elle ne touche à rien de ce qu'on lui présente, et elle vit toujours seule, nous fuyant tous, et se nourrissant de vieux restes qu'elle va ramasser elle-même dans le fond du bahut quand il n'y a personne dans la cuisine. Quelquefois elle se jette sur une volaille, la tue, la déchire avec ses doigt et la dévore toute sanglante. C'est ce qu'elle vient de faire, j'en suis sûre, car elle a du sang aux mains et sur son mouchoir. D'autres fois elle arrache des légumes dans le jardin et les mange crus. Enfin elle vit comme une sauvage, et fait peur à tout le monde. Voilà les suites d'*une amour contrariée*, et mes pauvres parents ne sont que trop punis d'avoir mal jugé le cœur de leur fille. Cependant ils ne parlent jamais de ce qu'ils feraient pour elle si c'était à recommencer.»

Marcelle crut que Rose faisait allusion à elle-même, et, désirant savoir à quel point elle partageait l'amour du Grand-Louis, elle encouragea sa confiance par un ton de douceur affectueuse. Elles étaient arrivées à la lisière de la garenne opposée à celle où se promenait la folle. Marcelle se sentait plus à l'aise, et le petit Édouard avait oublié déjà sa frayeur. Il avait repris sa course folâtre à portée de l'œil de sa mère.

«Votre mère me paraît un peu rigide, en effet, dit Mme de Blanchemont à sa compagne ; mais M. Bricolin a l'air d'avoir pour vous plus d'indulgence.

— Papa fait moins de bruit que maman, dit Rose en secouant la tête. Il est plus gai, plus caressant ; il fait plus de cadeaux, il a plus d'attentions aimables, et enfin il aime bien ses enfants, c'est un bon père !… Mais, sous le rapport de la fortune et de ce qu'il appelle la convenance, sa volonté est peut-être plus inébranlable encore que celle de ma mère. Je lui ai entendu dire cent fois qu'il valait mieux être mort que misérable et qu'il me tuerait plutôt que de consentir…

— À vous marier à votre gré ? dit Marcelle voyant que Rose ne trouvait pas d'expressions pour rendre sa pensée.

— Oh ! il ne dit pas comme cela, reprit Rose d'un air un peu prude. Je n'ai jamais pensé au mariage, et je ne sais pas encore si mon gré ne serait pas le sien. Mais enfin, il a beaucoup d'ambition pour moi, et se tourmente déjà de la crainte de ne pas trouver un gendre digne de lui. Ce qui fait que je ne serai pas mariée de si tôt, et j'en suis bien aise, car je ne désire pas quitter ma famille, malgré les petites contrariétés que j'y éprouve de la part de maman. »

Marcelle crut voir chez Rose un peu de dissimulation, et, ne voulant pas brusquer sa confiance, elle fit l'observation que Rose avait sans doute beaucoup d'ambition pour elle-même.

« Oh ! pas du tout ! répondit Rose avec abandon. Je me trouve beaucoup plus riche que je n'ai besoin et souci de l'être. Mon père a beau dire que nous sommes cinq enfants (car j'ai deux sœurs et un frère établis), et que, par conséquent la part de chacun ne sera déjà pas si grosse, cela m'est bien égal. J'ai des goûts simples, et d'ailleurs je vois bien, par ce qui se passe chez nous, que plus on est riche, plus on est pauvre.

— Comment cela ?

— Chez nous autres cultivateurs, du moins, c'est la vérité. Vous, les nobles, vous vous faites en général honneur de votre fortune ; on vous accuse même chez nous de la prodiguer, et, en voyant la ruine de tant d'anciennes familles, on se dit qu'on sera plus sage, et on vise avec soin, comment dirai-je ?… avec passion, à établir sa race dans la richesse. On voudrait toujours doubler et tripler ce qu'on possède ; voilà du moins ce que mon père, ma mère, mes sœurs et leurs maris, mes tantes et mes cousines, m'ont répété sur tous les tons depuis que j'existe. Aussi, pour ne pas s'arrêter dans le travail de s'enrichir, on s'impose toutes sortes de privations. On fait de la dépense devant les autres de temps en temps, et puis, dans le secret du ménage, on tondrait, comme on dit, sur un œuf. On craint de gâter ses meubles, ses robes, et de trop donner à ses aises. Du moins, c'est le système de ma mère, et c'est un peu dur d'épargner toute sa vie et de s'interdire toute jouissance quand on est à même de se les donner. Et quand il faut économiser sur le bien-être, le salaire et l'appétit des autres, quand il faut être dur aux gens qui travaillent pour nous, cela devient tout à fait triste. Quant à moi, si j'étais maîtresse de me gouverner comme je l'entends, je voudrais ne rien refuser aux autres ni à moi-même. Je mangerais mon revenu, et peut-être que le fonds ne s'en porterait pas plus mal. Car enfin on m'aimerait, on travaillerait pour moi avec zèle et avec fidélité. N'est-ce pas ce que Grand-Louis disait à dîner ? Il avait raison.

— Ma chère Rose, il avait raison en théorie.

— En théorie ?

— C'est-à-dire en appliquant ses idées généreuses à une société qui n'existe pas encore, mais qui existera un jour, certainement. Quant à la pratique actuelle, c'est-à-dire quant à ce qui peut se réaliser aujourd'hui, vous vous feriez illusion, si vous pensiez qu'il suffirait à quelques-uns d'être bons, au milieu de tous les autres qui ne le sont pas, pour être compris, aimés et récompensés dès cette vie.

— Ce que vous dites là m'étonne. Je croyais que vous penseriez comme moi. Vous croyez donc qu'on a raison d'écraser ceux qui travaillent à notre profit ?

— Je ne pense pas comme vous, Rose, et pourtant je suis bien loin de penser comme vous le supposez[1].

---

1. Par la bouche de Marcelle, G. Sand exprime ses idées sociales (*cf.* notre préface, et *supra* l'influence de P. Leroux).

Je voudrais qu'on ne fît travailler personne pour soi, mais qu'en travaillant chacun pour tous, on travaillât pour Dieu et pour soi-même par contrecoup.

— Et comment cela pourrait-il se faire ?

— Ce serait trop long à vous expliquer, mon enfant, et je craindrais de le faire mal. En attendant que l'avenir que je conçois se réalise, je regarde comme un très grand malheur d'être riche, et, pour ma part, je suis fort soulagée de ne l'être plus.

— C'est singulier, dit Rose ; celui qui est riche peut cependant faire du bien à ceux qui ne le sont pas, et c'est là le plus grand bonheur !

— Une seule personne bien intentionnée peut faire si peu de bien, même en donnant tout ce qu'elle possède, et alors elle est si tôt réduite à l'impuissance !

— Mais si chacun faisait de même ?

— Oui, si chacun ! Voilà ce qu'il faudrait ; mais il est impossible maintenant d'amener tous les riches à un pareil sacrifice. Vous-même, Rose, vous ne seriez pas disposée à le faire entièrement. Vous voudriez bien, avec votre revenu, soulager le plus de souffrances possible, c'est-à-dire sauver quelques familles de la misère ; mais ce serait toujours à la condition de conserver votre fonds, et moi qui vous prêche, je m'attache aux derniers débris de ma fortune pour sauver ce qu'on appelle l'*honneur* de mon fils en lui conservant de quoi faire face aux dettes de son père, sans tomber lui-même dans un dénuement absolu,

---

Cependant on remarquera que G. Sand n'abuse pas du discours idéologique, toujours un peu fastidieux dans les romans, et qu'elle a soin ici d'adapter ce discours à la fois à l'interlocutrice (Marcelle) et à la destinataire de ce discours (Rose).

d'où résulterait le manque d'éducation, un travail excessif, et probablement la mort d'un être délicat issu d'une race d'oisifs, héritier d'une organisation chétive, et, sous ce rapport, très inférieure à celle du paysan. Vous voyez donc qu'avec nos bonnes intentions, nous autres qui ne savons pas comment la société pourrait apporter remède à de telles alternatives nous ne pouvons rien, sinon préférer pour nous-mêmes la médiocrité à la richesse et le travail à l'oisiveté. C'est un pas vers la vertu, mais quel pauvre mérite nous avons là, et combien peu il apporte remède aux misères sans nombre qui frappent nos yeux et contristent notre cœur !

— Mais le remède ? dit Rose stupéfaite. Il n'y a donc pas de remède ? Il faudrait qu'un roi trouvât cela dans sa tête, puisqu'un roi peut tout.

— Un roi ne peut rien, ou presque rien, répondit Marcelle en souriant de la naïveté de Rose. Il faudrait qu'un peuple trouvât cela dans son cœur.

— Tout cela me fait l'effet d'un rêve, dit la bonne Rose. C'est la première fois que j'entends parler de ces choses-là. Je pense bien quelquefois toute seule, mais chez nous personne ne dit que le monde ne va pas bien. On dit qu'il faut s'occuper de soi, parce que notre bonheur est la seule chose dont les autres ne s'occuperont pas, et que tout le monde est le grand ennemi de chacun ; cela fait peur, n'est-ce pas ?

— Et il y a là une étrange contradiction. Le monde va bien mal puisqu'il n'est rempli que d'êtres qui se détestent et se craignent entre eux !

— Mais votre idée pour sortir de là ? car enfin on ne s'aperçoit pas du mal sans avoir l'idée du mieux ?

— On peut avoir cette idée claire quand tout le monde l'a conçue avec vous et vous aide à la produire. Mais quand on est quelques-uns seulement contre tous, qui vous raillent d'y songer et qui vous font un crime d'en parler, on n'a qu'une vue trouble et incertaine. C'est ce qui arrive, je ne dis pas aux plus grands esprits de ce temps-ci, je n'en sais rien, je ne suis qu'une femme ignorante, mais aux cœurs les mieux intentionnés, et voilà où nous en sommes aujourd'hui.

— Oui, *au jour d'aujourd'hui* ! comme dit mon papa », dit Rose en souriant. Puis elle ajouta d'un air triste : « Que ferai-je donc moi ? que ferai-je pour être bonne, étant riche ?

— Vous conserverez dans votre cœur, comme un trésor, ma chère Rose, la douleur de voir souffrir, l'amour du prochain que l'Évangile vous enseigne, et le désir ardent de vous sacrifier au salut d'autrui, le jour où ce sacrifice individuel deviendrait utile à tous.

— Ce jour-là viendra donc ?

— N'en doutez pas.

— Vous en êtes sûre ?

— Comme de la justice et de la bonté de Dieu.

— C'est vrai, au fait Dieu ne peut pas laisser durer le mal éternellement. C'est égal, madame la baronne ; vous m'avez rempli le cerveau d'éblouissements, et j'en ai mal à la tête : mais il me semble pourtant que je comprends maintenant pourquoi vous perdez si tranquillement votre fortune, et je me figure par instants, que, moi-même, je deviendrais *médiocre* avec plaisir.

— Et s'il fallait devenir pauvre, souffrir, travailler ?

— Dame ! si cela ne servait à rien, ce serait affreux.

— Et si l'on commençait à voir pourtant que cela sert à quelque chose ? S'il fallait passer par une crise de grande détresse, par une sorte de martyre, pour arriver à sauver l'humanité ?

— Eh bien ! dit Rose, qui regardait Marcelle avec étonnement, on le supporterait avec patience.

— On s'y jetterait avec enthousiasme », s'écria Marcelle avec un accent et un regard qui firent tressaillir Rose, et qui l'entraînèrent comme un choc électrique, quoiqu'à sa très grande surprise.

Édouard commençait à ralentir ses jeux, et la lune montait à l'horizon. Marcelle jugea qu'il était temps de mener coucher l'enfant, et Rose la suivit en silence, encore tout étourdie de la conversation qu'elles venaient d'avoir ensemble ; mais, retombant dans la réalité de sa vie en approchant de la ferme et en écoutant au loin la voix retentissante de sa mère, elle se dit en regardant marcher la jeune dame devant elle :

« Est-ce qu'elle ne serait pas *dérangée* aussi ? »

XIII

ROSE

Malgré cette appréhension, Rose sentait un attrait invincible pour Marcelle[1]. Elle l'aida à coucher son fils, l'entoura de mille prévenances charmantes, et, en la quittant, elle prit sa main pour la baiser. Marcelle, qui l'aimait déjà comme un enfant bien doué de la nature, l'en empêcha en l'embrassant sur les deux joues. Rose, encouragée et ravie, hésitait à partir.

« Je voudrais vous demander une chose, lui dit-elle enfin. Est-ce que le Grand-Louis a vraiment assez d'esprit pour vous comprendre ?

— Certainement, Rose ! Mais qu'est-ce que cela vous fait ? répondit Marcelle avec un peu de malice.

— C'est que cela m'a paru bien singulier, de voir aujourd'hui que, de nous tous, c'était notre meunier qui avait le plus d'idées. Il n'a pourtant pas reçu une bien belle instruction, ce pauvre Louis !

— Mais il a tant de cœur et d'intelligence ! dit Marcelle.

— Oh ! du cœur, oui. Je le connais beaucoup, moi, ce garçon-là. J'ai été élevée avec lui. C'est sa sœur aînée qui m'a nourrie et j'ai passé mes premières années au moulin d'Angibault... Est-ce qu'il ne vous l'a pas dit ?

---

1. On notera l'importance dans les romans de G. Sand des sentiments d'affection mêlés d'attrait qui existent entre les personnages féminins.

— Il ne m'a pas parlé de vous, mais j'ai cru voir qu'il vous était fort dévoué.

— Il a toujours été très bon pour moi, dit Rose en rougissant. La preuve qu'il est excellent, c'est qu'il a toujours aimé les enfants. Il n'avait que sept ou huit ans quand j'étais en nourrice chez sa sœur, et ma grand-mère dit qu'il me soignait et m'amusait comme s'il eût été d'âge à être mon père. Il paraît aussi que j'avais pris tant d'amitié pour lui que je ne voulais pas le quitter, et que ma mère, qui ne le haïssait pas dans ce temps-là comme aujourd'hui, le fit venir à la maison quand je fus sevrée, pour me tenir compagnie. Il y resta deux ou trois ans, au lieu de deux ou trois mois dont on était convenu d'abord. Il était si actif et si serviable, qu'on le trouvait fort utile chez nous. Sa mère avait alors des embarras, et ma grand-mère, qui est son amie, trouvait fort bien qu'on la débarrassât d'un de ses enfants. Je me rappelle donc bien le temps où Louis, ma pauvre sœur et moi étions toujours à courir et à jouer ensemble, dans le pré, dans la garenne, dans les greniers du château. Mais quand il fut en âge d'être utile à sa mère en travaillant à la farine, elle le rappela au moulin. Nous eûmes tant de regret de nous séparer, et je m'ennuyais tellement sans lui, sa mère et sa sœur (ma nourrice) m'étaient si attachées, qu'on me conduisait à Angibault tous les samedis soir pour me ramener ici tous les lundis matin. Cela dura jusqu'à l'âge où on me mit en pension à la ville, et quand j'en sortis, il n'était plus question de camaraderie entre un garçon comme le meunier et une jeune fille qu'on traitait de demoiselle. Cependant nous nous sommes tou-

jours vus souvent, surtout depuis que mon père, malgré la distance, l'a pris pour son meunier et qu'il
vient ici trois ou quatre fois par semaine. De mon
côté, j'ai toujours eu un grand plaisir à revoir Angibault et la meunière, qui est si bonne et que j'aime
tant !… Eh bien, Madame, concevez-vous que, depuis
quelque temps, ma mère s'avise de trouver cela mauvais et qu'elle m'empêche d'aller m'y promener ?
Elle a pris le pauvre Grand-Louis en horreur, elle fait
son possible pour le mortifier, et elle m'a défendu de
danser avec lui dans les *assemblées*, sous prétexte
qu'il est trop au-dessous de moi. Cependant, nous
autres demoiselles de campagne, comme on nous
appelle, nous dansons toujours avec les paysans qui
nous invitent ; et d'ailleurs on ne peut pas dire que le
meunier d'Angibault soit un paysan. Il a pour une
vingtaine de mille francs de bien et il a été mieux
élevé que bien d'autres. À vous dire le vrai, mon cousin Honoré Bricolin n'écrit pas l'orthographe aussi
bien que lui, quoiqu'on ait dépensé plus d'argent
pour l'instruire, et je ne vois pas pourquoi on veut
que je sois si fière de ma famille.

— Je n'y comprends rien non plus, dit Marcelle,
qui voyait bien qu'un peu de finesse était nécessaire
avec mademoiselle Rose, et qu'elle ne se confesse-
rait pas avec l'ardente expansion du Grand-Louis[1].
Est-ce que vous ne voyez rien dans les manières du

---

1. Le lecteur se demandera s'il y a là pudeur de Rose ou simplement méconnaissance chez un être très jeune de ses propres
sentiments, qui d'ailleurs ne sont certainement pas aussi violents
qu'ils le seront à la fin du roman.

bon meunier qui ait pu motiver le mécontentement
de votre mère ?

— Oh ! rien du tout. Il est cent fois plus honnête
et plus convenable que tous nos bourgeois de campagne, qui s'enivrent presque tous et sont parfois très
grossiers. Jamais il n'a dit à mes oreilles un mot qui
m'ait portée à baisser les yeux.

— Mais votre mère ne se serait-elle pas forgé la
singulière idée qu'il peut être amoureux de vous ? »

Rose se troubla, hésita, et finit par avouer que sa
mère pouvait bien s'être persuadée cela.

« Et si votre mère avait deviné juste, n'aurait-elle
pas raison de vous mettre en garde contre lui ?

— Mais, c'est selon ! Si cela était et s'il m'en parlait !… Mais il ne m'a jamais dit un mot qui ne fût de
pure amitié.

— Et s'il était très épris de vous sans jamais oser
vous le dire ?

— Alors, où serait le mal ? dit Rose avec un peu
de coquetterie.

— Vous seriez très coupable d'entretenir sa passion sans vouloir l'encourager sérieusement, répondit Marcelle d'un ton assez sévère. Ce serait vous faire
un jeu de la souffrance d'un ami, et ce n'est pas dans
votre famille, Rose, qu'on doit traiter légèrement les
amours contrariées !

— Oh ! dit Rose d'un, air mutin, les hommes ne
deviennent pas fous pour ces choses-là ! Cependant,
ajouta-t-elle naïvement et en penchant la tête, il faut
avouer qu'il est quelquefois bien triste, ce pauvre
Louis, et qu'il parle comme un homme qui est au

désespoir… sans que je puisse deviner pourquoi ! Cela me fait beaucoup de peine.

— Pas assez pourtant pour que vous daigniez le comprendre ?

— Mais quand il m'aimerait, que pourrais-je faire pour le consoler ?

— Sans doute. Il faudrait l'aimer ou l'éviter.

— Je ne peux ni l'un ni l'autre. L'aimer, c'est quasi impossible, et l'éviter, j'ai trop d'amitié pour lui pour me résoudre à lui faire cette peine-là. Si vous saviez quels yeux il fait quand j'ai l'air de ne pas prendre garde à lui ! Il en devient tout pâle, et cela me fait mal.

— Pourquoi dites-vous donc qu'il vous serait impossible de l'aimer ?

— Dame ! peut-on aimer quelqu'un qu'on ne peut pas épouser ?

— Mais on peut toujours épouser quelqu'un qu'on aime.

— Oh ! pas toujours ! Voyez ma pauvre sœur ! Son exemple me fait trop de peur pour que je veuille risquer de le suivre.

— Vous ne risquez rien, ma chère Rose, dit Marcelle avec un peu d'amertume ; quand on dispose de son amour et de sa volonté avec tant d'aisance, on n'aime pas, et on ne court aucun danger.

— Ne dites pas cela, répondit Rose avec vivacité. Je suis aussi capable qu'une autre d'aimer et de risquer d'être malheureuse. Mais me conseilleriez-vous d'avoir ce courage-là ?

— Dieu m'en préserve ! Je voudrais vous aider seulement à constater l'état de votre cœur, afin que vous ne fassiez pas le malheur de Louis par votre imprudence.

— Ce pauvre Grand-Louis !… Mais voyons, Madame, que puis-je donc faire ? Je suppose que mon père, après bien des colères et des menaces, consente à me donner à lui ; que ma mère, effrayée de l'exemple de ma sœur, aime mieux sacrifier ses répugnances que de me voir tomber malade, tout cela n'est guère probable… Mais enfin, pour en arriver là, voyez donc que de disputes, que de scènes, que d'embarras !

— Vous avez peur, vous n'aimez pas, vous dis-je ; vous pouvez avoir raison, c'est pourquoi il faut éloigner le Grand-Louis. »

Ce conseil, sur lequel Marcelle revenait toujours, ne paraissait nullement du goût de Rose. L'amour du meunier flattait extrêmement son amour-propre, surtout depuis que Mme de Blanchemont l'avait tant relevé à ses yeux, et peut-être aussi, à cause de la rareté du fait. Les paysans sont peu susceptibles de passion, et dans le monde bourgeois où Rose vivait, la passion devenait de plus en plus inouïe et inconnue, au milieu des préoccupations de l'intérêt. Rose avait lu quelques romans ; elle était fière d'inspirer un amour disproportionné, impossible, et dont, un jour ou l'autre, tout le pays parlerait peut-être avec étonnement. Enfin, le Grand-Louis était la coqueluche de toutes les paysannes, et il n'y avait pas assez de distance entre leur race et la bourgeoisie de fraîche date des Bricolin, pour qu'il n'y eût pas quelque enivrement à l'emporter sur les plus belles filles de l'endroit.

« Ne croyez pas que je sois lâche, dit Rose après un instant de réflexion. Je sais fort bien répondre à maman quand elle accuse injustement ce pauvre garçon, et si, une fois, je m'étais mis en tête quelque chose, aidée de vous qui avez tant d'esprit, et que mon père désire tant se rendre favorable dans ce moment-ci… je pourrais bien triompher de tout. D'abord je vous déclare que je ne perdrais pas la tête, comme ma pauvre sœur ! Je suis obstinée et on m'a toujours trop gâtée pour ne pas me craindre un peu. Mais je vais vous dire ce qui me coûterait le plus.

— Voyons, Rose, j'écoute.

— Que penserait-on de moi dans le pays, si je faisais ces esclandres-là dans ma famille ? Toutes mes amies, jalouses peut-être de l'amour que j'inspirerais, et qu'elles ne trouveront jamais dans leurs mariages d'argent, me jetteraient la pierre. Tous mes cousins et prétendants, furieux de la préférence donnée à un paysan sur eux, qui se croient d'un si grand prix, toutes les mères de famille, effrayées de l'exemple que je donnerais à leurs filles, enfin les paysans eux-mêmes, jaloux de voir un d'entre eux faire ce qu'ils appellent un gros mariage, me poursuivraient de leur blâme et de leurs moqueries.

« Voilà une folle, dirait l'un ; c'est dans le sang, et bientôt elle mangera de la viande crue comme sa sœur. Voilà une sotte, dirait l'autre, qui prend un paysan, pouvant épouser un homme de sa sorte ! Voilà une méchante fille, dirait tout le monde, qui fait de la peine à des parents qui ne lui ont pourtant jamais rien refusé. Oh ! l'effrontée, la dévergondée, qui fait tout ce scandale pour un manant parce qu'il a cinq pieds huit pouces ! Pourquoi pas pour son valet de charrue ? pourquoi pas pour l'oncle Cadoche, qui va mendiant de porte en porte ? » Enfin, cela ne finirait pas, et je crois que ce n'est pas joli pour une jeune fille de s'exposer à tout cela pour l'amour d'un homme.

— Ma chère Rose, dit Marcelle, vos dernières objections ne me paraissent pas si sérieuses que les premières, et pourtant je vois que vous auriez beaucoup plus de répugnance à braver l'opinion publique que la résistance de vos parents. Il faudra que nous examinions mûrement ensemble, le pour et le contre, et comme vous m'avez raconté votre histoire, je vous dois la mienne. Je veux vous la raconter, bien que ce soit un secret, tout le secret de ma vie ! mais il est si pur qu'une demoiselle peut l'entendre. Dans quelque temps, ce n'en sera plus un pour personne, et, en attendant, je suis certaine que vous le garderez fidèlement.

— Oh ! Madame, s'écria Rose en se jetant au cou de Marcelle, que vous êtes bonne ! on ne m'a jamais dit de secrets, et j'ai toujours eu envie d'en savoir un afin de le bien garder. Jugez si le vôtre me sera sacré ! Il m'instruira de bien des choses que j'ignore ; car il me semble qu'il doit y avoir une morale en amour comme en toutes choses, et personne ne m'en a jamais voulu parler, sous prétexte qu'il n'y a pas ou qu'il ne doit pas y avoir d'amour. Il me semble pourtant bien… mais parlez, parlez, ma chère madame Marcelle ! Je me figure qu'en ayant votre confiance, je vais avoir votre amitié.

— Pourquoi non, si je puis espérer d'être payée de retour ? dit Marcelle en lui rendant ses caresses.

— Oh ! mon Dieu ! dit Rose dont les yeux se remplirent de larmes ; ne le voyez-vous pas que je vous aime ? que dès la première vue mon cœur a été vers vous, et qu'il est à vous tout entier, depuis seulement un jour que je vous connais ? Comment cela se fait-il ? je n'en sais rien. Mais je n'ai jamais vu personne qui me plût autant que vous. Je n'en ai vu que dans les livres, et vous me faites l'effet d'être, à vous seule, toutes les belles héroïnes des romans que j'ai lus.

— Et puis, ma chère enfant, votre noble cœur a besoin d'aimer ! Je tâcherai de n'être pas indigne de l'occasion qui me favorise. »

La petite Fanchon était déjà installée dans le cabinet voisin, et déjà elle ronflait de façon à couvrir la voix des chouettes et des engoulevents qui commençaient à s'agiter dans les combles des vieilles tours. Marcelle s'assit auprès de la fenêtre ouverte, d'où l'on voyait briller les étoiles sereines dans un ciel magnifiquement pur, et prenant la main de Rose, dans les siennes, elle parla ainsi qu'il suit :

XIV

MARCELLE

« Mon histoire[1], chère Rose, ressemble, en effet, à un roman ; mais c'est un roman si simple et si peu

---

1. Grand flash-back, fréquent dans la technique romanesque des siècles précédents (*cf. La Vie de Marianne*). Ce « tiroir » garde cependant ici des dimensions raisonnables.

nouveau qu'il ressemble à tous les romans du monde. Le voici en aussi peu de mots que possible.

« Mon fils, à l'âge de deux ans, était d'une santé si mauvaise, que je désespérais de le sauver. Mes inquiétudes, ma tristesse, les soins continuels dont je ne voulais me remettre à personne me fournirent une occasion toute naturelle de me retirer du monde, où je n'avais fait qu'une courte apparition, et pour lequel je n'avais aucun goût. Les médecins me conseillèrent de faire vivre mon enfant à la campagne. Mon mari avait une belle terre à vingt lieues de celle-ci, comme vous savez ; mais la vie bruyante et licencieuse qu'il y menait avec ses amis, ses chevaux, ses chiens et ses maîtresses, ne m'engageait pas à m'y retirer, même aux époques où il vivait à Paris. Le désordre de cette maison, l'insolence des valets dont on souffrait le pillage, ne pouvant leur payer régulièrement leur salaire, un entourage de voisins de mauvais ton, me furent si bien dépeints par mon vieux Lapierre, qui y avait passé quelque temps, que je renonçai à y tenter un établissement. M. de Blanchemont, ne se souciant pas que je vinsse vivre ici, à portée de connaître ses dérèglements, me fit croire que ce lieu-ci était affreux, que le vieux château était inhabitable, et sous ce dernier rapport, il ne faisait qu'exagérer un peu, vous en conviendrez. Il parla de m'acheter une maison de campagne aux environs de Paris ; mais où eût-il pris de l'argent pour cette acquisition, lorsqu'à mon insu il était déjà à peu près ruiné ?

« Voyant que ses promesses n'aboutissaient à rien et que mon fils dépérissait, je me hâtai de louer à Montmorency (un village près de Paris dans une situation admirable, au voisinage des bois et des collines les plus sainement exposés), une moitié de maison, la première que je pus trouver, la seule dans ce moment-là. Ces habitations sont fort recherchées par les gens de Paris qui s'y établissent, même des personnes riches, plus que modestement, pour quelque temps de la belle saison. Mes parents et mes amis vinrent m'y voir assez souvent d'abord, puis de moins en moins, comme il arrive toujours quand la personne qu'on visite aime sa retraite et n'y attire ni par le luxe ni par la coquetterie. Vers la fin de la première saison, il se passait souvent quinze jours sans que je visse venir personne de Paris. Je ne m'étais liée avec aucune des notabilités de l'endroit. Édouard se portait mieux, j'étais calme et satisfaite ; je lisais beaucoup, je me promenais dans les bois, seule avec lui, une paysanne pour conduire son âne, un livre, et un gros chien, gardien très jaloux de nos personnes. Cette vie me plaisait extrêmement. M. de Blanchemont était enchanté de n'avoir pas à s'occuper de moi. Il ne venait jamais me voir. Il envoyait de temps en temps un domestique pour savoir des nouvelles de son fils et s'enquérir de mes besoins d'argent qui étaient fort modestes, heureusement pour moi : il n'eût pu les satisfaire.

— Voyez ! s'écria Rose, il nous disait ici que c'était pour vous qu'il mangeait ses revenus et les vôtres ; qu'il vous fallait des chevaux, des voitures, tandis que vous alliez peut-être à pied dans les bois pour économiser le loyer d'un âne !

— Vous l'avez deviné, chère Rose. Lorsque je demandais quelque argent à mon mari, il me faisait de si longues et de si étranges histoires sur la pénurie de ses fermiers, sur la gelée de l'hiver, sur la grêle de l'été, qui les avait ruinés, que, pour ne plus entendre tous ces détails, et, la plupart du temps, dupe de sa généreuse commisération pour vous, je l'approuvais et m'abstenais de réclamer la jouissance de mes revenus.

« La vieille maison que j'habitais était propre, mais presque pauvre, et je n'y attirais l'attention de personne. Elle se composait de deux étages. J'occupais le premier. Au rez-de-chaussée habitaient deux jeunes gens, dont l'un était malade. Un petit jardin très ombragé et entouré de grands murs, où Édouard jouait sous mes yeux avec sa bonne, lorsque j'étais assise à ma fenêtre, était commun aux deux locataires, M. Henri Lémor et moi.

« Henri avait vingt-deux ans. Son frère n'en avait que quinze. Le pauvre enfant était phtisique, et son aîné le soignait avec une sollicitude admirable. Ils étaient orphelins. Henri était une véritable mère pour le pauvre agonisant. Il ne le quittait pas d'une heure, il lui faisait la lecture, le promenait en le soutenant dans ses bras, le couchait et le rhabillait comme un enfant, et, comme ce malheureux Ernest ne dormait presque plus, Henri, pâle, exténué, creusé par les veilles, semblait presque aussi malade que lui.

« Une vieille femme excellente, propriétaire de notre maison et occupant une partie du rez-de-chaussée montrait beaucoup d'obligeance et de dévouement à ces malheureux jeunes gens ; mais elle ne pouvait suffire à tout, je dus m'empresser de la seconder. Je le fis avec zèle et sans m'épargner, comme vous l'eussiez fait à ma place, Rose ; et même dans les derniers jours de l'existence d'Ernest, je ne quittai guère son chevet. Il me témoignait une affection et une reconnaissance bien touchantes. Ne connaissant pas et ne sentant plus la gravité de son mal, il mourut sans s'en apercevoir, et presque en parlant. Il venait de me dire que je l'avais guéri, lorsque sa respiration s'arrêta et que sa main se glaça dans les miennes.

« La douleur d'Henri fut profonde, il en tomba malade, et, à son tour, il fallut le soigner et le veiller. La vieille propriétaire, Mme Joly, était au bout de ses forces. Édouard heureusement était bien-portant, et je pouvais partager mes soins entre lui et Henri. Le devoir d'assister et de consoler ce pauvre Henri retomba sur moi seule, et à la fin de l'automne, j'eus la joie de l'avoir rendu à la vie.

« Vous concevez bien, Rose, qu'une amitié profonde, inaltérable, s'était cimentée entre nous deux au milieu de toutes ces douleurs et de tous ces dangers. Quand l'hiver et l'insistance de mes parents me forcèrent de retourner à Paris, nous nous étions fait une si douce habitude de lire, de causer, et de nous promener ensemble dans le petit jardin, que notre séparation fut un véritable déchirement de cœur. Nous n'osâmes pourtant nous promettre de nous retrouver à Montmorency l'année suivante. Nous étions encore timides l'un avec l'autre, et nous aurions tremblé de donner le nom d'amour à cette affection.

« Henri n'avait guère songé à s'enquérir de ma condition, ni moi de la sienne. Nous faisions à peu près la même dépense dans la maison. Il m'avait demandé la permission de me voir à Paris ; mais quand je lui donnai mon adresse chez ma belle-mère, à l'hôtel de Blanchemont, il parut surpris et effrayé. Quand je quittai Montmorency dans le carrosse armorié que mes parents avaient envoyé pour me prendre, il eut l'air consterné, et quand il sut que j'étais riche (je croyais l'être et je passais pour telle), il se regarda comme à jamais séparé de moi. L'hiver se passa sans que je le revisse, sans que j'entendisse parler de lui.

«Lémor était pourtant lui-même réellement plus riche que moi à cette époque. Son père, mort une année auparavant, était un homme du peuple, un ouvrier qu'un petit commerce et beaucoup d'habileté avaient mis fort à l'aise. Les enfants de cet homme avaient reçu une très bonne éducation, et la mort d'Ernest laissait à Henri un revenu de huit ou dix mille francs. Mais les idées de lucre, l'indélicatesse, l'effroyable dureté et l'égoïsme profond de ce père commerçant avaient révolté de bonne heure l'âme enthousiaste et généreuse d'Henri. Dans l'hiver qui suivit la mort d'Ernest, il se hâta de céder, presque pour rien, son fonds de commerce à un homme que Lémor le père avait ruiné par les manœuvres les plus rapaces et les plus déloyales d'une impitoyable concurrence. Henri distribua à tous les ouvriers que son père avait longtemps pressurés le produit de cette vente, et, se dérobant, avec une sorte d'aversion, à leur reconnaissance (car il m'a dit souvent que ces hommes malheureux avaient été corrompus et avilis eux-mêmes par l'exemple et les procédés de leur maître), il changea de quartier et se mit en apprentissage pour devenir ouvrier lui-même. L'année précédente, et avant que la maladie de son frère le forçât d'habiter la campagne, il avait déjà commencé à étudier la mécanique.

« J'appris tous ces détails par la vieille femme de Montmorency, à qui j'allai faire une ou deux visites à la fin de l'hiver, autant, je l'avoue, pour savoir des nouvelles d'Henri que pour lui témoigner l'amitié dont elle était digne à tous égards. Cette femme avait de la vénération pour Lémor. Elle avait soigné le pauvre Ernest comme son propre fils ; elle ne parlait d'Henri que les mains jointes et les yeux pleins de larmes. Quand je lui demandai pourquoi il ne venait pas me voir, elle me répondit que ma richesse et ma position dans le monde ne pouvaient permettre que des rapports naturels s'établissent entre une personne comme moi et un homme qui s'était jeté volontairement dans la pauvreté. C'est à cette occasion qu'elle me raconta tout ce qu'elle savait de lui et tout ce que je viens de vous rapporter.

« Vous devez comprendre, chère Rose, combien je fus frappée de la conduite de ce jeune homme, qui s'était montré à moi si simple, si modeste et si parfaitement ignorant de sa grandeur morale. Je ne pus penser à autre chose ; dans le monde, comme dans ma chambre solitaire, au théâtre comme à l'église, son souvenir et son image étaient toujours dans mon cœur et dans ma pensée. Je le comparais à tous les hommes que je voyais, et alors il me paraissait si grand !

« Dès la fin de mars je retournai à Montmorency, n'espérant point y retrouver mon intéressant voisin. J'eus un instant de véritable douleur, lorsque, descendant au jardin avec une parente qui m'avait accompagnée pour m'aider malgré moi à me réinstaller à la campagne, j'appris que le rez-de-chaussée était loué à une vieille dame. Mais ma compagne ayant fait quelques pas loin de moi, la bonne Mme Joly me dit à l'oreille qu'elle avait fait ce petit mensonge parce que ma parente lui paraissait curieuse et babillarde, mais que Lémor était là, et qu'il se tenait caché pour ne me voir que lorsque je serais seule.

« Je pensai m'évanouir de joie, et je supportai l'obligeance et les attentions de ma pauvre cousine avec une patience dont je faillis mourir. Enfin elle partit, et je revis Lémor, non pas seulement ce jour-là, mais tous les jours et presque à toutes les heures de la journée, depuis la fin de l'hiver jusqu'à l'extrême fin de l'automne suivant. Les visites, toujours rares et assez courtes que l'on me rendait, mes courses indispensables à Paris, nous volèrent tout au plus, en rassemblant toutes les heures, deux semaines de notre délicieuse intimité.

« Je vous laisse à penser si cette vie fut heureuse et si l'amour s'empara en maître absolu de notre amitié. Mais ce dernier sentiment fut aussi chaste sous les yeux de Dieu et de mon fils que l'avait été une amitié formée au lit de mort du frère d'Henri. On en jasa pourtant peut-être un peu chez les indigènes de Montmorency ; mais la bonne réputation de notre hôtesse, sa discrétion sur nos sentiments qu'elle devinait bien, son ardeur à défendre notre conduite, la vie cachée que nous menions, et le soin que nous eûmes de ne jamais nous montrer ensemble hors de la maison ; enfin, l'absence de tout scandale, empêchèrent la malveillance de s'en mêler : aucun propos ne parvint jamais aux oreilles de mon mari ni d'aucun de mes parents.

« Jamais amours ne furent plus religieusement senties et plus salutaires pour les deux âmes qu'elles remplirent. Les idées d'Henri, fort singulières aux yeux du monde, mais les seules vraies, les seules chrétiennes aux miens, transportèrent mon esprit dans une nouvelle sphère. Je connus l'enthousiasme de la foi et de la vertu en même temps que celui de l'affection. Ces deux sentiments se liaient dans mon cœur et ne pouvaient plus se passer l'un de l'autre. Henri adorait mon fils, mon fils que son père oubliait, délaissait et connaissait à peine ! Aussi Édouard avait pour Lémor la tendresse, la confiance et le respect que son père eût dû lui inspirer.

« L'hiver nous arracha encore à notre paradis terrestre, mais cette fois il ne nous sépara point. Lémor vint me voir en secret de temps en temps, et nous nous écrivions presque tous les jours. Il avait une clef du jardin de hôtel, et quand nous ne pouvions nous y rencontrer la nuit, une fente dans le piédestal d'une vieille statue recevait notre correspondance.

« C'est tout récemment, vous le savez, que M. de Blanchemont a perdu la vie d'une manière tragique et inattendue, dans un duel à mort avec un de ses amis, pour une folle maîtresse qui l'avait trahi. Un mois après, j'ai vu Henri, et c'est de ce moment que datent mes chagrins. Je croyais si naturel de m'engager à lui pour la vie ! Je voulais le revoir un instant et fixer avec lui l'époque où les devoirs de ma position me permettraient de lui donner ma main et ma personne comme il avait mon cœur et mon esprit. Mais le croiriez-vous, Rose ? son premier mouvement a été un refus plein d'effroi et de désespoir. La crainte d'être riche, oui, l'horreur de la richesse, l'ont emporté sur l'amour, et il s'est comme enfui de moi avec épouvante !

« J'ai été offensée, consternée, je n'ai pas su le convaincre, je n'ai pas voulu le retenir. Et puis, j'ai réfléchi, j'ai trouvé qu'il avait raison, qu'il était conséquent avec lui-même, fidèle à ses principes. Je l'en ai estimé, je l'en ai aimé davantage, et j'ai résolu d'arranger ma vie de manière à ne plus le blesser, de quitter le monde entièrement, de venir me cacher bien loin de Paris au fond d'une campagne, afin de rompre toutes mes relations avec les puissants et les riches que Lémor considère comme des ennemis tantôt féroces, tantôt involontaires et aveugles de l'humanité.

« Mais à ce projet, qui n'était que secondaire dans ma pensée, j'en associais un autre qui coupait le mal dans sa racine et détruisait à jamais tous les scrupules de mon amant, de mon époux futur. Je voulais imiter son exemple, et dissiper ma fortune personnelle en l'appliquant à ce qu'au couvent nous appelions les bonnes œuvres, à ce que Lémor appelle l'œuvre de rémunération, à ce qui est juste envers les hommes et agréable à Dieu dans toutes les religions et dans tous les temps. J'étais libre de faire ce sacrifice sans nuire à ce que les riches auraient appelé le bonheur futur de mon fils, puisque je le croyais encore destiné à un héritage considérable ; et, d'ailleurs, dans mes idées à moi, en m'abstenant de jouir de ses revenus durant les longues années de sa minorité, en accumulant et en plaçant les rentes, j'aurais travaillé aussi à son

bonheur. C'est-à-dire que l'élevant dans des habitudes
de sobriété et de simplicité, et lui communiquant
l'enthousiasme de ma charité, je l'aurais mis à même
un jour de consacrer à ces mêmes bonnes œuvres une
fortune considérable, augmentée par mon économie
et par le devoir que je m'imposais de n'en jouir en
aucune façon pour mon propre compte, malgré les
droits que la loi me donnait à cet égard. Il me semblait que cette âme si naïve et si tendre de mon enfant
répondrait à mon enthousiasme, et que j'entasserais
ces richesses terrestres pour son salut futur. Riez-en
un peu, si vous voulez, chère Rose ; mais il me semble
encore que je réussirai, dans des conditions plus res-
treintes, à faire envisager les choses à mon Édouard
sous ce point de vue. Il n'a plus à hériter de son père,
et ce qui me reste lui sera désormais consacré dans
le même but. Je ne me crois plus le droit de me
dépouiller de ce peu d'aisance qui nous est laissée à
tous deux[1]. Je me figure que rien ne m'appartient
plus en propre, puisque mon fils n'a plus rien de certain à attendre que de moi. Cette pauvreté, dont j'aurais pu faire vœu pour moi seule, c'est un baptême
nouveau que Dieu ne me permet peut-être pas d'imposer à mon enfant avant qu'il soit en âge de l'accepter ou de le rejeter librement. Pouvons-nous, étant
nés dans le siècle, et ayant donné la vie à des êtres
destinés aux jouissances et au pouvoir dans la société,
les priver violemment et sans les consulter, de ce que

---

1. Dilemme fondamental de Marcelle où il se peut que l'on
retrouve quelque peu l'inquiétude de G. Sand devant les dépenses
que lui faisait faire P. Leroux.

la société considère comme de si grands avantages et des droits si sacrés ? Dans ce *sauve-qui-peut* général où la corruption de l'argent a lancé tous les humains, si je venais à mourir en laissant mon fils dans la misère avant le temps nécessaire pour lui enseigner l'amour du travail, à quels vices, à quelle abjection ne risquerais-je pas d'abandonner ses bons mais faibles instincts ? On parle d'une religion de fraternité et de communauté, où tous les hommes seraient heureux en s'aimant, et deviendraient riches en se dépouillant. On dit que c'est un problème que les plus grands saints du christianisme comme les plus grands sages de l'Antiquité ont été sur le point de résoudre. On dit encore que cette religion est prête à descendre dans le cœur des hommes, quoique tout semble, dans la réalité, conspirer contre elle ; parce que du choc immense, épouvantable, de tous les intérêts égoïstes, doivent naître la nécessité de tout changer, la lassitude du mal, le besoin du vrai et l'amour du bien. Tout cela, je le crois fermement, Rose ! Mais, comme je vous le disais tout à l'heure, j'ignore quels jours Dieu a fixés pour l'accomplissement de ses desseins. Je ne comprends rien à la politique, je n'y vois pas d'assez vives lueurs de mon idéal ; et, réfugiée dans l'arche comme l'oiseau durant le déluge, j'attends, je prie, je souffre et j'espère, sans m'occuper des railleries que le monde prodigue à ceux qui ne veulent pas approuver ses injustices, et se réjouir des malheurs de leur temps.

« Mais dans cette ignorance du lendemain, dans cette tempête déchaînée de toutes les forces humaines les unes contre les autres, il faut bien que je serre mon fils dans mes bras, et que je l'aide à surmonter le flot qui nous porte peut-être aux rives d'un monde meilleur dès ici-bas. Hélas ! chère Rose, dans un temps où l'argent est tout, tout se vend et s'achète. L'art, la science, toutes les lumières, et par conséquent toutes les vertus, la religion elle-même, sont interdites à celui qui ne peut payer l'avantage de boire à ces sources divines. De même qu'on paie les sacrements à l'église, il faut, à prix d'argent, acquérir le droit d'être homme, de savoir lire, d'apprendre à penser, à connaître le bien du mal. Le pauvre est condamné, à moins d'être doué d'un génie exceptionnel, à végéter, privé de sagesse et d'instruction. Et le mendiant, le pauvre enfant qui apprend pour tout métier l'art de tendre la main et d'élever une voix plaintive, dans quelles obscures et fausses notions est forcée de se débattre son intelligence infirme et impuissante ! Il y a quelque chose d'affreux à penser que la superstition est la seule religion accessible au paysan, que tout son culte se réduit à des pratiques qu'il ne comprend pas, dont il ne saura jamais ni le sens ni l'origine, et que Dieu n'est pour lui qu'une idole favorable aux moissons et aux troupeaux de celui qui lui vote un cierge ou une image. En venant ce matin ici, j'ai rencontré une procession arrêtée autour d'une fontaine pour conjurer la sécheresse. J'ai demandé pourquoi on priait là plutôt qu'ailleurs. Une femme m'a répondu en me montrant une petite statue de plâtre cachée dans une niche et ornée de guirlandes comme les dieux du paganisme*,

---

* Les Pères de l'Église primitive condamnaient amèrement cet usage païen d'orner les statues des dieux. Minutius

« c'est que cette *bonne dame* est la "meilleure de toutes" pour la pluie ».

« Si mon fils est indigent, il faudra donc qu'il soit idolâtre, au rebours des premiers chrétiens qui embrassaient la vraie religion avec la sainte pauvreté ? Je sais bien que le pauvre a le droit de me demander : Pourquoi ton fils plutôt que le mien connaît-il Dieu et la vérité ? Hélas ! je n'ai rien à répondre, sinon que je ne puis sauver son fils qu'en sacrifiant le mien. Et quelle réponse inhumaine pour lui ! Oh ! les temps de naufrage sont affreux ! Chacun court à ce qui lui est le plus cher et abandonne les autres. Mais encore une fois, Rose, que pouvons-nous donc, nous autres pauvres femmes, qui ne savons que pleurer sur tout cela ?

« Ainsi, les devoirs que nous impose la famille sont en contradiction avec ceux que nous impose l'humanité. Mais nous pouvons encore quelque chose pour la famille, tandis que pour l'humanité, à moins d'être très riches, nous ne pouvons rien encore. Car dans ce temps-ci, où les grandes fortunes dévorent les petites si rapidement, la médiocrité, c'est la gêne et l'impuissance.

« Voilà pourquoi, continua Marcelle en essuyant une larme, je vais être forcée de modifier les beaux rêves que j'avais faits en quittant Paris il y a deux jours. Mais je veux faire encore de mon mieux, Rose,

---

Félix[1] s'en explique clairement et admirablement. L'Église du Moyen Âge a rétabli les pratiques de l'idolâtrie, et l'Église d'aujourd'hui continue cette spéculation lucrative.

1. Minutius Félix, orateur latin (fin du IIe, début IIIe siècle) ; défenseur du christianisme, auteur d'*Octavius*.

pour ne pas m'entourer de petites jouissances inutiles aux dépens des autres. Je veux me réduire au nécessaire, acheter une maison de paysan, vivre aussi sobrement qu'il me sera possible sans altérer ma santé (puisque je dois ma vie à Édouard), mettre de l'ordre dans ce petit capital pour le lui donner un jour, après lui en avoir indiqué l'usage que Dieu nous aura révélé utile et pieux dans ce temps-là ; et, en attendant, consacrer la moindre partie possible de mon humble revenu à mes besoins et à la bonne éducation de mon fils, afin d'avoir toujours de quoi assister les pauvres qui viendront frapper à ma porte. C'est là, je crois, tout ce que je peux faire, s'il ne se forme pas bientôt une association vraiment sainte, une sorte d'église nouvelle, où quelques croyants inspirés appelleront à eux leurs frères pour les faire vivre en commun sous les lois d'une religion et d'une morale qui répondent aux nobles besoins de l'âme et aux lois de la véritable égalité. Ne me demandez pas quelles seraient précisément ces lois. Je n'ai pas mission de les formuler, puisque Dieu ne m'a pas donné le génie de les découvrir. Toute mon intelligence se borne à pouvoir les comprendre quand elles seront révélées, et mes bons instincts me forcent à rejeter les systèmes qui se posent aujourd'hui un peu trop fièrement sous des noms divers. Je n'en vois encore aucun où la liberté morale se trouve respectée, où l'athéisme et l'ambition de dominer ne se montrent par quelque endroit. Vous avez entendu parler peut-être des saint-simoniens et des fouriéristes. Ce sont là des systèmes encore sans religion et sans amour, des philosophies avortées, à peine ébauchées, où l'esprit du mal semble se cacher sous les dehors de la philanthropie. Je ne les juge pas absolument, mais j'en suis repoussée comme par le pressentiment d'un nouveau piège tendu à la simplicité des hommes.

« Mais il se fait tard, ma bonne Rose, et vos beaux yeux qui brillent encore luttent pourtant contre la fatigue de m'écouter. Je n'ai rien à conclure pour vous de tout ceci ; sinon que nous sommes toutes les deux aimées par des hommes pauvres, et que l'une de nous aspire à s'affranchir de l'alliance des riches, tandis que l'autre hésite et s'effraie de leur opinion.

— Ah ! Madame, dit Rose, qui avait écouté Marcelle avec une religieuse attention, que vous êtes grande et bonne ! comme vous savez aimer, et comme je comprends bien maintenant pourquoi je vous aime ! Il me semble que votre histoire et l'explication de votre conduite m'ont fait grossir la tête de moitié ! Quelle triste et mesquine vie nous menons, au prix de celle que vous rêvez ! Mon Dieu, mon Dieu ! je crois que je mourrai le jour où vous partirez d'ici !

— Sans vous, chère Rose, je serais fort pressée, je vous le confesse, d'aller bâtir ma chaumière auprès de celle de plus pauvres gens ; mais vous me ferez aimer votre ferme, et même ce vieux château… Ah ! j'entends votre mère qui vous appelle. Embrassez-moi encore et pardonnez-moi de vous avoir dit quelques paroles dures. Je me les reproche en voyant combien vous êtes sensible et affectueuse. »

Rose embrassa la jeune baronne avec effusion, et la quitta. Cédant à une habitude d'enfant mutin, elle se donna le plaisir de laisser crier sa mère tout en se rendant avec lenteur à son appel. Puis elle se le reprocha et se mit à courir ; mais elle ne put se résoudre à lui parler avant d'être tout à fait auprès d'elle : cette voix glapissante lui faisait l'effet d'un ton faux après la douce harmonie des paroles de Marcelle.

Encore fatiguée de son voyage, Mme de Blanchemont se glissa dans le lit où reposait son enfant, et, tirant ses rideaux de toile d'orange à grands ramages, elle commençait à s'endormir sans songer aux revenants indispensables du vieux château, lorsqu'un bruit incompréhensible la força de prêter l'oreille et de se relever un peu émue.

DEUXIÈME JOURNÉE

XV

LA RENCONTRE

Le bruit qui troublait le sommeil de notre héroïne était celui d'un corps quelconque passant et repassant à l'extérieur sur la porte de sa chambre avec une obstination et une maladresse singulières. Ce toucher était trop sec et trop inintelligent pour être celui d'une main humaine cherchant à trouver la serrure dans l'obscurité, et pourtant comme le bruit ne ressemblait pas à celui qu'eût pu faire un rat, Marcelle ne put s'arrêter à aucune autre hypothèse. Elle pensa que quelqu'un de la ferme couchait dans le vieux château, peut-être un serviteur ivre qui se trompait d'étage, et cherchait son gîte à tâtons. Se rappelant alors qu'elle n'avait pas ôté la clef de sa chambre, elle se leva afin de réparer cet oubli, aussitôt que la personne se serait éloignée. Mais le bruit continuait, et Marcelle n'osait entrouvrir la porte pour effectuer son dessein, dans la crainte, en se montrant, d'être insultée par quelque lourdaud. Cette petite anxiété commençait à devenir fort désagréable, lorsque la main incertaine s'impatienta, et gratta la porte de telle façon que Marcelle crut reconnaître les griffes d'un chat, et souriant de son émotion, elle se décida à ouvrir pour accueillir ou chasser cet habitué de son appartement. Mais à peine eut-elle entrouvert, avec un reste de précaution, que la porte fut repoussée sur elle avec violence, et que la folle s'offrit à ses regards sur le seuil de sa chambre.

Cette visite parut à Marcelle la plus déplaisante des suppositions qu'elle aurait pu faire, et elle hésita si elle ne repousserait pas par la force ce personnage inquiétant, malgré ce qu'on lui avait dit de la tranquillité habituelle de sa démence. Mais le dégoût que lui inspirait l'état de malpropreté de cette malheureuse, et encore plus un sentiment de compassion, l'empêchèrent de s'arrêter à cette idée. La folle ne paraissait pas s'apercevoir de sa présence, et il était probable que, dans son goût pour la solitude, elle se retirerait aussitôt que Marcelle se ferait remarquer. Mme de Blanchemont jugea donc à propos d'attendre et d'observer quelle serait la fantaisie de sa fâcheuse hôtesse, et reculant, elle alla s'asseoir sur le bord de son lit, dont elle ferma les rideaux derrière elle, afin qu'Édouard, s'il venait à s'éveiller, ne vît pas la *vilaine femme* dont il avait eu peur dans la garenne.

La Bricoline (nous avons déjà dit que chez nous toutes les aînées de familles de paysans et de bourgeois de campagne portaient le nom héréditaire féminisé en guise de prénom) traversa la chambre avec une certaine précipitation, et s'approcha de la fenêtre qu'elle ouvrit avec beaucoup d'efforts inutiles, la faiblesse de ses mains étiques, et la longueur de ses ongles qu'elle ne voulait jamais laisser couper, la rendant fort maladroite. Quand elle y fut parvenue, elle se pencha dehors, et, d'une voix étouffée à dessein, elle appela *Paul*[1]. C'était sans doute le nom de son amant, qu'elle attendait toujours, et à la mort duquel elle ne pouvait se résoudre à croire.

Ce lamentable appel n'ayant éveillé aucun écho dans le silence de la nuit, elle s'assit sur le banc de pierre qui, dans toutes les antiques constructions de ce genre, occupe l'embrasure profonde de la fenêtre, et resta muette, roulant toujours son mouchoir ensanglanté, et paraissant se résigner à l'attente. Au bout de dix minutes environ, elle se releva, et appela encore, toujours à voix basse, comme si elle eût cru son amant caché dans les broussailles du fossé, et comme si elle eût craint d'éveiller l'attention des gens de la ferme.

Pendant plus d'une heure l'infortunée continua ainsi, tantôt nommant Paul et tantôt l'attendant avec une patience et une résignation extraordinaires. La lune éclairait en plein son visage décharné et son corps difforme. Peut-être y avait-il pour elle une sorte de bonheur dans cette vaine espérance. Peut-être se faisait-elle illusion au point de rêver tout éveillée qu'il était là, qu'elle l'écoutait et lui répondait. Et puis, quand le rêve s'effaçait, elle le ramenait en appelant de nouveau son mort bien-aimé.

Marcelle la contemplait avec un profond déchirement de cœur ; elle eût voulu surprendre tous les secrets de sa folie, dans l'espérance de trouver quelque moyen

---

1. Les étranges pérégrinations nocturnes de la folle dans le château désert contribuent à apparenter ce personnage aux héroïnes du roman noir.

d'adoucir une telle souffrance ; mais les fous de cette nature ne s'expliquent pas, et il est impossible de deviner s'ils sont absorbés par une pensée qui les ronge sans relâche, ou si l'action de la pensée est suspendue en eux par intervalles.

Lorsque la misérable fille quitta enfin la fenêtre, elle se mit à marcher dans la chambre avec la même lenteur et la même gravité qui avaient frappé Marcelle dans l'allée de la Garenne. Elle ne paraissait plus songer à son amant, et sa physionomie, fortement contractée, ressemblait à celle d'un vieux alchimiste perdu dans la recherche de l'absolu[1]. Cette promenade régulière dura encore assez longtemps pour fatiguer extrêmement Mme de Blanchemont, qui n'osait ni se coucher ni quitter son fils pour aller éveiller la petite Fanchon. Enfin, la folle prit son parti, et montant un étage, elle alla à une autre fenêtre recommencer à appeler Paul par intervalles et à l'attendre en se promenant.

Marcelle songea alors qu'elle devait aller avertir les Bricolin. Sans doute ils ignoraient que leur fille s'était échappée de la maison et qu'elle courait peut-être le danger de se suicider ou de se laisser tomber involontairement par une fenêtre. Mais la petite Fanchon, qu'elle éveilla, non sans peine, afin qu'elle se tînt auprès du lit d'Édouard pendant qu'elle irait elle-même au château neuf, la détourna de ce projet.

« Eh ! non, Madame, lui dit-elle ; les Bricolin ne se

---

1. Évidemment on songe à Balzac (*La Recherche de l'absolu*, 1834). Mais ce thème de la recherche de l'absolu est fondamental dans le romantisme avec son corollaire : les illusions perdues pour ceux qui deviennent raisonnables, et la folie pour les autres.

dérangeront pas pour cela. Ils sont habitués à voir courir cette pauvre demoiselle la nuit comme le jour. Elle ne fait pas de mal, et il y a longtemps qu'elle a oublié de *se périr*. On dit qu'elle ne dort jamais. Il n'est pas étonnant que, par les temps de lune, elle soit plus éveillée encore. Fermez bien votre porte, pour qu'elle ne vienne plus vous ennuyer. Vous avez bien fait de ne lui rien dire ; ça aurait pu la choquer et la rendre méchante. Elle va faire son train là-haut jusqu'au jour, comme les *caboches* (les chouettes) ; mais puisque vous savez ce que c'est, à présent, ça ne vous empêchera pas de dormir. »

La petite Fanchon en parlait à son aise, elle qui, grâce à ses quinze ans et à son tempérament paisible, eût dormi au bruit du canon, pourvu qu'elle eût su ce que c'était. Marcelle eut un peu de peine à suivre son exemple, mais enfin la fatigue l'emporta, et elle s'endormit au pas régulier et continuel de la folle, qu'elle entendait au-dessus de sa chambre ébranler les solives tremblantes du vieux château.

Le lendemain, Rose apprit avec regret, mais sans surprise, l'incident de la nuit.

« Eh ! mon Dieu ! dit-elle, nous l'avions pourtant bien enfermée, sachant qu'elle a l'habitude d'errer de tous côtés, et dans le vieux château de préférence pendant la lune. (C'est pour cela que ma mère ne se souciait pas de vous y loger.) Mais elle aura encore trouvé moyen d'ouvrir sa fenêtre et de s'en aller par là. Elle n'est ni forte ni adroite de ses mains, mais elle a tant de patience ! Elle n'a qu'une idée, elle ne s'en repose jamais. M. le baron, qui n'avait pas le cœur aussi humain que vous, et qui riait des choses les moins

risibles, prétendait qu'elle cherchait… attendez si je
me souviendrai de son mot !… la quadrature… Oui,
c'est cela, la quadrature du cercle ; et quand il la voyait
passer : "Eh bien ! nous disait-il, votre philosophe n'a
pas encore résolu son problème ?"

— Je ne me sens pas d'humeur à plaisanter sur un
sujet qui navre le cœur, répondit Marcelle, et j'ai fait
des rêves lugubres cette nuit. Tenez, Rose, nous voilà
bonnes amies, nous le deviendrons j'espère de plus
en plus, et puisque vous m'avez offert votre chambre,
je l'accepte, à condition que vous ne la quitterez pas,
et que nous la partagerons. Un canapé pour Édouard,
un lit de sangle pour moi, il n'en faut pas davantage.

— Oh ! vous me comblez de joie, s'écria Rose, en
lui sautant au cou. Cela ne me causera aucun dérangement. Il y a deux lits dans toutes nos chambres,
c'est l'habitude de la campagne où l'on est toujours
prêt à recevoir quelque amie ou quelque parente, et
je vais être si heureuse de causer avec vous tous les
soirs !… »

L'amitié des deux jeunes femmes fit en effet beaucoup de progrès dans cette journée. Marcelle y mettait
d'autant plus d'abandon que c'était la seule douceur
qu'elle pût se promettre chez les Bricolin. Le fermier
la promena dans une partie de ses dépendances, lui
parlant toujours d'argent et d'arrangements. Il dissi-
mulait son désir d'acheter, mais c'était en vain, et
Marcelle qui, pour en finir plus vite avec des préoccupations si antipathiques à son esprit, était prête à
lui faire une partie des sacrifices qu'il exigeait, aussitôt qu'elle se serait assurée de l'exactitude de ses
calculs, usa pourtant d'un peu d'adresse avec lui pour

le tenir dans l'inquiétude. Rose lui avait fait entendre qu'elle pouvait avoir, dans cette circonstance, beaucoup d'influence sur sa destinée, et d'ailleurs Grand-Louis lui avait fait promettre de ne rien décider sans le consulter. Mme de Blanchemont se sentait une pleine confiance dans cet ami improvisé, et elle résolut d'attendre son retour pour faire choix d'un conseil compétent. Il connaissait tout le monde, et il avait trop de jugement pour ne pas la mettre en bonnes mains.

Nous avons laissé le brave meunier partant pour la ville de ***, avec Lapierre, Suzette, et le patachon. Ils y arrivèrent à dix heures du soir, et, le lendemain, dès la pointe du jour, Grand-Louis ayant embarqué les deux domestiques dans la diligence de Paris, se rendit chez le bourgeois auquel il avait intention de faire acheter la calèche. Mais en passant devant la poste aux lettres, il se dirigea vers l'entrée du bureau pour remettre au buraliste en personne celle que Marcelle l'avait chargé d'affranchir. La première figure qui frappa ses regards fut celle du jeune inconnu qui était venu, quinze jours auparavant, errer dans la Vallée-Noire, visiter Blanchemont, et que le hasard avait amené au moulin d'Angibault. Ce jeune homme ne fit aucune attention à lui : debout à l'entrée du bureau, il lisait avidement et d'un air fort ému, une lettre qu'il était venu recevoir. Grand-Louis tenant dans ses mains celle de Mme de Blanchemont, et se rappelant que le nom d'*Henri*, gravé sur un arbre au bord de la Vauvre, avait beaucoup préoccupé cette jeune dame, jeta un regard furtif sur l'adresse de la lettre que lisait le jeune homme et qui se trouvait naturellement à la portée de sa vue, l'inconnu tenant ce papier devant lui de manière à en bien cacher le contenu et à en montrer parfaitement l'extérieur. En un clin d'œil rapide et d'une curiosité bienveillante, le meunier vit le nom de M. Henri Lémor tracé de la même main que l'adresse de la lettre dont il était porteur ; aucun doute, ces deux lettres étaient de Marcelle, et l'inconnu était… le meunier n'y mit pas de façons dans sa pensée, l'amant de la belle veuve.

Grand-Louis ne se trompait pas : le premier billet que Marcelle avait écrit de Paris, et qu'un ami de Lémor, chargé de ce soin, lui avait fait tenir poste restante à ***, venait d'arriver en cet instant aux mains du jeune homme, et il était loin de s'attendre au bonheur d'en recevoir immédiatement un second, lorsque Grand-Louis passa facétieusement ce trésor entre ses yeux et celui qu'il était en train de relire pour la troisième fois.

Henri tressaillit, et se jetant avec impétuosité sur cette lettre, il allait s'en emparer, lorsque le meunier lui dit, en la lui retirant : « Non ! non ! pas si vite, mon garçon ! Le buraliste nous voit peut-être du coin de l'œil, et je n'ai pas envie qu'il me fasse payer l'amende, qui n'est pas mince. Nous allons causer un peu plus loin, car je ne pense pas que vous ayez la patience d'attendre que cette jolie lettre revienne de Paris, où on l'enverrait certainement, malgré vos réclamations et votre passeport, puisqu'elle n'est pas adressée ici poste restante. Suivez-moi au bout de la promenade. »

Lémor le suivit, mais un scrupule était déjà venu alarmer le meunier. « Attendez, dit-il, quand ils eurent gagné un endroit convenablement isolé, vous êtes bien l'individu dont le nom est sur cette lettre ?

— Vous n'en doutez pas, sans doute, et vous me connaissez apparemment, puisque vous me l'avez présentée ?

— C'est égal, vous avez bien un passeport ?

— Certainement, puisque je viens de le produire à la poste pour retirer ma correspondance.

— C'est encore égal ; dussiez-vous me prendre pour un gendarme déguisé, voyons-le, dit le meunier en lui donnant la lettre. Donnant, donnant.

— Vous êtes fort méfiant, dit Lémor en se hâtant de lui donner ses papiers.

— Un petit moment encore, reprit le prudent meunier. Je veux pouvoir faire serment, si les gens de la poste m'ont vu vous donner cette lettre, que je vous l'ai remise décachetée ! » Et il brisa le cachet très lestement, mais sans se permettre d'ouvrir la lettre, qu'il remit à Henri tout en prenant son passeport.

Tandis que le jeune homme lisait avidement, le meunier, qui n'était pas fâché de satisfaire sa curiosité, prenait connaissance des titres et qualités de son inconnu.

Henri Lémor, âgé de vingt-quatre ans, natif de Paris, profession d'ouvrier mécanicien, se rendant à Toulouse, Montpellier, Nîmes, Avignon et peut-être Toulon et Alger, pour y chercher de l'emploi et y exercer son industrie.

« Diable ! se disait le meunier, ouvrier mécanicien ! aimé d'une baronne ! cherchant de l'ouvrage et pouvant peut-être épouser une femme qui a encore trois cent mille francs ! Ce n'est donc que chez nous qu'on préfère l'argent à l'amour, et que les femmes sont si fières ! Il n'y a pas tant de distance entre la petite-fille du père Bricolin le laboureur et le petit-fils de mon grand-père le meunier, qu'entre cette baronne et ce pauvre diable ! Ah ! mademoiselle Rose ! je voudrais bien que Mme Marcelle vous apprît le secret d'aimer ! » Puis, faisant lui-même le signalement du jeune homme sans regarder celui du passeport, Grand-Louis se disait en examinant Henri absorbé dans sa lecture :

« Taille médiocre, visage pâle… assez joli, si l'on veut, mais cette barbe noire, c'est vilain. Tous ces ouvriers de Paris ont l'air de porter toute leur force au menton. » Et le meunier comparait avec une secrète complaisance ses membres athlétiques à l'organisation plus délicate de Lémor. « Il me semble, se disait-il, que s'il ne faut pas être plus remarquable que ça pour tourner la tête à une femme d'esprit… et à une belle dame… Mlle Rose pourrait bien s'apercevoir que son très humble serviteur n'est pas plus mal tourné qu'un autre. Après cela, ces Parisiens, ça vous a une certaine grâce, une tournure, des yeux noirs, je ne sais quoi qui nous fait paraître patauds à côté d'eux. Et puis, sans doute que celui-là a plus d'esprit qu'il n'est gros. S'il pouvait m'en donner un peu, et m'enseigner, lui aussi, son secret pour être aimé ! »

XVI

DIPLOMATIE

Au beau milieu de ses réflexions, maître Louis s'aperçut que le jeune homme, dans ses préoccupations beaucoup plus vives, s'éloignait sans songer à lui.

« Holà ! mon camarade ! lui dit Grand-Louis en courant après lui ; vous voulez donc me laisser votre passeport ?

— Ah ! mon cher ami, je vous oubliais, et je vous en demande pardon ! répondit Lémor. Vous m'avez rendu le service de me remettre cette lettre, et je vous dois mille remerciements... Mais je vous reconnais à présent. Je vous ai déjà vu, il n'y a pas longtemps. C'est à votre moulin que j'ai reçu l'hospitalité... Un endroit superbe... et une si bonne mère ! Vous êtes un homme heureux ! vous ! car vous êtes franc et serviable aussi, cela se voit !

— Oui ! une belle hospitalité ! dit le meunier ; parlons-en ! Après cela, c'est votre faute si vous n'avez voulu accepter que du pain et de l'eau... Ça m'avait donné un peu mauvaise opinion de vous, avec ça que vous avez une barbe de capucin ! Cependant, vous n'avez pas plus que moi la mine d'un jésuite, et si ma figure vous revient, la vôtre me revient aussi... Quant à être un homme heureux... je vous conseille de porter envie aux autres, et surtout à moi ! C'est donc pour vous moquer.

— Je ne sais pas ce que vous voulez dire. Avez-vous éprouvé quelque malheur depuis que je ne vous ai vu?

— Bah! il y a longtemps que je porte un malheur qui finira Dieu sait comment! Mais je n'ai pas plus envie d'en parler que vous de m'écouter, car vous avez aussi, je le vois bien, beaucoup de tic-tac dans la cervelle. Ah çà! est-ce que vous n'allez pas me donner un mot de réponse pour la personne qui vous a écrit? quand ce ne serait que pour attester que j'ai bien fait ma commission?

— Vous connaissez donc cette personne? dit Lémor tout tremblant.

— Tiens! vous n'aviez pas encore pensé à me le demander. Où sont donc vos esprits?»

L'air de bienveillance un peu goguenarde du Grand-Louis commençait à inquiéter Lémor. Il craignait de compromettre Marcelle, et cependant la physiono-mie de ce paysan n'était pas faite pour inspirer la méfiance. Mais Henri crut devoir affecter une sorte d'indifférence.

«Je ne connais pas beaucoup moi-même, dit-il, la dame qui m'a fait l'honneur de m'écrire. Comme le hasard m'avait conduit dernièrement dans le pays où elle possède des biens, elle a pensé que je pourrais lui donner quelques renseignements…

— À d'autres, interrompit le meunier, elle ne sait pas du tout que vous y êtes venu, encore moins pour-quoi vous l'avez fait, et voilà ce que je vous prie de me dire, si vous ne voulez pas que je le devine.

— C'est à quoi je répondrai un autre jour, dit Lémor avec un peu d'impatience et de fierté ironique. Vous êtes curieux, l'ami, et je ne sais pourquoi vous voulez voir du mystère dans ma conduite.

— Il y en a, l'ami ! Je vous dis qu'il y en a, puisque vous ne *lui* avez pas fait savoir que vous étiez venu dans la Vallée-Noire ! »

La persistance du meunier devenait de plus en plus embarrassante, et Henri, craignant de tomber dans quelque piège ou de commettre quelque imprudence, songea à se délivrer de ses investigations bizarres.

« Je ne sais ni de qui ni de quoi vous voulez me parler, répondit-il en haussant les épaules. Je vous renouvelle mes remerciements, et je vous salue. Si la lettre que vous m'avez remise exige une réponse ou un reçu, je l'enverrai par la poste. Je pars dans une heure pour Toulouse, et n'ai pas le loisir de m'arrêter plus longtemps avec vous.

— Ah ! vous partez pour Toulouse, dit le meunier en doublant le pas pour le suivre. J'aurais cru que vous alliez venir avec moi à Blanchemont.

— Pourquoi à Blanchemont ?

— Parce que si vous avez à donner des conseils à la dame de Blanchemont sur ses affaires, comme vous le prétendez, il serait plus obligeant d'aller vous expliquer avec elle que d'écrire deux mots à la hâte. C'est une personne qui vaut bien la peine qu'on se dérange de quelques lieues pour lui rendre service, et moi, qui ne suis qu'un meunier, j'irais au bout du monde s'il le fallait. »

Lémor, informé, presque malgré lui, du lieu que Marcelle avait choisi momentanément pour sa retraite, ne put se décider à se séparer brusquement d'un homme qui la connaissait et qui semblait si disposé à lui parler d'elle. L'espèce de proposition et de conseil qu'on lui adressait d'aller à Blanchemont faisait passer des éblouissements dans cette jeune tête volontairement stoïque, mais profondément bouleversée par la passion. Agité de désirs et de résolutions contradictoires, il laissait paraître sur son visage toutes les perplexités qu'il croyait renfermer dans son âme, et le pénétrant meunier ne s'y trompait pas. « Si je croyais, dit enfin Lémor, que des explications verbales fussent nécessaires... mais en vérité, je ne le pense pas... *cette dame* ne m'indique rien de semblable...

— Oui, dit le meunier d'un ton railleur ; *cette dame* vous croyait à Paris, et on ne fait pas venir un homme de si loin pour quelques paroles. Mais peut-être que si elle vous avait su si près, elle m'aurait commandé de vous ramener avec moi.

— Non, monsieur le meunier, vous vous trompez, dit Henri, effrayé de la pénétration du Grand-Louis. Les questions qu'on me fait l'honneur de m'adresser n'ont pas assez d'importance pour cela. Décidément, j'y répondrai par écrit. »

Et en s'arrêtant à ce dernier parti, Henri sentait son cœur se briser. Car, malgré sa soumission aux ordres de Marcelle, l'idée de la revoir encore une fois avant de s'en éloigner pour une année entière, avait fait bouillonner tout son sang énergique. Mais ce maudit meunier, avec ses commentaires, pouvait, soit par malice, soit par légèreté, rendre sa démarche compromettante pour la jeune veuve, et Lémor devait s'en abstenir.

« Vous ferez ce qui vous plaît, dit le Grand-Louis, un peu piqué de sa réserve, mais comme *elle* me fera sans doute quelques questions sur votre compte, je serai forcé de lui dire que l'idée de venir la voir ne vous a pas souri du tout.

— Ce qui lui fera assurément beaucoup de peine ? répondit Lémor avec un éclat de rire un peu forcé.

— Oui, oui ! jouez au plus fin avec moi, mon camarade ! reprit le meunier. Mais vous ne riez pas de bon cœur.

— Monsieur le meunier, répliqua Lémor perdant patience, vos insinuations, autant que je puis les comprendre, commencent à être assez déplacées. Je ne sais pas si vous êtes aussi dévoué à la personne en question que vous le prétendez ; mais il ne me semble pas que vous en parliez avec autant de respect que moi, qui la connais à peine.

— Vous vous fâchez ? À la bonne heure, c'est plus franc, et cela me taquine moins que vos moqueries. Maintenant, je sais à quoi m'en tenir sur votre compte.

— C'en est trop, dit Lémor irrité, et cela ressemble à une provocation personnelle. J'ignore quelles folles idées vous voulez m'attribuer, mais je vous déclare que ce jeu me fatigue et que je ne souffrirai pas plus longtemps vos impertinences.

— Vous fâchez-vous tout de bon ? dit le Grand-Louis d'un ton calme. Je suis bon pour vous répondre. Je suis beaucoup plus fort que vous ; mais sans doute vous êtes compagnon de quelque Devoir, et vous connaissez la canne. Et d'ailleurs, vous autres Parisiens, on dit que vous savez tous jouer du bâton comme des professeurs. Nous autres, nous ne connaissons pas la théorie, nous n'avons que la pratique. Vous êtes plus adroit que moi, probablement ; moi, je cognerai un peu plus dur que vous ; ça égalisera la partie. Allons derrière le vieux rempart si vous voulez, ou bien au café du père Robichon. Il y a une petite cour où l'on peut s'expliquer sans témoins, car il n'y a pas de danger qu'il appelle la garde, il sait trop bien vivre pour cela.

— Allons, se dit Lémor, j'ai voulu être ouvrier, et les lois de l'honneur sont aussi rigides au bâton qu'à l'épée. Je ne connais pas l'art féroce de tuer mon semblable avec une arme plus qu'avec une autre. Mais si cet Hercule gaulois veut se donner le plaisir de m'assommer, je ne l'éviterai pas en lui parlant raison. Ce sera, d'ailleurs, la seule manière de me débarrasser de ses questions, et je ne vois pas pourquoi je serais plus patient qu'un gentilhomme. »

Le généreux et pacifique meunier n'avait aucune envie de chercher querelle à Henri comme celui-ci le supposait, faute de comprendre l'intérêt qu'il portait réellement à Mme de Blanchemont et à lui, par conséquent ; mais ce dernier sentiment était mêlé d'une méfiance dont le Grand-Louis eût voulu se guérir l'esprit par une sincère explication. N'ayant pas réussi, à son tour, il se croyait provoqué, et en prenant le chemin du café Robichon, chacun des deux adversaires se persuadait qu'il était forcé de répondre à la fantaisie belliqueuse de l'autre.

Six heures sonnaient à l'horloge d'une église voisine, lorsqu'ils arrivèrent au café Robichon. C'était une maisonnette décorée de ce titre fastueux qu'on voit maintenant jusque sur les plus humbles cabarets des provinces les plus arriérées. « *Café de la Renais-*

sance.» On y entrait par une étroite allée plantée de jeunes acacias et de dahlias superbes. La petite cour aux explications était adossée au mur de l'église gothique, revêtu en cet endroit de lierre et de roses grimpantes. Des berceaux de chèvrefeuille et de clématite interceptaient le regard des voisins et parfumaient l'air matinal. Cette cachette fleurie, déserte encore et proprement sablée, semblait destinée à des rendez-vous d'amour beaucoup plus qu'à des scènes tragiques.

En y introduisant Lémor, le Grand-Louis ferma la porte derrière lui, puis s'asseyant à une petite table de bois peinte en vert :

«Ah çà ! dit-il, sommes-nous venus ici pour nous allonger des coups ou pour prendre le café ensemble ?

— C'est comme il vous plaira, répondit Lémor. Je me battrai avec vous si vous voulez ; mais je ne prendrai pas de café.

— Vous êtes trop fier pour ça ! c'est tout simple ! dit le Grand-Louis en haussant les épaules. Quand on reçoit des lettres d'une baronne !

— Vous recommencez donc ? Allons, laissez-moi m'en aller, ou battons-nous tout de suite.

— Je ne peux pas me battre avec vous, dit le meunier. Vous n'avez qu'à me regarder, je crois, pour voir que je ne suis pas un capon, et cependant je refuse la partie que vous m'avez proposée. Mme de Blanchemont ne me le pardonnerait jamais, et cela perdrait toutes mes affaires.

— Qu'à cela ne tienne ! si vous pensez que Mme de Blanchemont vous blâme d'être querelleur, vous n'êtes pas forcé de lui dire que vous m'avez cherché noise.

— Ah ! c'est donc moi qui vous ai cherché noise, à présent ? qu'est-ce qui a parlé le premier de se battre ?

— Il me semble que vous êtes le seul qui en ayez parlé, mais peu importe. J'accepte la proposition.

— Mais qu'est-ce qui a insulté l'autre ? Je ne vous ai rien dit que d'honnête, et vous m'avez traité d'impertinent.

— Votre manière d'interpréter mes paroles et mes pensées était incivile. Je vous ai signifié de me laisser en paix.

— Oui, c'est ça, vous m'avez ordonné de me taire ! Et si je ne veux pas, moi, voyons ?

— Je vous tournerai le dos, et si vous le trouvez mauvais, nous nous battrons.

— Ce garçon-là est entêté comme tous les diables ! s'écria le Grand-Louis en frappant de son large poing sur la petite table, qui se fendit par la moitié. Tenez, monsieur le Parisien ! vous voyez bien comme j'ai la main lourde ! Votre fierté me donnerait envie de savoir si votre tête est aussi dure que cette planche de chêne ; car il n'y a rien de plus insolent au monde que de dire à un homme : « Je ne veux pas vous écouter. » Et pourtant je ne dois pas, je ne peux faire tomber un cheveu de cette tête de fer. Écoutez, il faut en finir. Je vous veux pourtant du bien, j'en veux surtout à une personne pour qui je me ferais casser bras et jambes, et qui a, j'en suis sûr, la fantaisie de s'intéresser à vous. Il faut s'expliquer ; je ne vous ferai plus de questions, puisque c'est peine perdue, mais je vous dirai tout ce que j'ai sur le cœur pour ou contre vous, et quand j'aurai dit, si cela ne vous convient

pas, nous nous battrons ; et si ce dont je vous soup-
çonne est vrai, je n'aurai aucun regret de vous casser
la mâchoire. Allons, il faut bien s'entendre avant de
se mesurer, et savoir pourquoi on le fait. Nous allons
prendre le café, car je suis à jeun depuis hier et mon
estomac crie misère. Si vous êtes trop grand seigneur
pour me laisser payer l'écot, convenons que le moins
étrillé des deux s'en chargera après l'affaire.

— Soit », dit Henri, qui, se regardant comme en
état d'hostilité avec le meunier, ne craignait plus de
s'oublier avec lui par bienveillance.

Le père Robichon apporta le café lui-même, en
faisant toutes sortes d'amitiés au Grand-Louis. « C'est
donc un de tes amis ? lui dit-il en regardant Lémor
avec la curiosité des industriels peu affairés des petites
villes. Je ne le connais pas, mais c'est égal ; ce doit
être quelque chose de bon, puisque tu me l'amènes.
Voyez-vous, mon garçon, ajouta-t-il en s'adressant à
Lémor, vous avez fait là, en arrivant dans notre pays,
une bonne connaissance. Vous ne pouviez pas mieux
tomber. Le Grand-Louis est estimé d'un chacun et de
tout le monde. Pour moi, je l'aime comme mon fils.
Oh ! c'est qu'il est sage, honnête et doux... doux
comme un agneau, malgré qu'il soit le plus *fort
homme* du pays ; mais je peux bien dire que jamais,
au grand jamais, il n'a fait de scandale nulle part,
qu'il ne donnerait pas une chiquenaude à un enfant,
et que je ne l'ai jamais entendu élever la voix dans la
maison. Dieu sait pourtant qu'il y rencontre bien des
gens querelleurs, mais il met la paix partout. »

Cet éloge si singulièrement placé dans un moment
où le Grand-Louis amenait un étranger au café Robi-

chon pour vider une querelle avec lui, fit sourire les
deux jeunes gens.

XVII

LE GUÉ DE LA VAUVRE[1]

Cependant le panégyrique paraissait si sincère,
que Lémor, déjà disposé précédemment à une grande
sympathie pour le meunier, réfléchit à la singularité
de sa conduite en cette circonstance, et commença
à se dire que cet homme devait avoir de puissants
motifs pour l'interroger. Ils prirent le café ensemble
avec beaucoup de politesse mutuelle, et quand le père
Robichon les eut débarrassés de sa présence, le meunier commença ainsi :

« *Monsieur* (il faut bien que je vous appelle comme
ça, puisque je ne sais pas si nous sommes amis ou
ennemis), vous saurez d'abord que je suis amoureux,
ne vous en déplaise, d'une fille trop riche pour moi,
et qui ne m'aime que juste ce qu'il faut pour ne pas
me détester. Ainsi je peux parler d'elle sans la compromettre ; et d'ailleurs vous ne la connaissez pas. Je
n'aime pourtant pas à parler de mes amours, c'est

---

1. Dans son étude *La Vallée-Noire*, G. Sand parle évidemment de la Vauvre si importante dans ce roman ; « La Vallée-
Noire en est le bocage [de cette Suisse du Berry], comme la
Brenne en est la steppe », et elle cite une vingtaine de rivières,
dont la Vauvre.

ennuyeux pour les autres, surtout quand ils ont été piqués de la même mouche, et qu'ils sont, comme on l'est en général dans cette maladie-là, égoïstes en diable, et soucieux d'eux-mêmes, du prochain, point. Cependant, comme en travaillant tout seul à remuer une montagne, on n'avance à rien, m'est avis que si on s'entraidait un peu par l'amitié, on ferait au moins quelque chose. Voilà pourquoi j'aurais voulu votre confiance comme j'ai celle de la dame que vous savez bien, et pourquoi je vous donne la mienne sans trop savoir si elle sera bien placée.

« Donc, j'aime une fille qui aura en dot trente mille francs de plus que moi, et, par le temps qui court, c'est comme si je voulais épouser l'impératrice de la Chine. Je me soucie de ses trente mille francs comme d'un fétu ; même je peux dire que je voudrais les envoyer au fin fond de la mer, puisque c'est là ce qui nous sépare. Mais jamais les empêchements n'ont fait entendre raison à l'amour, et j'ai beau être gueux, je suis amoureux ; je n'ai que cela en tête, et si la dame que vous savez bien ne vient pas à mon secours comme elle me l'a fait espérer... je suis un homme perdu... je suis capable !... je ne sais pas de quoi je suis capable ! »

Et en disant cela, la figure ordinairement enjouée du meunier, s'altéra si profondément, que Lémor fut frappé de la force et de la sincérité de sa passion.

« Eh bien, lui dit-il avec cordialité, puisque vous avez la protection d'une dame si bonne et si éclairée... on la dit telle du moins... !

— Je ne sais pas ce *qu'on dit* d'elle, répondit Grand-Louis, impatienté de la réserve obstinée du jeune homme ; je sais ce que j'en pense, moi, et je vous dis que cette femme-là est un ange du ciel. Tant pis pour vous si vous ne le savez pas.

— En ce cas, dit Lémor, qui se sentait vaincu intérieurement par cet hommage si sincère rendu à Marcelle, où voulez-vous en venir, mon cher monsieur Grand-Louis ?

— Je veux vous dire que, voyant cette femme si bonne, si respectable, et d'un cœur si pur, disposée en ma faveur, et en train déjà de me donner de l'espérance lorsque je croyais tout perdu, je me suis attaché à elle tout d'un coup, et pour toujours. L'amitié m'est venue, comme en dit dans les romans que l'amour vient, en un clin d'œil ; et maintenant, je voudrais rendre, d'avance, à cette femme tout le bien qu'elle a l'intention de me faire. Je voudrais qu'elle fût heureuse comme elle le mérite, heureuse dans ses affections, puisqu'elle n'estime que cela au monde et méprise la fortune, heureuse de l'amour d'un homme qui l'aimât pour elle-même et ne s'occupât pas de supputer ce qui lui reste d'une richesse qu'elle perd si joyeusement, ne songeant, lui, qu'à s'informer de ce qu'elle possède ou ne possède pas... afin de savoir s'il doit la rejoindre ou s'en aller bien loin d'elle... l'oublier sans doute, et essayer si sa jolie figure fera quelque autre conquête plus lucrative... car enfin... »

Lémor interrompit le meunier.

« Quelle raison avez-vous donc, dit-il en pâlissant, de craindre que cette dame respectable ait si mal placé ses affections ? Quel est le lâche à qui vous supposez de si honteux calculs dans l'âme ?

— Je n'en sais rien, dit le meunier qui observait

attentivement le trouble d'Henri, ne sachant encore s'il devait l'attribuer à l'indignation d'une bonne conscience ou à la honte de se voir deviné. Tout ce que je sais, c'est qu'il est venu à mon moulin, il y a quinze jours environ, un jeune homme dont la mine et les manières semblaient fort honnêtes, mais qui paraissait avoir du souci, et puis qui, tout à coup, s'est mis à parler d'argent, à faire des questions, à prendre des notes, enfin à établir par francs et centimes sur un bout de papier, qu'il restait encore à la dame de Blanchemont un assez joli débris de sa fortune.

— En vérité, vous pensez que ce garçon-là était prêt à déclarer son amour au cas seulement où le mariage lui paraîtrait avantageux? Alors, c'était un misérable; mais pour l'avoir si bien deviné, il faut être soi-même...

— Achevez, Parisien! ne vous gênez pas, dit le meunier dont les yeux brillèrent comme l'éclair; puisque nous sommes ici pour nous expliquer!

— Je dis, reprit Lémor non moins irrité, que pour interpréter ainsi la conduite d'un homme qu'on ne connaît pas et dont on ne sait rien, il faut être soi-même fort amoureux de la dot de sa belle.»

Les yeux du meunier s'éteignirent, et un nuage passa sur son front.

«Oh! dit-il d'une voix triste, je sais bien qu'on peut dire cela, et je parie que bien des gens le diraient si je parvenais à me faire aimer! Mais son père n'a qu'à la déshériter, ce qui arriverait certainement si elle m'aimait, et alors on verra si je fais sur mes doigts le compte de ce qu'elle aura perdu!

— Meunier ! dit Lémor d'un ton brusque et franc, je ne vous accuse pas, moi. Je ne veux pas vous soupçonner. Mais comment se fait-il qu'avec une âme honnête, vous n'ayez pas supposé ce qui était le plus vraisemblable et le plus digne de vous ?

— Ce qui pourrait expliquer les sentiments du jeune homme, ce serait sa conduite ultérieure. S'il courait avec transport vers sa chère dame !... je ne dis pas, mais s'il s'en va au diable, c'est différent !

— Il faudrait supposer, répondit Lémor, qu'il regarde son amour comme insensé, et qu'il ne veut pas s'exposer à un refus.

— Ah ! je vous y prends ! s'écria le meunier ; voilà les mensonges qui recommencent ! Je sais pertinemment, moi, que la dame est enchantée d'avoir perdu sa fortune, qu'elle a même pris courageusement son parti de la ruine totale de son fils, et tout cela parce qu'elle aime quelqu'un qu'on lui aurait peut-être fait un crime d'épouser, sans toutes ces catastrophes-là.

— Son fils est ruiné ? dit Henri en tressaillant ; totalement ruiné ? Est-ce possible ! En êtes-vous certain ?

— Très certain, mon garçon ! répondit le meunier d'un air narquois. La tutrice, qui aurait pu, pendant une longue minorité, partager avec un amant ou un mari les intérêts d'un gros capital, n'aura maintenant plus que des dettes à payer, si bien que son intention, elle me le disait hier soir, est de faire apprendre à son enfant quelque métier pour vivre. »

Henri s'était levé. Il se promenait avec agitation dans la petite cour, et l'expression de sa figure était indéfinissable. Grand-Louis, qui ne le perdait pas de vue, se demanda s'il était au comble du bonheur ou du désappointement. Voyons, se dit-il, est-ce un homme comme *elle* et comme moi, haïssant l'argent qui contrarie les amours, ou bien un intrigant qui s'est fait aimer d'elle à l'aide de je ne sais quel sortilège, et dont l'ambition vise plus haut que la jouissance du petit revenu qui lui reste ?

Ayant rêvé quelques instants, Grand-Louis qui tenait à honneur de donner une grande joie à Marcelle, ou de la débarrasser d'un perfide en le démasquant, s'avisa d'un stratagème.

« Allons, mon garçon, dit-il en adoucissant sa voix, vous êtes contrarié ! il n'y a pas de mal à cela. Tout le monde n'est pas romanesque, et si vous avez pensé au solide, c'est que vous êtes fait comme tous les gens de ce temps-ci. Vous voyez donc que je ne vous ai pas rendu un si mauvais service, en me querellant avec vous ; je vous ai appris que le douaire était à la sécheresse. Sans doute vous comptiez sur les bénéfices de la tutelle du jeune héritier, car vous saviez bien que les fameux trois cent mille francs étaient une dernière, une pure illusion de la veuve ?…

— Comment dites-vous ? s'écria Lémor en suspendant sa marche agitée. Cette dernière ressource lui est enlevée ?

— Sans doute ; ne faites donc pas semblant de l'ignorer ; vous avez trop bien été aux renseignements pour ne pas savoir que la dette envers le fermier Bricolin est quadruple de ce qu'on la supposait, et que la dame de Blanchemont va être obligée de postuler pour un bureau de poste ou de tabac, si elle veut avoir de quoi envoyer son fils à l'école.

— Est-il possible ? répéta Lémor, stupéfait et

comme étourdi de cette nouvelle. Une révolution si prompte dans sa destinée ! Un coup du ciel !

— Oui, un coup de foudre ! dit le meunier avec un rire amer.

— Eh ! dites-moi, n'en est-elle pas affectée du tout ?

— Oh ! du tout. *Tant s'en faut qu'au contraire* elle se figure que vous ne l'en aimerez que mieux. Mais vous ? Pas si bête, n'est-ce pas ?

— Mon cher ami, répondit Lémor sans écouter les paroles du Grand-Louis, que m'avez-vous dit là ? Et moi qui voulais me battre avec vous ! Vous me rendez un grand service ! lorsque j'allais… Vous êtes pour moi l'envoyé de la Providence. »

Grand-Louis, attribuant cette effusion à la satisfaction qu'éprouvait Lémor d'être averti à temps de la ruine de ses cupides espérances, détourna la tête avec dégoût, et resta quelques instants absorbé par une profonde tristesse.

« Voir une femme si confiante et si désintéressée, se disait-il, abusée par un freluquet pareil ! Il faut qu'elle ait aussi peu de raison qu'il a peu de cœur. J'aurais dû penser qu'en effet elle était fort imprudente, puisque dans un seul jour, où je l'ai vue pour la première fois de ma vie, elle m'a laissé découvrir tous ses secrets. Elle est capable de livrer son bon cœur au premier venu. Oh ! il faudra que je la gronde, que je l'avertisse, que je la mette en garde contre elle-même en toutes choses ! et, pour commencer, il faut que je la délivre de ce drôle-là. On peut déchirer un peu l'oreille de ce faquin, on peut faire à son joli museau une égratignure qui l'empêche de se montrer de si tôt devant les belles… — Holà ! monsieur le Parisien, dit-il sans se retourner et en tâchant de rendre sa voix calme et claire, vous m'avez entendu, et à présent vous savez le cas que je fais de vous. Je sais ce que je voulais savoir, vous n'êtes qu'une canaille. Voilà mon opinion, et je vais vous la prouver tout de suite, si vous voulez bien le permettre. »

En parlant ainsi, le meunier avait, avec assez de flegme, retroussé ses manches, ne voulant faire usage que de ses poings ; il se leva et se retourna, surpris de la lenteur de son antagoniste à lui répondre. Mais à sa grande surprise, il se trouva seul dans la cour. Il parcourut l'allée aux dahlias, explora tous les coins du café Robichon, arpenta toutes les rues voisines ; Lémor avait disparu. Personne ne l'avait vu sortir. Grand-Louis, indigné et presque furieux, le chercha vainement dans toute la ville.

Après une heure d'inutiles perquisitions, le meunier essoufflé, commença à se lasser et à se décourager.

« C'est égal, se dit-il en s'asseyant sur une borne, il ne partira pas une diligence ni une patache de la ville aujourd'hui, dont je n'aille compter et regarder les voyageurs sous le nez ! Ce monsieur ne s'en ira pas sans que… mais bah ! je suis fou ! Ne voyage-t-il pas à pied, et un homme qui tient à ne pas payer une dette d'honneur ne prend-il pas *le pays par pointe* sans tambour ni trompette ?… Et puis, ajouta-t-il en se calmant peu à peu, ma chère madame Marcelle me saurait sans doute bien mauvais gré de rosser son galant. On ne se défait pas comme cela d'une si forte *attache*, et la pauvre femme ne voudra peut-être pas me croire quand je lui dirai que son Parisien est un

vrai *Marchois**. Comment vais-je m'y prendre pour
la désabuser ? C'est mon devoir, et pourtant quand je
songe à la peine que je vais lui faire… Chère dame
du Bon Dieu ! Est-il possible qu'on se trompe à ce
point ! »

En devisant ainsi avec lui-même, le meunier se
rappela qu'il avait une calèche à vendre, et alla trouver un ex-fermier enrichi, qui, après avoir bien examiné et marchandé longtemps, se décida par la crainte
que M. Bricolin ne vînt à s'emparer de cet objet de
luxe et de ce bon marché. « Achetez ! monsieur Ravalard, disait Grand-Louis avec l'admirable patience
dont sont doués les Berrichons, lorsque, comprenant
bien qu'on est décidé à s'accommoder de leur den-
rée, ils se prêtent par politesse à feindre d'être dupes
de la prétendue incertitude du chaland. Je vous l'ai
dit deux cents fois déjà, et je vais vous le répéter tant
que vous voudrez. C'est du beau et du bon, du fin et
du solide. Ça sort des premiers fabricants de Paris,
c'est *rendu-conduit* gratis. Vous me connaissez trop
pour croire que je m'en mêlerais s'il y avait une
attrape là-dessous. De plus, je ne vous demande pas
ma commission, qu'il vous faudrait pourtant bien
payer à un autre. Voyez ! c'est tout profit. »

Les irrésolutions de l'acheteur durèrent jusqu'au
soir. Le déboursement des écus lui déchirait l'âme.
Quand Grand-Louis vit le soleil baisser : « Allons,
dit-il, je ne veux pas coucher ici, moi, je m'en vais.

---

* Les habitants de la Marche sont, à tort ou à raison, en si
mauvaise odeur chez leurs voisins du Berri, que *Marchois* y est
synonyme d'aigrefin.

Je vois bien que vous ne voulez pas de cette jolie brouette si reluisante et si bon marché. J'y vas atteler Sophie, et je m'en retournerai à Blanchemont fier comme Artaban. Ça sera la première fois de ma vie que je roulerai carrosse ; ça m'amusera, et ça m'amusera encore plus de voir le père et la mère Bricolin se *carrer* là-dedans pour aller le dimanche à La Châtre ! M'est avis pourtant que vous et votre dame, vous y auriez fait meilleure figure. »

Enfin, la nuit approchant, M. Ravalard compta l'argent et fit remiser la belle voiture sous son hangar. Grand-Louis chargea les effets de Mme de Blanchemont sur sa charrette, mit les deux mille francs dans une ceinture de cuir, et partit au grand trot de Sophie, assis sur une malle et chantant à tue-tête, en dépit des cahots et du vacarme de ses grandes roues sur le pavé.

Il marchait vite, ne courant pas le risque de se tromper de voie comme le patachon, et il avait dépassé le joli hameau de Mers que la lune n'était pas encore levée. La vapeur fraîche qui, dans la Vallée-Noire, même durant les chaudes nuits d'été, nage sur de nombreux ruisseaux encaissés, coupait de nappes blanches qu'on aurait prises pour des lacs, la vaste étendue qui se déployait au loin. Déjà les cris des moissonneurs et les chants des bergères avaient cessé. Des vers luisants semés de distance en distance dans les buissons qui bordent le chemin furent bientôt les seules rencontres que put faire le meunier.

Cependant comme il traversait une de ces landes marécageuses que forment les méandres des rivières dans ce pays d'ailleurs si fertile et si méticuleusement cultivé, il lui sembla voir une forme vague qui courait dans les joncs devant lui, et qui s'arrêta au bord du gué de la Vauvre comme pour l'attendre.

Grand-Louis était peu sujet au mal de la peur. Cependant comme il avait, ce soir-là, à défendre une petite fortune dont il était plus jaloux que si elle lui eût appartenu, il se hâta de rejoindre sa charrette dont il s'était un peu écarté, ayant fait un bout de chemin à pied, autant pour se désengourdir que pour soulager sa fidèle Sophie. La ceinture de cuir qui le gênait avait été déposée par lui dans un sac de blé. Quand il fut remonté sur son char, qu'il appelait facétieusement dans le style du pays, son équipage suspendu en *cuir de brouette*, c'est-à-dire en bois pur et simple, il s'assura sur ses jambes, s'arma de son fouet dont la lourde poignée faisait une arme à deux fins, et, debout, comme un soldat à son poste, il marcha droit sur le voyageur de nuit, en chantant gaiement un couplet de vieux opéra-comique que Rose lui avait appris dans son enfance.

> Notre meunier chargé d'argent
> 　　Revenait au village,
> Quand tout à coup v'là qu'il entend
> 　　Un grand bruit dans l'feuillage.
> Notre meunier est homm' de cœur,
> On dit pourtant qu'il eut grand'peur…
> Or, écoutez, mes chers amis :
> 　　Si vous voulez m'en croire.
> N'allez pas, n'allez pas dans la *Vallée-Noire*.

Je crois que la chanson dit : *dans la Forêt-Noire* ; mais Grand-Louis, qui se moquait de la césure comme des voleurs et des revenants, s'amusait à adapter les paroles à sa situation ; et ce couplet naïf, jadis fort en vogue, mais qui ne se chantait plus guère qu'au moulin d'Angibault, charmait souvent les ennuis de ses courses solitaires.

Lorsqu'il fut près de l'homme qui l'attendait de pied ferme, il jugea que le poste était assez bien choisi pour une attaque. Le gué était, sinon profond, du moins encombré de grosses pierres qui forçaient les chevaux d'y marcher avec précaution, et de plus, pour descendre dans l'eau, il fallait s'occuper de soutenir la bride, le *raidillon* étant assez rapide pour exposer l'animal à s'abattre.

« Nous verrons bien », se disait Grand-Louis avec beaucoup de prudence et de calme.

XVIII

HENRI

Le voyageur s'avança en effet à la tête du cheval, et déjà Grand-Louis qui, pendant sa chanson, avait dextrement attaché une balle de plomb, percée à cet effet, à la mèche de son fouet, levait le bras pour lui faire lâcher prise, lorsqu'une voix connue lui dit amicalement :

« Maître Louis, permettez-moi de monter sur votre voiture pour passer l'eau.

— Oui-da, cher Parisien ! répondit le meunier :

enchanté de vous rencontrer. Je vous ai assez cherché
ce matin ! Montez, montez, j'ai deux mots à vous dire.

— Et moi, j'ai plus de deux mots à vous demander », répliqua Henri Lémor en sautant dans la charrette et en s'asseyant sur la malle à côté de lui, avec
la confiance d'un homme qui ne s'attend à rien de
fâcheux.

« Voilà un gaillard bien osé », se dit le meunier
qui, dans le premier retour de sa rancune, avait peine
à se contenir jusqu'à l'autre rive. « Savez-vous, mon
camarade, dit-il en lui mettant sa lourde main sur
l'épaule, que je ne sais ce qui me retient de faire
demi-tour à droite et d'aller vous faire faire un plon-
geon au-dessous de l'écluse ?

— L'idée est plaisante, répondit tranquillement
Lémor, et réalisable jusqu'à un certain point. Je crois
pourtant, mon cher ami, que je me défendrais fort
bien, car, pour la première fois depuis longtemps, je
tiens ce soir à ma vie, avec acharnement.

— Minute ! dit le meunier en s'arrêtant sur le sable
après avoir traversé le ruisseau. Nous voici plus à
l'aise pour causer. D'abord et avant tout, faites-moi
l'amitié, mon cher monsieur, de me dire où vous allez.

— Je n'en sais trop rien, dit Lémor en riant. Je
crois que je vais au hasard devant moi. Ne fait-il pas
beau pour se promener ?

— Pas si beau que vous croyez, mon maître, et
vous pourriez vous en retourner par un mauvais temps,
si tel était mon bon plaisir. Vous avez voulu venir sur
ma charrette ; c'est mon fort détaché, à moi, et on
n'en descend pas toujours comme on y monte.

— Trêve de bons mots, Grand-Louis, répondit

Lémor, et fouettez votre cheval. Je ne puis rire, je suis trop ému…

— Vous avez peur, enfin, convenez-en.

— Oui, j'ai *grand'peur*, comme le meunier de votre chanson, et vous le comprendrez quand je vous aurai parlé… si je puis parler… je n'ai guère ma tête à moi.

— Enfin, où allez-vous? dit le meunier qui commençait à craindre d'avoir mal jugé Lémor, et, qui, reprenant sa raison un peu ébranlée par la colère, se demandait si un coupable viendrait ainsi se remettre entre ses mains.

— Où allez vous vous-même? dit Lémor. À Angibault? bien près de Blanchemont!… et moi, je vais de ce côté-là, sans savoir si j'oserai aller jusque-là. Mais vous avez entendu parler de l'aimant qui attire le fer.

— Je ne sais pas si vous êtes de fer, reprit le meunier, mais je sais qu'il y a aussi pour moi une fameuse pierre d'aimant de ce côté-là. Allons, mon garçon, vous voudriez donc…,

— Je ne veux rien, je n'ose rien vouloir! et cependant elle est ruinée, tout à fait ruinée! Pourquoi m'en irais-je?

— Pourquoi vouliez-vous donc aller si loin, en Afrique, au diable?

— Je la croyais encore riche; trois cent mille francs, je vous l'ai dit, comparativement à ma position, c'était l'opulence.

— Mais puisqu'elle vous aimait malgré cela?

— Et moi, vous jugez que j'aurais dû accepter l'argent avec l'amour? Car je ne puis plus feindre avec vous, ami. Je vois qu'on vous a confié des choses que je ne vous aurais pas avouées, eussions-nous dû en venir aux coups. Mais j'ai réfléchi, après vous avoir quitté un peu brusquement, sans trop savoir ce que je faisais, et me sentant le cœur si gros de joie que je n'aurais pu me taire... Oui, j'ai réfléchi à tout ce que vous m'avez dit, j'ai vu que vous saviez tout et que j'étais insensé de craindre l'indiscrétion d'un ami si dévoué à...

— Marcelle ! » dit le meunier, un peu vain de pouvoir prononcer familièrement ce nom *chrétien*, comme il le définissait dans sa pensée, par opposition au nom nobiliaire de la dame de Blanchemont.

Ce nom fit tressaillir Lémor. C'était la première fois qu'il résonnait à ses oreilles. N'ayant jamais eu de relations avec l'entourage de Mme de Blanchemont, et n'ayant jamais confié le secret de ses amours à personne, il ne connaissait pas dans la bouche d'autrui le son de ce nom chéri, qu'il avait lu au bas de maint billet avec tant de vénération, et que lui seul avait osé prononcer dans des moments de désespoir ou d'ivresse. Il saisit le bras du meunier, partagé entre le désir de le lui faire répéter et la crainte de le profaner en le livrant aux échos de la solitude.

« Eh bien ! dit Grand-Louis, touché de son émotion, vous avez enfin reconnu que vous ne deviez pas, que vous ne pouviez pas vous méfier de moi ? Mais moi, voulez-vous que je vous dise la vérité ? Je me méfie encore un peu de vous. C'est malgré moi, mais cela me poursuit, cela me quitte et me reprend. Voyons, où avez-vous donc passé la journée ? Je vous ai cru caché dans une cave.

— Je l'aurais fait, je pense, s'il s'en était trouvé une à ma portée, dit Lémor en souriant, tant j'avais besoin de cacher mon trouble et mon enivrement. Savez-vous, ami, que je m'en allais en Afrique avec l'intention de ne jamais revoir… celle que vous venez de nommer. Oui, malgré le billet que vous m'avez remis, qui me commandait de revenir dans un an, je sentais que ma conscience m'ordonnait un affreux sacrifice. Et encore aujourd'hui j'ai eu bien de l'effroi et de l'incertitude ! car si je n'ai plus à lutter contre la honte, moi prolétaire, d'épouser une femme riche, il reste encore l'inimitié de races, la lutte du plébéien contre les patriciens, qui vont persécuter cette noble femme à cause d'un choix réputé indigne. Mais il y aurait peut-être de la lâcheté à éviter cette crise. Ce n'est pas sa faute, à elle, si elle est du sang des oppresseurs, et d'ailleurs, la puissance des nobles a passé dans d'autres mains. Leurs idées n'ont plus de force, et peut-être que… celle qui daigne me préférer… ne sera pas universellement blâmée. Cependant, c'est affreux, n'est-ce pas, d'entraîner la femme qu'on aime dans un combat contre sa famille, et d'attirer sur elle le blâme de tous ceux parmi lesquels elle a toujours vécu ! Par quelles autres affections remplacerai-je autour d'elle ces affections secondaires, il est vrai, mais nombreuses, agréables, et qu'un généreux cœur ne peut pas rompre sans regret ? Car je suis isolé sur la terre, moi ; le pauvre l'est toujours, et le peuple ne comprend pas encore comment il devrait accueillir ceux qui viennent à lui de si loin, et à travers tant d'obstacles. Hélas ! j'ai passé une partie du jour sous un buisson, je ne sais où, dans un lieu retiré

où j'avais été au hasard, et ce n'est qu'après plusieurs heures d'angoisses et de méditation laborieuse
que je me suis résolu à vous chercher pour vous
demander de me procurer une heure d'entretien avec
elle… Je vous ai cherché en vain, peut-être de votre
côté aussi me cherchiez-vous, car c'est vous qui
m'avez mis en tête cette idée brûlante d'aller à Blanchemont. Mais je crois que vous êtes imprudent et
moi insensé, car *elle* m'a défendu de savoir même où
elle s'est retirée, et elle a fixé, pour les convenances
de son deuil, le délai d'un an.

— Tant que cela ? dit Grand-Louis un peu effrayé
de l'idée ingénieuse qu'il avait cru avoir, le matin, en
provoquant, chez l'amant de Marcelle, la tentation de
venir la voir. Ces histoires de convenances dont vous
me parlez là sont-elles si sérieuses dans vos idées, et
faut-il, qu'après la mort d'un méchant mari, un an
s'écoule, ni plus ni moins, sans qu'une honnête femme
voie le visage d'un honnête homme qui songe à l'épouser ? C'est donc l'usage à Paris ?

— Pas plus à Paris qu'ailleurs. Le sentiment religieux qu'on porte au mystère de la mort est sans
doute partout l'arbitre intime du plus ou du moins de
temps qu'on accorde au souvenir des funérailles.

— Je sais que c'est un bon sentiment qui a établi
la coutume de porter le deuil sur ses habits, dans ses
paroles, dans toute sa conduite ; mais cela n'a-t-il pas
l'inconvénient de dégénérer en hypocrisie, quand le
défunt est vraiment peu regrettable, et que l'amour
parle honnêtement en faveur d'un autre ? Résulte-t-il
de l'état de décence où doit vivre une veuve que son
prétendant soit forcé de s'expatrier, ou bien de ne

jamais passer devant sa porte, et de ne pas la regarder du coin de l'œil quand elle a l'air de n'y pas faire attention ?

— Vous ne connaissez pas, mon brave, la méchanceté de ceux qui s'intitulent *gens du monde*, singulière dénomination, n'est-ce pas ? et juste pourtant à leurs yeux, puisque le peuple ne compte pas, puisqu'ils s'arrogent l'empire du monde, puisqu'ils l'ont toujours eu, et qu'ils l'ont encore pour un certain temps !

— Je n'ai pas de peine à croire, s'écria le meunier, qu'ils sont plus méchants que nous !... Et pourtant, ajouta-t-il tristement, nous ne sommes pas aussi bons que nous devrions l'être ! Nous aussi, nous sommes souvent bavards, moqueurs, et portés à condamner le faible. Oui, vous avez raison, nous devons prendre garde de faire mal parler de cette chère dame. Il lui faudra du temps pour se faire connaître, chérir et respecter comme elle le mérite ; il ne faudrait qu'un jour pour qu'on l'accusât de se gouverner follement. Mon avis est donc que vous n'alliez pas vous montrer à Blanchemont.

— Vous êtes un homme de bon conseil, Grand-Louis, et j'étais sûr que vous ne me laisseriez pas faire une mauvaise chose. J'aurai le courage d'écouter les avis de votre raison, comme j'ai eu la folie de m'enflammer au premier mouvement de votre bienveillance. Je vais causer avec vous jusqu'à ce que vous soyez arrivé auprès de votre moulin, et alors je m'en retournerai à *** pour partir demain et continuer mon voyage.

— Allons ! allons ! vous allez d'une extrémité à

l'autre, dit le meunier qui, tout en causant avec Lémor, faisait toujours cheminer au pas la patiente Sophie. Angibault est à une lieue de Blanchemont, et vous pouvez bien y passer la nuit sans compromettre personne. Il ne s'y trouve pas d'autre femme ce soir que ma vieille mère, et ça ne fera pas jaser. Vous avez fait, de *** jusqu'ici, une jolie promenade, et je n'aurais ni cœur ni âme si je ne vous forçais d'accepter une petite *couchée* avec un souper *frugal*, comme dit M. le curé, qui ne les aime guère de cette façon-là. D'ailleurs, ne faut-il pas que vous écriviez ? Vous trouverez chez nous tout ce qu'il faut pour cela... peut-être pas de joli papier à lettres, par exemple ! Je suis l'adjoint de ma commune, et je ne fais pas mes actes sur du vélin ; mais quand même vous coucheriez votre prose amoureuse sur du papier marqué au timbre de la mairie, ça n'empêchera pas qu'on la lise, et plutôt deux fois qu'une. Venez, vous dis-je, je vois déjà la fumée de mon souper qui monte dans les arbres, nous allons trotter un peu, car je parie que ma vieille mère a faim et qu'elle ne veut pas manger sans moi. Je lui ai promis de revenir de bonne heure. »

Henri mourait d'envie d'accepter l'offre du bon meunier. Il se fit un peu prier pour la forme ; les amants sont dissimulés comme les enfants. Il avait renoncé pourtant à la folie d'aller à Blanchemont, mais il était poussé dans cette direction comme par un charme magique, et chaque pas de *Sophie*, qui le rapprochait de ce foyer d'attraction, remuait son cœur, naguère brisé par une lutte au-dessus de ses forces.

Lémor céda pourtant, bénissant dans son cœur l'insistance hospitalière du meunier.

« Mère ! dit celui-ci à la Grand'Marie en sautant à bas de sa charrette, vous ai-je manqué de parole ? Si l'horloge du Bon Dieu n'est pas dérangée, les étoiles de la croix marquent dix heures sur le chemin de Saint-Jacques*.

— Il n'est guère plus, dit la bonne femme ; c'est seulement une heure plus tard que tu ne t'étais annoncé. Mais je ne te gronde pas ; je vois que tu as fait les commissions de notre chère dame. Est-ce que tu comptes aller porter tout cela à Blanchemont ce soir ?

— Ma foi non ! il est trop tard. Mme Marcelle m'a dit qu'un jour de plus ou de moins lui importait peu. Et d'ailleurs, peut-on entrer au château neuf après dix heures ? N'ont-ils pas fait réparer le mur crénelé de la cour et mettre des barres de fer à grand-porte ? Ils sont capables de faire faire un pont-levis sur leur fossé sans eau. Le diable me confonde ! M. Bricolin se croit déjà seigneur de Blanchemont, et il aura bientôt des armes sur sa cheminée. Il se fera appeler de Bricolin... Mais dites donc, mère, je vous amène de la compagnie. Reconnaissez-vous ce garçon-là ?

— Eh ! c'est le monsieur du mois dernier ! dit la Grand'Marie ; celui que nous prenions pour un homme d'affaires de la dame de Blanchemont ? Mais il paraît qu'elle ne le connaît pas.

— Non, non, elle ne le connaît pas du tout, dit

---

* La croix est la constellation du Cygne, et le chemin de Saint-Jacques la Voie lactée.

Grand-Louis, et il n'est pas homme d'affaires ; c'est un employé au cadastre pour la nouvelle répartition de l'impôt. Allons, géomètre, asseyez-vous et mangez chaud.

— Dites donc, Monsieur, fit la meunière quand le premier service, c'est-à-dire la soupe aux raves fut dépêchée, est-ce vous qui avez écrit votre nom sur un de nos arbres au bord de la rivière ?

— C'est moi, dit Henri. Je vous en demande pardon ; peut-être cette sotte fantaisie d'écolier a-t-elle fait mourir ce jeune saule ?

— Sauf votre respect, c'est un peuplier blanc, dit le meunier. Vous êtes bien un vrai Parisien, et sans doute vous ne connaissez pas le chanvre d'avec la pomme de terre. Mais n'importe. Nos arbres se moquent de vos coups de canif, et ma mère vous demande cela pour causer.

— Oh ! je ne vous ferais pas de reproche pour un petit arbre. Nous en avons de reste ici, dit la meunière ; mais c'est que notre jeune dame s'est tant tourmentée pour savoir qui avait pu mettre ce nom-là. Et son petit qui l'a lu tout seul ! oui, Monsieur, un enfant de quatre ans, qui voit ce que je n'ai jamais pu voir dans des lettres !

— Elle est donc venue ici ? dit étourdiment Lémor, qui n'avait pas bien sa raison dans ce moment.

— Qu'est-ce que ça vous fait, puisque vous ne la connaissez pas ? » répondit Grand-Louis en lui donnant un grand coup de genou pour l'engager à feindre, surtout devant son garçon de moulin.

Lémor le remercia du regard, bien que son avertissement eût été un peu rude, et, craignant de divaguer, il ne desserra plus les dents que pour manger.

Lorsque l'on se fut séparé pour la *nuitée*, comme disait la meunière, Lémor qui devait partager la petite chambre du meunier au rez-de-chaussée, tout en face de la porte du moulin, pria Grand-Louis de ne pas s'enfermer encore et de le laisser promener un quart d'heure au bord de la Vauvre.

«Pardieu, je vas vous y conduire, dit Grand-Louis que le roman de son nouvel ami intéressait beaucoup par la ressemblance qu'il avait avec le sien propre. Je sais où vous allez rêvasser, et je ne suis pas si pressé de dormir que je ne puisse faire un tour avec vous au clair de la lune : car la voici qui se lève et qui va se mirer dans l'eau. Venez voir, mon Parisien, comme elle est blanche et fière dans le bassin de la Vauvre, et vous me direz si c'est à Paris que vous avez une aussi belle lune et une aussi belle rivière ! Tenez ! ajouta-t-il lorsqu'ils furent au pied de l'arbre, voilà où *elle* était appuyée en lisant votre nom ; elle était comme cela contre la barrière, et elle regardait avec des yeux… que je ne peux pas faire, quand je passerais deux heures à ouvrir les miens. Ah çà, vous saviez donc qu'elle viendrait ici, que vous lui aviez laissé là votre signature ?

— Ce qu'il y a de plus étrange, c'est que je l'ignorais, et que le hasard seul… un caprice d'enfant, m'a suggéré de marquer ainsi mon passage dans ce bel endroit où je ne croyais pas devoir jamais revenir. J'avais ouï dire à Paris qu'*elle* était ruinée. Je l'espérais ! j'étais venu savoir à quoi m'en tenir, et quand j'ai appris qu'elle était encore trop riche pour moi, je n'ai plus songé qu'à lui dire adieu.

— Voyez ! il y a un Dieu pour les amants ; car sans cela vous n'y seriez pas revenu, en effet. C'est cela, c'est l'air de Mme Marcelle en m'interrogeant sur le jeune voyageur qui avait écrit ce nom, qui m'a fait deviner tout d'un coup qu'elle aimait et que son amant s'appelait Henri. C'est ce qui m'a éclairci l'esprit pour deviner le reste, car on ne m'a rien dit, j'ai tout deviné ; il faut bien que je m'en accuse et que je m'en vante.

— Quoi ! on ne vous avait rien confié, et moi j'ai tout avoué ? La volonté de Dieu soit faite ! Je reconnais sa main, dans tout cela, et je ne me défends plus de la confiance absolue que vous m'inspirez.

— Je voudrais pouvoir vous en dire autant, répondit Grand-Louis en lui prenant la main, car le diable me broie si je ne vous aime pas ! Et pourtant il y a quelque chose qui me chiffonne toujours.

— Comment pouvez-vous me soupçonner encore quand je reviens dans votre Vallée-Noire, seulement pour respirer l'air qu'elle a respiré, lorsque je sais enfin qu'elle est pauvre ?

— Mais ne pourriez-vous pas avoir été courir chez les avoués et les notaires pendant, que je vous cherchais ce matin par la ville ? Et si vous aviez appris qu'elle est encore assez riche ?

— Que dites-vous, serait-il vrai ? s'écria Lémor avec un accent douloureux. Ne jouez pas ainsi avec moi, ami ! vous m'accusez de choses si ridicules, que je ne pense pas même à m'en justifier. Mais il y en a une que je veux vous dire en deux mots. Si Mme de

Blanchemont est encore riche, voulût-elle agréer l'amour d'un prolétaire comme moi, il faut que je la quitte pour toujours ! Oh ! si cela est, s'il faut que je l'apprenne… pas encore, au nom du Ciel ? Laissez-moi rêver le bonheur jusqu'à demain, jusqu'à ce que je quitte ce pays pour un an ou pour jamais !

— Alors vous êtes un peu fou, l'ami, s'écria le meunier. Et même vous me paraissez si exagéré dans ce moment-ci, que je crains que ce ne soit une affectation pour me tromper.

— Vous n'êtes donc pas comme moi, vous ! vous ne haïssez donc pas la richesse ?

— Non, par Dieu ! je ne la hais ni ne l'aime pour elle-même, mais bien à cause du mal ou du bien qu'elle peut me faire. Par exemple, je déteste les écus du père Bricolin, parce qu'ils m'empêchent d'épouser sa fille… Ah ! diable ! je lâche des noms que j'aurais aussi bien fait de vous laisser ignorer… Mais je sais vos affaires, après tout, et vous pouvez bien savoir les miennes… Je dis donc que je déteste ces écus-là ; mais j'aimerais beaucoup trente ou quarante mille francs qui me tomberaient du ciel et qui me permettraient de prétendre à Rose.

— Je ne pense pas comme vous. Si je possédais un million, je ne voudrais pas le garder.

— Vous le jetteriez dans la rivière plutôt que de vous faire un titre pour rétablir l'égalité entre *elle* et vous ? Vous êtes encore un drôle de corps.

— Je crois que je le distribuerais aux pauvres, comme les communistes chrétiens des premiers temps, afin de m'en débarrasser, quoique je sache fort bien que je ne ferais pas là une bonne œuvre véritable ; car en abandonnant leurs biens, ces premiers disciples de l'égalité fondaient une société[1]. Ils apportaient aux malheureux une législation qui était en même temps une religion. Cet argent était le pain de l'âme en même temps que celui du corps. Ce partage était une doctrine et faisait des adeptes. Aujourd'hui, il n'y a rien de semblable. On a l'idée d'une communauté sainte et providentielle, on n'en sait pas encore les lois. On ne peut pas recommencer le petit monde des premiers chrétiens, on sent qu'il faudrait la doctrine ; on ne l'a pas, et d'ailleurs, les hommes ne sont pas disposés à la recevoir. L'argent qu'on distribuerait à une poignée de misérables n'enfanterait chez eux que l'égoïsme et la paresse, si on ne cherchait à leur faire comprendre les devoirs de l'association. Et, d'une part, je vous le répète, ami, il n'y a pas encore assez de lumières dans l'initiation ; de l'autre, il n'y a pas encore assez de confiance, de sympathie et d'élan chez les initiés. Voilà pourquoi lorsque Marcelle… (et moi aussi j'ose la nommer puisque vous avez nommé *Rose*) m'a proposé de faire comme les apôtres et de donner aux pauvres ces richesses qui me faisaient horreur, j'ai reculé devant un sacrifice que je ne me sens pas la science et le génie de faire fructifier réellement entre ses mains pour le progrès de l'humanité. Pour posséder la richesse et la rendre utile comme je l'entends, il faut être plus qu'un homme de cœur, il

---

1. Le socialisme français avant 1848 a des liens évidents avec la doctrine chrétienne (*cf.* Lamennais), mais on remarquera ici l'analyse perspicace de G. Sand qui peut d'ailleurs lui avoir été inspirée par des discussions avec ses amis socialistes (voir p. 163 et n. 1).

faut être un homme de génie. Je ne le suis pas, et, en songeant aux vices profonds, à l'épouvantable égoïsme qu'impose la fortune à ceux qui la possèdent, je me sens pénétré d'effroi. Je remercie Dieu de m'avoir rendu pauvre, moi aussi, qui ai failli hériter de beaucoup d'argent, et je fais le serment de ne jamais posséder que le salaire de ma semaine !

— Ainsi, vous remerciez Dieu de vous avoir rendu sage par un pur effet de sa bonté, et vous profitez du hasard qui vous a préservé du mal ? C'est de la vertu très facile, et je n'en suis pas si émerveillé que vous croyez. Je comprends maintenant pourquoi Mme Marcelle était si contente hier d'être ruinée. Vous lui avez mis en tête toutes ces belles choses-là ! C'est joli, mais ça ne signifie rien. Qu'est-ce que c'est que des gens qui disent : Si j'étais riche, je serais méchant, et je suis enchanté de ne l'être pas ? C'est l'histoire de ma grand-mère qui disait : Je n'aime pas l'anguille, et j'en suis bien contente, parce que si je l'aimais, j'en mangerais. Voyons, pourquoi ne seriez-vous pas riche et généreux ? Eh, quand vous ne pourriez pas faire d'autre bien que de donner du pain à ceux qui en manquent autour de vous, ce serait déjà quelque chose, et la richesse serait mieux placée dans vos mains que dans celles des avares… Oh ! je sais bien votre affaire ! J'ai compris ; je ne suis pas si bête que vous croyez, et j'ai lu de temps en temps des journaux et des brochures qui m'ont appris un peu ce qui se passe hors de nos campagnes, où il est vrai de dire qu'il ne se passe rien de nouveau. Je vois que vous êtes un faiseur de nouveaux systèmes, un économiste, un savant !

— Non. C'est peut-être un malheur; mais je connais la science des chiffres moins que toute autre, et je ne comprends rien à l'économie politique telle qu'on l'entend aujourd'hui. C'est un cercle vicieux où je ne conçois pas qu'on s'amuse à tourner.

— Vous n'avez pas étudié une science sans laquelle vous ne pouvez rien essayer de neuf? En ce cas, vous êtes un paresseux.

— Non, mais un rêveur.

— J'entends, vous êtes ce qu'on appelle un poète.

— Je n'ai jamais fait de vers, et maintenant je suis un ouvrier. Ne me prenez pas tant au sérieux. Je suis un enfant, et un enfant amoureux. Tout mon mérite, c'est d'avoir su apprendre un métier, et je vais l'exercer.

— C'est bien! gagnez votre vie comme je fais, moi, et ne vous tourmentez plus de la manière dont va le monde, puisque vous n'y pouvez rien.

— Quel raisonnement, ami! Vous verriez une barque chavirer sur cette rivière, et il y aurait là une famille à laquelle, vous, attaché à cet arbre, je suppose, vous ne pourriez porter secours, et vous la verriez périr avec indifférence?

— Non, Monsieur, je casserais l'arbre, fût-il dix fois plus gros. J'aurais si bonne volonté que Dieu ferait ce petit miracle pour moi.

— Et pourtant la famille humaine périt, s'écria Lémor douloureusement, et Dieu ne fait plus de miracles!

— Je le crois bien! personne ne croit plus en lui. Mais moi, j'y crois, et je vous déclare, puisque nous en sommes à ne nous rien cacher, que, dans le fond de ma pensée, je n'ai jamais désespéré d'épouser Rose Bricolin. Amener son père à accepter un gendre pauvre, c'est pourtant un miracle plus conséquent que de casser avec mes bras, sans cognée, le gros arbre que vous voyez là. Eh bien ! ce miracle se fera, je ne sais comment : j'aurai cinquante mille francs. Je les trouverai dans la terre en plantant mes choux, ou dans la rivière en jetant mes filets ; ou bien il me viendra une idée… n'importe sur quoi. Je découvrirai quelque chose, puisqu'il suffit, dit-on, d'une idée pour remuer le monde.

— Vous découvrirez le moyen d'appliquer l'égalité à une société qui n'existe que par l'inégalité, n'est-ce pas ? dit Henri avec un triste sourire.

— Pourquoi pas, Monsieur ? répondit le meunier avec une vivacité enjouée. Quand j'aurai fait fortune, comme je ne veux pas être avare et méchant, et, comme je suis bien sûr, moi, de ne jamais le devenir, pas plus que ma grand-mère n'est venue à bout d'aimer l'anguille qu'elle ne pouvait pas souffrir, alors il faudra que je devienne tout à coup plus savant que vous, et que je trouve dans ma cervelle ce que vous n'avez pas trouvé dans vos livres, à savoir le secret de faire de la justice avec ma puissance et des heureux avec ma richesse. Ça vous étonne ? Et pourtant, mon Parisien, je vous déclare que j'en sais bien moins que vous sur l'économie politique, et je n'y entends ni *a* ni *b*. Mais qu'est-ce que cela fait, puisque j'ai la volonté et la croyance ? Lisez l'Évangile, Monsieur. M'est avis que vous, qui en parlez si bien, vous avez un peu oublié que les premiers apôtres étaient des gens de rien, ne sachant rien comme moi. Le Bon

Dieu souffla sur eux, et ils en surent plus long que tous les maîtres d'école et tous les curés de leur temps.

— Ô peuple ! tu prophétises ! s'écria Lémor en serrant le meunier contre son cœur. C'est pour toi, en effet, que Dieu fera des miracles, c'est sur toi que soufflera l'Esprit saint ! Tu ne connais pas le découragement, toi ; tu ne doutes de rien. Tu sens que le cœur est plus puissant que la science, tu sens ta force, ton amour, et tu comptes sur l'inspiration ! Et voilà pourquoi j'ai brûlé mes livres, voilà pourquoi j'ai voulu retourner au peuple, d'où mes parents m'avaient fait sortir. Voilà pourquoi je vais chercher, parmi les pauvres et les simples de cœur, la foi et le zèle que j'ai perdus en grandissant parmi les riches !

— J'entends ! dit le meunier ; vous êtes un malade qui cherche la santé.

— Ah ! je la trouverais si je vivais près de vous.

— Je vous la donnerais de bon cœur si vous me promettiez de ne pas me donner votre maladie. Et pour commencer, parlez-moi donc raisonnablement ; dites-moi que, quelle que soit la position de Mme Marcelle, vous l'épouserez si elle y consent.

— Vous réveillez mon angoisse. Vous m'avez dit qu'elle n'avait plus rien ; puis vous avez semblé vous raviser et me faire entendre qu'elle était encore riche.

— Allons, sachez la vérité, c'était une épreuve. Les trois cent mille francs subsistent encore, et le père Bricolin aura beau faire, je la conseillerai si bien qu'elle les conservera. Avec trois cent mille francs, mon camarade, vous pourrez faire du bien, j'espère, puisque avec cinquante mille que je n'ai pas, moi, je prétends sauver le monde !

— J'admire et j'envie votre gaieté, dit Lémor accablé ; mais vous m'avez remis la mort dans l'âme. J'adore cette femme, cet ange, et je ne peux pas être l'époux d'une femme riche ! Le monde a sur l'honneur des préjugés que j'ai subis malgré moi, et que je ne saurais secouer. Je ne pourrais pas regarder comme mienne cette fortune qu'elle doit et qu'elle veut sans doute conserver à son fils. Je ne pourrais donc songer à me rendre utile, par ma richesse, sans manquer à ce qu'on regarde comme la probité. Et puis j'aurais certains scrupules de condamner à l'indigence une femme pour laquelle je sens une tendresse infinie, et un enfant dont je respecte l'indépendance future. Je souffrirais de leurs privations, je frémirais à toute heure de les voir succomber à une vie trop rude. Hélas ! cet enfant, cette femme n'appartiennent pas à la même race que nous, Grand-Louis. Ce sont les maîtres détrônés de la terre qui demanderaient à leurs anciens esclaves les soins et les recherches auxquels ils sont habitués. Nous les verrions languir et dépérir sous notre chaume. Leurs mains trop faibles seraient brisées par le travail, et notre amour ne les soutiendrait peut-être pas jusqu'au bout de cette lutte qui nous brise déjà nous-mêmes…

— Voilà encore votre maladie qui vous reprend et la foi qui vous abandonne, dit le Grand-Louis en l'interrompant. Vous ne croyez même plus à l'amour ; vous ne voyez pas qu'*elle* supporterait tout pour vous, et qu'elle se trouverait heureuse comme cela ? Vous n'êtes pas digne d'être si grandement aimé, vrai !

— Ah ! mon ami, qu'elle devienne pauvre, tout à fait pauvre, sans que j'aie à me reprocher d'y avoir

contribué, et vous verrez si je manque de courage
pour la soutenir !

— Eh bien ! vous travaillerez pour gagner un
peu d'argent, comme nous travaillons tous ? Pourquoi
mépriser tant l'argent qu'elle a, et qui est tout gagné ?

— Il n'a pas été gagné par le travail du pauvre ;
c'est de l'argent volé.

— Comment ça ?

— C'est l'héritage des rapines féodales de ses
pères. C'est le sang et la sueur du peuple qui ont
cimenté leurs châteaux et engraissé leurs terres.

— C'est vrai cela ! mais l'argent ne conserve pas
cette espèce de rouille. Il a le don de s'épurer ou de
se salir, suivant la main qui le touche.

— Non ! dit Lémor avec feu. Il y a de l'argent
souillé et qui souille la main qui le reçoit !

— C'est une métaphore ! dit tranquillement le meunier. C'est toujours l'argent du pauvre, puisqu'il lui a
été extorqué par le pillage, la violence et la tyrannie.
Faudra-t-il que le pauvre s'abstienne de le reprendre,
parce que la main des brigands l'a longtemps manié !
Allons nous coucher, mon cher, vous déraisonnez ;
vous n'irez pas à Blanchemont. Moins que jamais
j'en suis d'avis, puisque vous n'avez que des sottises
à dire à ma chère dame ; mais, par la cordieu ! vous ne
me quitterez pas que vous n'ayez renoncé à vos…
attendez que je trouve le mot… à vos utopies ! Est-ce
cela ?

— Peut-être ! » dit Lémor tout pensif, et entraîné
par son amour à subir l'ascendant de son nouvel ami.

TROISIÈME JOURNÉE

XIX

PORTRAIT

Nous ne savons pas s'il est bien conforme aux règles de l'art de décrire minutieusement les traits et le costume des gens qu'on met en scène dans un roman. Peut-être les conteurs de notre temps (et nous tous les premiers) ont-ils un peu abusé de la mode des portraits dans leurs narrations. Cependant, c'est un vieil usage, et tout en espérant que les maîtres futurs, condamnant nos minuties, esquisseront leurs figures en traits plus larges et plus nets, nous ne nous sentons pas la main assez ferme pour ne pas suivre la route battue, et nous allons réparer l'oubli où nous sommes tombé jusqu'ici, en omettant le portrait d'une de nos héroïnes.

Ne semble-t-il pas, en effet, que quelque chose de capital manque à l'intérêt d'une histoire d'amour, tant véridique soit-elle, lorsqu'on ignore si le personnage féminin est doué d'une beauté plus ou moins remarquable ? Il ne suffit même pas qu'on nous dise : *elle est belle* ; si ses aventures ou l'excentricité de sa situation nous ont tant soit peu frappés, nous voulons savoir si elle est blonde ou brune, grande ou petite, rêveuse ou animée, élégante ou simple dans ses ajustements ; si on nous dit qu'elle passe dans la rue, nous courons aux fenêtres pour la voir, et, selon l'impression que sa physionomie produit en nous, nous sommes disposés à l'aimer ou à l'absoudre d'avoir attiré sur elle l'attention publique.

Tel était sans doute l'avis de Rose Bricolin ; car le lendemain de la première nuit où elle avait partagé sa chambre avec Mme de Blanchemont, couchée encore languissamment sur son oreiller, tandis que la jeune veuve, plus active et plus matinale, achevait déjà sa toilette, Rose l'examinait attentivement, se demandant si cette beauté parisienne éclipserait la sienne à la fête du village, qui devait avoir lieu le jour suivant.

Marcelle de Blanchemont[1] était plus petite de taille qu'elle ne le paraissait, grâce à l'élégance de ses proportions et à la distinction de toutes ses attitudes. Elle était très franchement blonde, mais non d'un blond fade, ni même d'un blond cendré, couleur trop vantée et qui éteint presque toujours la physionomie, parce qu'elle est souvent l'indice d'une organisation sans puissance. Elle était d'un blond vif, chaud et doré, et ses cheveux étaient une des plus grandes beautés de sa personne. Dans son enfance elle avait eu un éclat extraordinaire, et au couvent on l'appelait le chérubin ; à dix-huit ans elle n'était plus qu'une fort agréable personne, mais à vingt-deux, elle était telle qu'elle avait inspiré plus d'une passion sans s'en apercevoir. Cependant ses traits n'étaient pas d'une

---

1. Ce portrait physique de l'héroïne, fait assez tard dans le roman, est un procédé qui ne manque pas d'habileté.

grande perfection, et sa fraîcheur était souvent fatiguée par une animation un peu fébrile. On voyait autour de ses yeux d'un bleu éclatant des teintes sombres qui annonçaient le travail d'une âme ardente, et que l'observateur inintelligent eût pu attribuer aux agitations d'une nature voluptueuse ; mais il était impossible d'être chaste soi-même sans comprendre que cette femme vivait par le cœur plus que par l'esprit, et par l'esprit plus que par le sens. Son teint variable, son regard droit et franc, un léger duvet blond aux coins de sa lèvre, étaient chez elle les indices certains d'une volonté énergique, d'un caractère dévoué, désintéressé, courageux. Elle plaisait au premier coup d'œil sans éblouir, elle éblouissait ensuite de plus en plus sans cesser de plaire, et tel qui ne l'avait pas crue jolie au premier abord, n'en pouvait bientôt détacher ses yeux ni sa pensée.

La seconde transformation qui s'était opérée en elle était l'ouvrage de l'amour. Laborieuse et enjouée au couvent, elle n'avait jamais été rêveuse ni mélancolique avant de rencontrer Lémor ; et même depuis qu'elle l'aimait, elle était restée active et décidée jusque dans les plus petites choses. Mais une affection profonde, en dirigeant vers un but unique toutes les forces de sa volonté, avait accentué ses traits et donné un charme étrange et mystérieux à toutes ses manières. Personne ne savait qu'elle aimait ; tout le monde sentait qu'elle était capable d'aimer passionnément, et tous les hommes qui s'étaient approchés d'elle avaient désiré de lui inspirer de l'amour ou de l'amitié. À cause de ce puissant attrait, il y avait eu un moment dans le monde où les femmes, jalouses d'elle, mais ne pouvant attaquer ses mœurs, l'avaient accusée de coquetterie. Jamais reproche ne fut moins mérité. Marcelle n'avait pas de temps à perdre au puéril et impudique amusement d'inspirer des désirs. Elle ne pensait pas même qu'elle pût en inspirer, et, en s'éloignant brusquement du monde, elle n'avait pas à se faire le reproche d'y avoir marqué volontairement son passage.

Rose Bricolin, incontestablement plus belle, mais moins mystérieuse à suivre et à deviner dans ses émotions enfantines, avait entendu parler de la jeune baronne de Blanchemont comme d'une beauté des salons de Paris, et elle ne comprenait pas bien comment, avec une mise si simple et des manières si naturelles, cette blonde fatiguée pouvait s'être fait une telle réputation. Rose ne savait pas que, dans les sociétés très civilisées, et par conséquent très blasées, l'animation intérieure répand un prestige sur l'extérieur de la femme, qui efface toujours la majesté classique de la froide beauté. Cependant Rose sentait qu'elle aimait déjà Marcelle à la folie ; elle ne se rendait pas encore bien compte de l'attraction exercée par son regard ferme et vif, par le son affectueux de sa voix, par son sourire fin et bienveillant, par les allures décidées et généreuses de tout son être. Elle n'est pourtant pas si belle que je croyais ! pensait-elle ; d'où vient donc que je voudrais lui ressembler ? Rose se surprit, en effet, occupée à attacher ses cheveux comme elle, et à imiter involontairement sa démarche, sa manière brusque et gracieuse de tourner la tête, et jusqu'aux inflexions de sa voix. Elle y réussit assez bien pour perdre en peu de jours un reste de gaucherie rustique qui avait pourtant son charme ; mais il est vrai de dire que cette vivacité fut plus d'inspiration que d'emprunt, et qu'elle sut bientôt se l'approprier assez pour rehausser beaucoup en elle les dons de la nature. Rose n'était pas non plus dépourvue de courage et de franchise ; Marcelle était plutôt destinée à développer son naturel étouffé par les circonstances extérieures qu'à lui en suggérer un factice et de pure imitation.

XX

L'AMOUR ET L'ARGENT

Tout en allant et venant par la chambre, Marcelle entendit une voix étrange qui partait de la pièce voisine et qui était à la fois forte comme celle d'un bœuf et enrouée comme celle d'une vieille femme. Cette voix, qui semblait ne sortir qu'avec effort d'une poitrine caverneuse et ne pouvoir ni s'exhaler ni se contenir, répéta à plusieurs reprises :

« Puisqu'ils m'ont tout pris !... tout pris, jusqu'à mes vêtements ! »

Et une voix plus ferme, que l'on reconnaissait pour celle de la grand-mère Bricolin, répondait :

« Taisez-vous donc, *notre maître** ! je ne vous parle pas de ça. »

---

* Dans nos campagnes, les femmes âgées suivent encore l'ancienne coutume de dire en parlant de leur mari, *notre maître*. Celles de notre génération disent *notre homme*.

Voyant l'étonnement de sa compagne, Rose se chargea de lui expliquer ce dialogue. « Il y a toujours eu du malheur dans notre maison, lui dit-elle, et même avant ma naissance et celle de ma pauvre sœur, le mauvais sort était dans la famille. Vous avez bien vu mon grand-papa, qui paraît si vieux, si vieux ? C'est lui que vous venez d'entendre. Il ne parle pas souvent ; mais comme il est sourd, il crie si haut que toute la maison en résonne. Il répète presque toujours à peu près la même chose : *Ils m'ont tout pris, tout pillé tout volé*. Il ne sort guère de là, et si ma grand-mère, qui a beaucoup d'empire sur lui, ne l'avait pas fait taire, il vous l'aurait dit hier à vous-même en guise de bonjour.

— Et qu'est-ce que cela signifie ? demanda Marcelle.

— Est-ce que vous n'avez pas entendu parler de cette histoire-là ? dit Rose. Elle a fait pourtant assez de bruit ; mais il est vrai que vous n'êtes jamais venue dans ce pays, et que vous ne vous êtes jamais occupée de ce qui avait pu s'y passer. Je parie que vous ne savez pas que, depuis plus de cinquante ans, les Bricolin sont fermiers des Blanchemont ?

— Je savais cela, et même je sais que votre grand-père, avant de venir se fixer ici, a tenu à ferme une terre considérable du côté du Blanc, appartenant à mon grand-père.

— Eh bien, en ce cas, vous avez entendu parler de l'histoire des chauffeurs ?

— Oui, mais c'est du plus loin que je me souvienne, car c'était déjà une vieille histoire quand je n'étais encore qu'un enfant.

— Cela s'est passé, il y a plus de quarante ans, autant que je puis savoir moi-même, car on ne parle pas volontiers de cela chez nous. Cela fait trop de mal et trop de peur. Monsieur votre grand-père[1] avait, à l'époque des assignats, confié à mon grand-papa Bricolin une somme de cinquante mille francs en or, en le priant de la cacher dans quelque vieille muraille du château, pendant qu'il se tiendrait caché lui-même à Paris, où il réussit à n'être pas dénoncé. Vous connaissez cela mieux que moi. Voilà donc que mon grand-papa avait cet or-là caché avec le sien dans ce vieux château de Beaufort, dont il était fermier, et qui est à plus de vingt lieues d'ici. Je n'y ai jamais été. Votre grand-père ne se pressant pas de lui redemander son dépôt, il eut le malheur, en voulant lui faire écrire une lettre à cet effet, de mettre un scélérat d'avoué dans sa confidence. La nuit suivante les chauffeurs vinrent et soumirent mon pauvre grand-père à mille tortures jusqu'à ce qu'il eût dit où était caché l'argent. Ils emportèrent tout, le sien et le vôtre, et jusqu'au linge de la maison et aux bijoux de noces de ma grand-mère. Mon père, qui était un enfant, avait été garrotté et jeté sur un lit. Il vit tout et

---

1. Ce personnage du vieux père Bricolin est très puissamment brossé (voir *infra*, «Les Personnages»). Cette image hallucinée de la Révolution dans les campagnes contraste avec l'image pacifique qu'en donne G. Sand dans *La Vallée-Noire* : «Quand la Révolution arriva [les paysans] étaient si bien dégagés, par le fait, des liens de la féodalité, qu'ils n'exercèrent de vengeance contre personne.» Probablement, dans ce texte elle analyse surtout les rapports aristocrates/paysans, tandis que dans le roman, il s'agit du banditisme exercé contre les paysans eux-mêmes.

faillit en mourir de peur. Ma grand-mère était enfermée dans la cave. Les garçons de ferme furent battus et attachés aussi. On leur tenait des pistolets sur la gorge pour les empêcher de crier. Enfin, quand les brigands eurent fait main basse sur tout ce qu'ils purent enlever, ils se retirèrent sans grand mystère et demeurèrent impunis, on n'a jamais su pourquoi. Et de cette affaire-là, mon pauvre grand-papa qui était jeune est devenu vieux tout à coup. Il n'a jamais pu retrouver sa tête, ses idées se sont affaiblies ; il a perdu la mémoire de presque tout, excepté de cette abominable aventure, et il ne peut guère ouvrir la bouche sans y faire allusion. Le tremblement que vous lui voyez, il l'a toujours eu depuis cette nuit-là, et ses jambes qui ont été desséchées par le feu, sont restées si minces et si faibles qu'il n'a jamais pu travailler depuis. Votre grand-père, qui était un digne seigneur, à ce qu'on dit, ne lui a jamais réclamé son argent, et même il a abandonné à ma grand-mère, qui était devenue tout à coup l'homme de la famille par sa bonne tête et son courage, tous les fermages échus depuis cinq ans, et qu'il ne s'était pas fait payer. Cela a rétabli nos affaires, et quand mon père a été en âge de prendre la ferme de Blanchemont il avait déjà un certain crédit. Voilà notre histoire ; jointe à celle de ma pauvre sœur, vous voyez qu'elle n'est pas très gaie. »

Ce récit fit beaucoup d'impression sur Marcelle, et l'intérieur des Bricolin lui parut encore plus sinistre que la veille. Au milieu de leur prospérité, ces gens-là semblaient voués à quelque chose de sombre et de tragique. Entre la folle et l'idiot, Mme de Blanchemont se sentit saisie d'une terreur instinctive et d'une tristesse profonde. Elle s'étonna que l'insouciante et luxuriante beauté de Rose eût pu se développer dans cette atmosphère de catastrophes et de luttes violentes, où l'argent avait joué un rôle si fatal.

Sept heures sonnaient au coucou que la mère Bricolin conservait avec amour dans sa chambre, encombrée de tous les vieux meubles rustiques mis à la réforme dans le château neuf, et contiguë à celle qu'occupaient Rose et Marcelle, lorsque la petite Fanchon vint toute joyeuse annoncer que *son maître* venait d'arriver.

« Elle parle du Grand-Louis, dit Rose. Qu'a-t-elle donc à nous proclamer cela comme une grande nouvelle ? »

Et, malgré son petit ton dédaigneux, Rose devint vermeille comme la mieux épanouie des fleurs dont elle portait fièrement le nom.

« Mais c'est qu'il apporte tout plein d'affaires et qu'il demande à vous parler, dit Fanchon un peu déconcertée.

— À moi ? dit Rose, rougissant de plus en plus, tout en haussant les épaules.

— Non, à Mme Marcelle », dit la petite.

Marcelle se dirigeait vers la porte que la petite Fanchon tenait toute grande ouverte, lorsqu'elle fut forcée de reculer pour laisser entrer un garçon de la ferme chargé d'une malle, puis le Grand-Louis qui en portait lui-même une encore plus lourde et qui la déposa sur le plancher avec beaucoup d'aisance.

« Et toutes vos commissions sont faites ! » dit-il en posant aussi un sac d'écus sur la commode.

Puis, sans attendre les remerciements de Marcelle,

il jeta les yeux sur le lit qu'elle venait de quitter, et où dormait Édouard, beau comme un ange. Entraîné par son amour pour les enfants, et surtout pour celui-là, qui avait des grâces irrésistibles, Grand-Louis s'approcha du lit pour le regarder de plus près, et Édouard, en ouvrant les yeux, lui tendit les bras, en lui donnant le nom d'*Alochon*, dont il l'avait obstinément gratifié.

« Voyez comme il a déjà bonne mine depuis qu'il est dans notre pays ! » dit le meunier en prenant une de ses petites mains pour la baiser… Mais il se fit un brusque mouvement de rideaux derrière lui, et en se retournant, Grand-Louis vit le joli bras de Rose qui, toute honteuse et tout irritée de cette invasion de son appartement, s'enfermait à grand bruit dans ses courtines brodées. Grand-Louis, qui ne savait pas que Rose eût partagé sa chambre avec Marcelle, et qui ne s'attendait pas à l'y trouver, resta stupéfait, repentant, honteux, et ne pouvant cependant détacher ses yeux de cette main blanche qui tenait assez maladroitement les franges du rideau.

Marcelle s'aperçut alors de l'inconvenance qu'elle avait laissé commettre, et se reprocha ses habitudes aristocratiques qui l'avaient dominée à son insu en cet instant. Accoutumée à ne pas traiter à tous égards un portefaix comme un homme, elle n'avait pas songé à défendre l'appartement de Rose contre le valet de ferme et le meunier qui apportaient ses effets. Honteuse et repentante à son tour, elle allait avertir Grand-Louis qui semblait pétrifié à sa place, de se retirer au plus vite, lorsque Mme Bricolin parut toute hérissée au seuil de la chambre et resta muette d'horreur en voyant le meunier, son mortel ennemi, debout et troublé entre les deux lits jumeaux des jeunes dames.

Elle ne dit pas un mot et sortit brusquement, comme une personne qui trouve un voleur dans sa maison et qui court chercher la garde. Elle courut en effet chercher M. Bricolin, qui prenait son *coup du matin* pour la troisième fois, c'est-à-dire son troisième pot de vin blanc, dans la cuisine.

«Monsieur Bricolin ! fit-elle d'une voix étouffée ; viens vite, vite ! m'entends-tu ?

— Qu'est-ce qu'il y a ? dit le fermier, qui n'aimait pas à être dérangé dans ce qu'il appelait son *rafraîchissement*. Est-ce que le feu est à la maison ?

— Viens, te dis-je, viens voir ce qui se passe chez toi ! répondit la fermière à qui la colère ôtait presque la parole.

— Ah ! ma foi ! s'il y a à se fâcher pour quelque chose, dit Bricolin, habitué aux bourrasques de sa moitié, tu t'en chargeras bien sans moi. Je suis tranquille là-dessus. »

Voyant qu'il ne se dérangeait pas, Mme Bricolin s'approcha, et, faisant avec effort le mouvement d'avaler, car elle éprouvait une véritable strangulation de fureur :

«Te dérangeras-tu ? dit-elle enfin, en s'observant assez pourtant pour n'être pas entendue des valets qui allaient et venaient ; je te dis que ton manant de meunier est dans la chambre de Rose, pendant que Rose est encore au lit.

— Ah ! cela, c'est *inconvenable*, *très inconvenable*, dit M. Bricolin en se levant, et je m'en vas lui dire deux mots… Mais, pas de bruit, ma femme, entends-tu ? à cause de la petite !

— Va donc, et ne fais pas de bruit toi-même ! Ah ! j'espère que tu me croiras, maintenant, et que tu vas le traiter comme un malappris et un impudent qu'il est ! »

Au moment où M. Bricolin allait sortir de la cuisine, il se trouva face à face avec le Grand-Louis.

« Ma foi, monsieur Bricolin, dit celui-ci avec un air de candeur irrésistible, vous voyez quelqu'un de bien étonné de la sottise qu'il vient de faire. »

Et il raconta le fait naïvement.

« Tu vois bien qu'il ne l'a pas fait exprès ! dit Bricolin en se tournant vers sa femme.

— Et c'est comme cela que tu prends la chose ? » s'écria la fermière donnant un libre cours à sa fureur. Puis elle courut pousser les deux portes, et revenant se placer entre le meunier et M. Bricolin, qui déjà offrait au coupable de se *rafraîchir* avec lui : « Non, monsieur Bricolin, s'écria-t-elle, je ne comprends pas ton imbécillité ! Tu ne vois pas que ce vaurien-là, a avec notre fille des manières qui ne conviennent qu'à des gens de son espèce, et que nous ne pouvons pas supporter plus longtemps ? Il faut donc que je me charge de le lui dire moi, et de lui signifier…

— Ne signifie rien encore, madame Bricolin, dit le fermier en élevant la voix à son tour, et laisse-moi un peu faire mon métier de père de famille. Ah ! si l'on t'en croyait, je sais bien qu'on attacherait son haut de chausses avec des épingles, et que tu mettrais une paire de bretelles à ton cotillon ? Voyons, ne me casse pas la tête dès le matin. Je sais ce que j'ai à dire à ce garçon-là, et je ne veux pas qu'un autre s'en charge. Allons, ma femme, dis à la Chounette de nous monter un pichet de vin frais, et va-t'en voir tes poules. »

Mme Bricolin voulut répliquer. Son époux prit un gros bâton de houx qui était toujours appuyé contre sa chaise pendant qu'il buvait, et se mit à en frapper la table en cadence à tour de bras. Ce bruit retentissant couvrit si bien la voix de Mme Bricolin, qu'elle fut forcée de sortir en jetant les portes avec fracas derrière elle.

« Qu'est-ce qu'il y a pour votre service, notre maître ? » dit la Chounette accourant au bruit.

M. Bricolin prit majestueusement le pichet vide et le lui tendit en roulant les yeux d'une façon terrible. La grosse Chounette devint plus légère qu'un oiseau pour exécuter les ordres du potentat de Blanchemont.

« Mon pauvre Grand-Louis, dit le gros homme lorsqu'ils furent seuls, avec un pot de vin entre leurs verres, il faut que tu saches que ma femme est enragée contre toi ; elle t'en veut à *mort*, et, sans moi, elle t'aurait mis à la porte. Mais nous sommes de vieux amis, nous avons besoin l'un de l'autre, et nous ne nous brouillerons pas comme ça. Tu vas me dire la vérité ; je suis sûr que ma femme se trompe. Toutes les femmes sont sottes ou folles, que veux-tu ? Voyons, peux-tu me répondre la main sur ta conscience ?

— Parlez ! Parlez ! dit Grand-Louis d'un ton qui semblait promettre sans examen, et en faisant un grand effort pour donner à sa figure un air d'insouciance et de tranquillité, sentiments bien contraires à ce qu'il éprouvait en cet instant.

— Eh bien donc ! je n'y vas pas par quatre chemins, moi ! dit le fermier. Es-tu ou n'es-tu pas amoureux de ma fille ?

— Voilà une drôle de question ! répondit le meunier, payant d'audace. Que voulez-vous qu'on y réponde ? Si on dit oui, on a l'air de vous braver ; si on dit non, on a l'air de faire injure à Mlle Rose ; car enfin, elle mérite qu'on en soit amoureux, comme vous méritez qu'on vous porte respect.

— Tu plaisantes ! c'est bon signe ; je vois bien que tu n'es pas amoureux.

— Attendez, attendez ! reprit Grand-Louis, je n'ai pas dit cela, je dis au contraire, que tout le monde est forcé d'en être amoureux, parce qu'elle est belle comme le jour, parce qu'elle est tout votre portrait, parce qu'enfin tous ceux qui la regardent, vieux ou jeunes, riches ou pauvres, sentent quelque chose pour elle, sans trop savoir si c'est le plaisir de l'aimer ou le chagrin de ne pas pouvoir se le permettre.

— Il a de l'esprit comme trente mille hommes ! dit le fermier en se renversant sur sa chaise avec un rire qui faisait bondir son gilet proéminent. Le tonnerre m'écrase si je ne voudrais pas que tu fusses riche de cent mille écus ! Je te donnerais ma fille de préférence à tout autre !

— Je le crois bien ! mais comme je ne les ai pas, vous ne me la donnerez guère, n'est-il pas vrai ?

— Non, le tonnerre de Dieu m'aplatisse ! mais enfin, j'en ai du regret, et ça te prouve mon amitié.

— Grand merci, vous êtes trop bon !

— Ah ! c'est que, vois-tu, ma carogne de femme s'est mis dans la tête que tu en contais à Rose !

— Moi ? dit le meunier, parlant cette fois avec l'accent de la vérité, jamais je ne lui ai dit un mot que vous n'auriez pas pu entendre.

— J'en suis bien sûr. Tu as trop de raison pour ne pas voir que tu ne peux pas penser à ma fille, et que je ne peux pas la donner à un homme comme toi. Ce n'est pas que je te méprise, da ! Je ne suis pas fier, et je sais que tous les hommes sont égaux devant la loi. Je n'ai pas oublié que je sors d'une famille de paysans, et que quand mon père a commencé sa fortune, qu'il a si malheureusement perdue comme tu sais, il n'était pas plus gros monsieur que toi, puisqu'il était meunier aussi ! mais *au jour d'aujourd'hui*[1], mon vieux, monnaie fait tout, comme dit l'autre, et puisque j'en ai, et que tu n'en as pas, nous ne pouvons pas faire affaire ensemble.

— C'est concluant et péremptoire, dit le meunier avec une amère gaieté. C'est juste, raisonnable, véritable, équitable et salutaire, comme dit la préface à M. le curé.

— Dame ! écoute donc, Grand-Louis, chacun agit de même. Tu n'épouserais pas, toi qui es riche pour un paysan, la petite Fanchon, la servante, si elle se prenait d'amour pour toi ?

— Non ; mais si je me prenais d'amour pour elle, ce serait différent.

— Veux-tu dire par là, grand farceur, que ma fille en pourrait bien tenir pour toi ?

— Moi, j'ai dit cela ? quand donc ?

---

1. « Au jour d'aujourd'hui » fonctionne comme une sorte de refrain, ce qui contribue à accentuer l'aspect oral du récit.

— Je ne t'accuse pas de l'avoir dit, quoique ma femme soutienne que tu es capable de parler légèrement si on te laisse prendre tant de familiarité chez nous.

— Ah çà ! monsieur Bricolin, dit le Grand-Louis, qui commençait à perdre patience et qui trouvait la formule de son arrêt assez brutale sans qu'on y joignît l'insulte, est-ce pour *rire ou pour plaisanter*, comme dit l'autre, que depuis cinq minutes vous me dites toutes ces choses-là ? Parlez-vous sérieusement ? Je ne vous ai pas demandé votre fille, je ne vois donc pas pourquoi vous vous donnez la peine de me la refuser. Je ne suis pas homme à parler d'elle sans respect ; je ne vois donc pas non plus pourquoi vous me rapportez les mauvais propos de Mme Bricolin sur mon compte. Si c'est pour me dire de m'en aller, me voilà tout prêt. Si c'est pour me retirer votre pratique, je ne m'y oppose pas ; j'en ai d'autres. Mais parlez franchement et quittons-nous en honnêtes gens, car je vous avoue que tout ceci me fait l'effet d'une mauvaise querelle qu'on veut me chercher, comme si quelqu'un ici voulait me mettre dans mon tort pour cacher le sien. »

En parlant ainsi, le Grand-Louis s'était levé et faisait mine de vouloir sortir. Se brouiller avec lui n'était ni du goût ni de l'intérêt de M. Bricolin.

« Qu'est-ce que tu dis là, grand benêt ? lui répondit-il d'un ton amical, en le forçant à se rasseoir. Es-tu fou ? quelle mouche te pique ? Est-ce que je t'ai parlé sérieusement ? Est-ce que je fais attention aux sottises de ma femme ? Règle générale, une guêpe qui vous bourdonne à l'oreille, une femme qui vous taquine et vous contredit, c'est à peu près la même chanson. Achevons notre pichet, et restons amis, crois-moi, Grand-Louis. Ma pratique est bonne, et j'ai à me louer de te l'avoir donnée. Nous pouvons nous rendre mutuellement bien des petits services, ce serait donc fort niais de nous quereller pour rien. Je sais que tu es un garçon d'esprit et de bon sens, et que tu ne peux pas en conter à ma fille. D'ailleurs j'ai trop bonne opinion d'elle pour ne pas penser qu'elle saurait bien te rembarrer si tu t'écartais du respect…

— Ainsi, ainsi !… dit Grand-Louis en frappant avec son verre sur la table dans un mouvement de colère bien marquée, toutes ces raisons-là sont inutiles et finissent par m'ennuyer, monsieur Bricolin ! Au diable votre pratique, vos petits services, et mes intérêts, s'il faut que j'entende seulement supposer que je suis capable de manquer de respect à votre fille, et qu'elle aura un jour ou l'autre à me remettre à ma place. Je ne suis qu'un paysan, mais je suis aussi fier que vous, monsieur Bricolin, ne vous en déplaise ; et si vous ne trouvez pas pour moi des façons plus délicates de vous exprimer, laissez-moi vous souhaiter le bonjour et m'en aller à mes affaires. »

M. Bricolin eut beaucoup de peine à calmer le Grand-Louis qui se sentait fort irrité, non des soupçons de la fermière, qu'il savait bien mériter dans un certain sens, ni du style grossier de Bricolin, auquel il était fort habitué, mais de la cruauté avec laquelle ce dernier faisait, sans le savoir, saigner la plaie vive de son cœur. Enfin, il s'apaisa après s'être fait faire amende honorable par le fermier, qui avait ses raisons pour se montrer fort pacifique et pour ne pas écouter les craintes de sa femme, du moins pour le moment.

« Ah çà ! lui dit celui-ci, en l'invitant à entamer, après le fromage, un nouveau pichet de son *vin gris* ; tu es donc en grande amitié avec notre jeune dame ?

— En grande amitié ! répondit le meunier avec un reste d'humeur, et s'abstenant de boire, malgré l'insistance de son hôte : c'est une parole aussi raisonnable que l'amour dont vous me défendez de parler à votre fille !

— Ma foi ! si le mot est *inconvenable*, ce n'est pas moi qui l'ai inventé ; c'est elle-même qui nous a dit plusieurs fois hier (ce qui faisait bien enrager la Thibaude !) qu'elle avait beaucoup d'amitié pour toi, Dame ! tu es un beau garçon, Grand-Louis, c'est connu, et on dit que les grandes dames… Allons ! vas-tu encore te fâcher ?

— M'est avis que vous avez un pichet de trop dans la tête ce matin, monsieur Bricolin ! » dit le meunier pâle d'indignation.

Jamais le cynisme de Bricolin, dont il avait pris son parti jusqu'alors, ne lui avait inspiré autant de dégoût.

« Et toi, tu as, je crois, ce matin, répondit le fermier, vidé la pelle de ton moulin dans ton estomac, car tu es triste et quinteux comme un buveur d'eau. On ne peut donc plus rire avec toi à présent ? Voilà du nouveau ! Eh bien, parlons donc sérieusement puisque tu le veux. Il est certain que d'une manière ou de l'autre, tu as conquis l'estime et la confiance de la jeune dame, et qu'elle te charge de ses commissions sans en rien dire à personne.

— Je ne sais pas ce que vous voulez dire.

— Tiens ! tu vas à *** pour elle, tu lui rapportes ses effets, son argent !… car la Chounette t'a vu lui remettre un gros sac d'écus ! Tu fais ses affaires enfin.

— Comme vous voudrez ; je sais que je fais les miennes, et que, par la même occasion, je lui rapporte sa bourse et ses malles de l'auberge où elle les avait laissées en dépôt ; si c'est là faire ses affaires, à la bonne heure, je le veux bien.

— Qu'est-ce que c'est donc que ce sac ? Est-ce de l'or ou de l'argent ?

— Est-ce que je le sais, moi ? Je n'y ai pas regardé.

— Ça ne t'aurait rien coûté, et ça ne lui aurait pas fait de tort.

— Il fallait me dire que ça vous intéressait. Je ne l'ai pas deviné !

— Écoute, Grand-Louis, mon garçon, sois franc ! cette dame a causé avec toi de ses affaires ?

— Où prenez-vous ça ?

— Je le prends *là* ! dit le fermier en portant l'index à son front étroit et basané. Je sens dans l'air une odeur de confidences et de cachotteries. La dame a l'air de se méfier de moi et de te consulter !

— Quand cela serait ! répondit Grand-Louis en regardant fixement Bricolin avec quelque intention de le braver.

— Si cela était, Grand-Louis, je ne pense pas que tu voudrais m'être défavorable ?

— Comment l'entendez-vous ?

— Comme tu l'entends bien toi-même. J'ai tou-jours eu confiance en toi, et tu ne voudrais pas en abuser. Tu sais bien que j'ai envie de la terre, et que je ne voudrais pas la payer trop cher ?

— Je sais bien que vous ne voudriez pas la payer son prix.

— Son prix ! son prix ! ça dépend de la position des personnes. Ce qui serait mal vendu pour une autre, sera heureusement vendu pour *elle*, qui a grand besoin de sortir du pétrin où son mari l'a laissée !

— Je sais cela, monsieur Bricolin, je sais vos idées là-dessus, et vos ambitions sur le bout de mon doigt. Vous voulez enfoncer de cinquante mille francs la dame venderesse, comme disent les gens de loi.

— Non ! pas enfoncer du tout ! J'ai joué cartes sur table avec elle. Je lui ai dit ce que valait son bien. Seulement je lui ai dit que je ne le paierais pas toute sa valeur, et dix mille millions de tonnerres m'écrasent si je veux et si je peux monter d'un liard.

— Vous m'avez parlé autrement, il n'y a pas encore si longtemps ! vous m'avez dit que vous pouviez le payer son prix, et que s'il fallait absolument en passer par là…

— Tu radotes ! je n'ai jamais dit ça !

— Pardon, excuse ! rappelez-vous donc ! c'était à la foire de Cluis, à preuve que M. Grouard, le maire, était là.

— Il n'en pourrait pas témoigner, il est mort !

— Mais moi, j'en pourrais lever la main !

— Tu ne le feras pas !

— Ça dépend.

— Ça dépend de quoi ?

— Ça dépend de vous.

— Comment ça ?

— La conduite qu'on aura avec moi dans votre maison réglera la mienne, monsieur Bricolin. Je suis las des malhonnêtetés de votre dame et des affronts qu'elle me fait ; je sais qu'on m'en tient d'autres en réserve, qu'il est défendu à votre fille de me parler, de danser avec moi, de venir voir sa nourrice à mon moulin, et toutes sortes de vexations dont je ne me plaindrais pas si je les avais méritées, mais que je trouve insultantes, ne les méritant pas.

— Comment, c'est là tout, Grand-Louis ? et un joli cadeau, un billet de cinq cents francs, par exemple, ne te ferait pas plus de plaisir ?

— Non, Monsieur ! dit sèchement le meunier.

— Tu es un niais, mon garçon. Cinq cents francs dans la poche d'un honnête homme valent mieux qu'une bourrée dans la poussière. Tu tiens donc bien à danser avec ma fille ?

— J'y tiens pour mon honneur, monsieur Bricolin. J'ai toujours dansé la bourrée avec elle devant tout le monde. Personne ne l'a trouvé mauvais, et si je recevais d'elle maintenant l'affront d'un refus, on croirait aisément ce que trompette déjà votre femme, à savoir que je suis un malhonnête et un malappris. Je ne veux pas être traité comme ça. C'est à vous de savoir si vous voulez me fâcher, oui ou non.

— Danse avec Rose, mon garçon, danse ! s'écria le fermier avec une joie mêlée de malice profonde, danse tant que tu voudras ! s'il ne faut que cela pour te contenter !... »

« Eh bien, nous verrons ! » pensa le meunier, satisfait de sa vengeance. « Voilà la dame de Blanchemont qui vient par ici, dit-il. Votre femme, avec son esclandre, ne m'a pas donné le temps de lui rendre compte de ses commissions. Si elle me parle de ses affaires, je vous dirai ses intentions.

— Je te laisse avec elle, dit M. Bricolin en se levant. N'oublie pas que tu peux les influencer, ses intentions ! Les affaires l'ennuient, elle a hâte d'en finir. Fais-lui bien comprendre que je serai inébranlable. Moi, je vais trouver la Thibaude pour lui faire la leçon en ce qui te concerne. »

« Double coquin ! se dit le Grand-Louis, en voyant s'enfuir lourdement le fermier ; compte sur moi pour te servir de compère ! Oui-da ! pour m'en avoir cru seulement capable, je veux qu'il t'en coûte cinquante mille francs, et vingt mille en plus. »

XXI

LE GARÇON DE MOULIN

« Ma chère dame, dit en toute hâte le meunier qui entendait Rose venir derrière Marcelle, j'ai deux cents choses à vous dire, mais je ne peux pas débiter tout cela en deux minutes ! Ici d'ailleurs (je ne parle pas de Mlle Rose), les murs ont des oreilles très longues, et si je vas me promener seul avec vous, ça donnera des soupçons sur certaines affaires... Enfin, il faut que je vous parle ; comment ferons-nous ?

— Il y a un moyen bien simple, répondit Mme de

Blanchemont. J'irai me promener aujourd'hui, et je trouverai bien le chemin d'Angibault.

— D'ailleurs, si Mlle Rose voulait vous le montrer... dit Grand-Louis au moment où Rose entrait, et entendait les dernières paroles de Marcelle... Si tant est, ajouta-t-il, qu'elle ne soit pas trop en colère contre moi...

— Ah! grand étourdi! vous allez me faire gronder par ma mère d'une belle façon! répondit Rose. Elle ne m'a encore rien dit, mais avec elle ce qui est différé n'est pas perdu.

— Non, mademoiselle Rose, non, ne craignez rien. Votre maman, cette fois, ne dira mot, Dieu merci! Je me suis justifié, votre papa m'a pardonné, il s'est chargé d'apaiser Mme Bricolin, et pourvu que vous ne me gardiez pas rancune de ma sottise....

— Ne parlons plus de cela, dit Rose en rougissant. Je ne vous en veux pas, Grand-Louis. Seulement vous auriez pu me crier votre justification un peu moins haut en sortant; vous m'avez *réveillée en peur*.

— Vous dormiez donc? Je ne croyais pas.

— Allons, vous ne dormiez pas, petite rusée, dit Marcelle, puisque vous avez fermé vos rideaux avec fureur.

— Je dormais à moitié, dit Rose en tâchant de cacher son embarras sous un air de dépit.

— Ce qu'il y a de plus clair là-dedans, dit le meunier avec une douleur ingénue, c'est qu'elle m'en veut!

— Non, Louis, je te pardonne, puisque tu ne me savais pas là», dit Rose, qui avait eu trop longtemps l'habitude de tutoyer le Grand-Louis, son ami d'enfance, pour ne pas y retomber soit par distraction, soit à dessein. Elle savait bien qu'un seul mot de sa bouche accompagné de ce délicieux *tu* changeait en joie expansive toutes les tristesses de son amoureux.

« Et pourtant, dit le meunier, dont les yeux brillèrent de plaisir, vous ne voulez pas venir vous promener au moulin aujourd'hui avec Mme Marcelle ?

— Comment donc faire, Grand-Louis, puisque maman me l'a défendu, je ne sais pas pourquoi ?

— Votre papa vous le permettra. Je me suis plaint à lui des duretés de Mme Bricolin ; il les désapprouve et m'a promis d'ôter à *sa dame* les préventions qu'elle a contre moi… je ne sais pas pourquoi non plus.

— Ah ! tant mieux ! s'il en est ainsi, s'écria Rose avec abandon. Nous irons à cheval, n'est-ce pas, madame Marcelle ? vous monterez ma petite jument, et moi, je prendrai le bidet à papa ; il est très doux et va très vite aussi.

— Et moi, dit Édouard, je veux monter à cheval aussi.

— Cela est plus difficile, répondit Marcelle. Je n'oserais pas te prendre en croupe, mon ami.

— Ni moi non plus, dit Rose, nos chevaux sont un peu trop vifs.

— Oh ! je veux aller à Angibault, moi ! s'écria l'enfant. Maman, emmène-moi au moulin !

— C'est trop loin pour vos petites jambes, dit le meunier ; mais moi je me charge de vous, si votre maman y consent. Nous partirons les premiers dans ma charrette, et nous irons voir traire les vaches pour que ces dames trouvent de la crème en arrivant.

— Vous pouvez bien le lui confier, dit Rose à Marcelle. Il est si bon pour les enfants ! j'en sais quelque chose, moi !

— Oh ! vous, vous étiez si gentille ! dit le meunier tout attendri ; vous auriez dû rester toujours comme cela !

— Merci du compliment, Grand-Louis !

— Je ne veux pas dire que vous ne soyez plus gentille, mais que vous auriez dû rester petite. Vous m'aimiez tant dans ce temps-là ! vous ne pouviez pas me quitter ; toujours pendue à mon cou !

— Il serait plaisant, dit Rose moitié troublée, moitié railleuse, que j'eusse conservé cette habitude !

— Allons, reprit le meunier s'adressant à Marcelle, j'emmène le petit, c'est convenu ?

— Je vous le confie en toute sécurité, dit Mme de Blanchemont en lui mettant son fils dans les bras.

— Ah ! quel bonheur ! s'écria l'enfant. *Alochon*, tu me mettras encore au bout de tes bras pour me faire attraper des prunes noires aux arbres tout le long du chemin !

— Oui, Monseigneur, dit le meunier en riant ; à condition que vous ne m'en ferez plus tomber sur le nez. »

Grand-Louis cheminant et jouant sur sa charrette avec le bel Édouard qui faisait battre son cœur en lui rappelant les grâces, les caresses et les malices de Rose enfant, approchait de son moulin, lorsqu'il aperçut dans la prairie Henri Lémor qui venait à sa rencontre, mais qui retourna aussitôt sur ses pas et rentra précipitamment dans la maison pour se cacher, en reconnaissant Édouard à côté du meunier.

« Mène Sophie au pré, dit Grand-Louis, à son garçon de moulin en s'arrêtant à quelque distance de la porte. Et vous, ma mère, amusez-moi cet enfant-là. Ayez-en soin comme de la prunelle de vos yeux ; moi, j'ai un mot à dire au moulin. »

Il courut alors retrouver Lémor, qui s'était enfermé dans sa chambre, et qui lui dit, en ouvrant avec précaution :

« Cet enfant me connaît ; j'ai dû éviter ses regards.

— Et qui diable pouvait se douter que vous seriez encore là ! dit le meunier qui avait peine à revenir de sa surprise. Moi qui vous avais fait mes adieux ce matin et qui vous croyais déjà mettant à la voile pour l'Afrique ! Quel chevalier errant, ou quelle âme en peine êtes-vous donc ?

— Je suis une âme en peine, en effet, mon ami. Ayez compassion de moi. J'ai fait une lieue ; je me suis assis au bord d'une fontaine, j'ai rêvé, j'ai pleuré, et je suis revenu : je ne peux pas m'en aller !

— Eh bien, c'est comme cela que je vous aime, s'écria le meunier en lui secouant la main avec force. Voilà comme j'ai été plus de cent fois ! Oui, plus de cent fois, j'ai quitté Blanchemont en jurant de n'y jamais remettre les pieds, et il y avait toujours au bord du chemin quelque fontaine où je m'asseyais pour pleurer, et qui avait la vertu de me faire retourner d'où je venais. Mais écoutez, mon garçon, il faut être sur vos gardes : je veux bien que vous restiez chez nous tant que vous ne pourrez pas vous décider à vous en aller. Ce sera long, je le prévois. Tant mieux, je vous aime ; je voulais vous retenir ce matin, vous revenez, j'en suis heureux, et je vous en remercie.

Mais pour quelques heures il faut vous éloigner. *Elles* vont venir ici.

— Toutes les deux ! s'écria Lémor, qui comprenait Grand-Louis à demi-mot.

— Oui, toutes les deux. Je n'ai pas pu dire un mot de vous à Mme de Blanchemont. Elle vient pour que je lui parle de ses affaires d'argent, sans savoir que j'ai à lui parler de ses affaires de cœur. Je ne veux pas qu'elle vous sache ici avant d'être bien sûr qu'elle ne me grondera pas de vous y avoir amené… D'ailleurs, je ne veux pas la surprendre, surtout devant Rose, qui ne sait sans doute rien de tout cela. Cachez-vous donc. Elles ont demandé leurs chevaux comme je partais. Elles auront déjeuné comme déjeunent les belles dames, c'est-à-dire comme des fauvettes ; leurs montures n'ont pas les épaules froides, elles peuvent être ici d'un moment à l'autre.

— Je pars… je m'enfuis ! dit Lémor tout pâle et tout tremblant : ah ! mon ami, elle va venir ici !

— J'entends bien ! ça vous saigne le cœur de ne pas la voir ! oui, c'est dur, j'en conviens !… Si on pouvait compter sur vous… si vous pouviez jurer de ne pas vous montrer, de ne bouger ni pied ni patte tout le temps qu'elles seront par ici… je vous fourrerais bien dans un endroit d'où vous la verriez sans être aperçu.

— Oh ! mon cher Grand-Louis, mon excellent ami, je promets, je jure ! cachez-moi, fût-ce sous la meule de votre moulin.

— Diable ! il n'y ferait pas bon, la *Grand-Louise* a les os plus durs que vous. Je vais vous serrer plus mollement. Vous monterez dans mon grenier à foin, et par le trou de la lucarne vous pourrez voir passer et repasser ces dames. Je ne serai pas fâché que vous voyiez Rose Bricolin; vous me direz si vous avez connu à Paris beaucoup de duchesses plus jolies que ça. Mais attendez que j'aille voir ce qui se passe!»

Et le Grand-Louis gravit un peu la côte de Condé d'où l'on découvrait les tours de Blanchemont et à peu près tout le chemin qui y mène. Quand il se fut assuré que les deux amazones ne paraissaient pas encore, il retourna auprès de son prisonnier.

«Çà, mon camarade, lui dit-il, voilà un miroir de deux sous et un vrai rasoir de meunier, vous allez me jeter bas cette barbe de bouc. C'est déplacé dans un moulin. C'est un nid à farine. Et puis, si par malheur on apercevait le bout de votre museau, ce changement vous rendrait moins facile à reconnaître.

— Vous avez raison, dit Lémor, et je vous obéis bien vite.

— Savez-vous, reprit le meunier, que j'ai mon idée en vous faisant mettre bas cette toison noire?

— Laquelle?

— Je viens d'y penser, et j'ai arrêté ce qui suit : vous allez rester chez moi jusqu'à ce que vous vous soyez décidé à ne plus faire de peine à ma chère dame, et à changer vos folles idées sur la fortune. Quand même vous n'y resteriez que peu de jours, il ne faut pas qu'on sache qui vous êtes, et votre barbe vous donne un air citadin qui attire les yeux. J'ai dit en l'air, hier soir, à ma bonne femme de mère, que vous étiez un arpenteur. C'est le premier mensonge qui m'est venu, et il est absurde. J'aurais mieux fait de dire tout de suite votre état. Au reste, ma mère, qui ne s'étonne de rien, trouvera tout simple que du cadastre vous ayez passé dans la mécanique. Vous allez donc être meunier, mon cher, ça vous va mieux. Vous vous occuperez, ou vous aurez l'air de vous occuper au moulin, vous avez certainement des connaissances dans la partie, et vous serez censé me conseiller pour l'établissement d'une nouvelle meule. Vous serez une rencontre utile que j'aurai faite à la ville. Comme cela, votre présence chez moi n'étonnera personne. Je suis adjoint, je réponds de vous, personne ne demandera à voir votre passeport. Le garde champêtre est un peu curieux et bavard. Mais avec une ou deux pintes de vin on endort sa langue. Voilà mon plan. Il faut vous y conformer ou je vous abandonne.

— Je me soumets, je serai votre garçon de moulin, je me cacherai, pourvu que je ne parte pas sans revoir, ne fût-ce que d'ici et pour un instant…

— Chut ! j'entends des fers sur les cailloux… *tric tric*… c'est là jument noire à Mlle Rose ; *trac trac*… c'est le bidet gris à M. Bricolin. Vous voilà assez rasé, assez lavé, et je vous assure que vous êtes cent fois mieux comme ça. Courez au foin et poussez sur vous le volet de la lucarne. Vous regarderez par la fente. Si mon garçon y monte, faites semblant de dormir. Une sieste dans le foin est une douceur que les gens du pays se donnent souvent, et une occupation qui leur paraît plus chrétienne que celle de réfléchir tout seul les bras croisés et les yeux ouverts… Adieu ! voilà Mlle Rose. Tenez, la première en avant ! voyez comme ça trottine légèrement et d'un air décidé !

— Belle comme un ange ! » dit Lémor qui n'avait regardé que Marcelle.

XXII

AU BORD DE L'EAU

Grand-Louis, qui avait toutes les délicatesses d'un cœur candidement épris, avait donné, en passant, des ordres pour que le lait et les fruits de la collation fussent servis sous une treille qui ornait le devant de sa porte, juste en face et à très peu de distance du moulin, d'où Lémor, blotti dans son grenier, pouvait voir et même entendre Marcelle.

La collation rustique fut fort enjouée, grâce à l'espiègle intimité d'Édouard avec le meunier et aux charmantes coquetteries de Rose envers celui-ci.

« Prenez garde, Rose ! dit Mme de Blanchemont à l'oreille de la jeune fille, vous vous faites adorable aujourd'hui, et vous voyez bien que vous lui tournez la tête. Il me semble que vous vous moquez beaucoup de mes sermons, ou que vous vous engagez trop. »

Rose se troubla, resta un moment rêveuse, et recommença bientôt ses vives agaceries, comme si elle eût pris intérieurement son parti d'accepter l'amour qu'elle provoquait. Il y avait toujours eu au fond de son cœur une vive amitié pour le Grand-Louis ; il n'était donc guère probable qu'elle se fît un jeu de le railler si elle n'eût senti la possibilité de faire faire, en elle-même, un grand progrès à cette amitié fraternelle. Le meunier, sans vouloir se flatter, éprouvait cependant une confiance instinctive, et son âme loyale lui disait que Rose était trop bonne et trop pure pour le torturer froidement.

Il se trouvait donc heureux de la voir si enjouée et si animée près de lui, et il eut grand-peine à la laisser avec sa mère la dernière à table. Mais il avait vu Marcelle s'éloigner un peu et lui faire signe à la dérobée qu'il eût à la suivre de l'autre côté de la rivière.

« Eh bien ! mon cher Grand-Louis, lui dit Mme de Blanchemont, il me semble que vous n'êtes plus si triste que l'autre jour, et que j'en ai deviné la cause !

— Ah ! madame Marcelle, vous savez tout, je le vois bien, et je n'ai rien à vous apprendre. C'est vous qui pourriez m'en dire plus long que je n'en sais ; car il me semble qu'on doit avoir et qu'on a grande confiance en vous.

— Je ne veux pas compromettre Rose, dit Marcelle en souriant. Les femmes ne doivent pas se trahir entre elles. Cependant je crois pouvoir espérer avec vous qu'il ne vous sera pas impossible de vous faire aimer.

— Ah ! si on m'aimait !… je serais content, et je crois que je n'en demanderais pas davantage ; car le jour où elle me le dirait, je serais capable d'en mourir de joie.

— Mon ami, vous aimez sincèrement et noblement, et c'est pour cela qu'il ne faudrait pas trop désirer d'être payé de retour avant de songer à détruire les obstacles qui viennent de la famille. Je présume que c'est là ce dont vous avez à m'entretenir, et c'est pourquoi je me suis rendue avec empressement à votre invitation. Voyons, le temps est précieux, car on va sans doute venir nous rejoindre… En quoi puis-je influencer les idées du père, ainsi que Rose me l'a fait entendre ?

— Rose vous a fait entendre cela ! s'écria le meunier transporté. Elle y songe donc ? Elle m'aime donc ? Ah ! madame Marcelle ! et vous ne me disiez pas cela tout de suite !… Eh ! que m'importe le reste si elle m'aime, si elle désire m'épouser ?…

— Doucement, mon ami. Rose ne s'est pas engagée si avant. Elle a pour vous l'affection d'une sœur, elle désirait voir révoquer la sentence qui lui interdisait de vous parler, de venir chez vous, de vous traiter enfin en ami, comme elle l'avait fait jusqu'à ce jour. Voilà pourquoi elle m'a priée de vous protéger auprès de ses parents et de prendre votre parti, tout en montrant quelque fermeté dans mes affaires avec eux. Et voici ce que j'ai compris, en outre, Grand-Louis : M. Bricolin veut ma terre à bon marché, et peut-être que si Rose vous aimait, je pourrais assurer son bonheur et le vôtre en imposant votre mariage comme une condition de mon consentement. Si vous le croyez, ne doutez pas que je sois très heureuse de faire ce léger sacrifice.

— Ce léger sacrifice ! vous n'y songez pas, madame Marcelle ! vous vous croyez encore riche ; vous parlez de cinquante mille francs comme d'un rien. Vous oubliez que c'est désormais une bonne part de votre existence. Et vous croyez que j'accepterais ce sacrifice-là ? Oh ! j'aimerais mieux renoncer à Rose tout de suite.

— C'est que vous ne comprenez pas la véritable valeur de l'argent, mon ami ; ce n'est qu'un moyen de bonheur, et le bonheur qu'on peut procurer aux autres est le plus certain et le plus pur qu'on puisse se procurer à soi-même.

— Vous êtes bonne comme Dieu, pauvre dame ! mais il y a là un bonheur plus certain et plus pur encore pour vous-même. C'est celui que vous devez ménager à votre fils. Et que diriez-vous un jour, grand Dieu ! si, faute des cinquante mille francs que vous auriez sacrifiés pour vos amis, votre cher Édouard était forcé, à son tour, de renoncer à une femme qu'il aimerait, et que vous ne pourriez plus lui faire obtenir ?

— Mon cœur est pénétré de votre bon raisonnement, mais en fait d'intérêts matériels, il n'y a point, pour l'avenir, de calculs absolus. Ma position n'est pas rigidement dessinée comme vous la faites ; en m'abstenant de vendre cher je perdrai du temps, et, vous le savez, chaque jour d'hésitation m'entraîne à ma ruine. En terminant vite, je me libère des dettes qui me rongent, et, certes, il peut y avoir un jour tout profit pour moi à avoir su prendre mon parti sans regret puéril et sans parcimonie déplacée. Vous voyez donc que je ne suis pas si généreuse, et que j'agis dans mes intérêts en servant ceux de votre amour.

— En voilà une pauvre tête en affaires ! s'écria le meunier avec un sourire triste et tendre. Une sainte du paradis ne dirait pas mieux. Mais ça n'a pas le sens commun, permettez-moi de vous le dire, ma chère dame. Vous trouverez, d'ici à quinze jours, des acquéreurs pour votre terre, et qui seront bien contents de ne la payer que son prix.

— Mais qui ne seront pas solvables comme
M. Bricolin ?

— Ah ! oui, voilà son orgueil ! c'est d'être solvable. *Solvable !* le grand mot ! Il croit être le seul au
monde qui puisse dire : Je suis *solvable*, moi ! C'est-
à-dire, il sait bien qu'il y en a d'autres, mais il vous
éblouit avec cela. Ne l'écoutez pas. C'est un fin
matois. Faites seulement mine de conclure avec un
autre, fallût-il faire des démarches et des contrats
simulés. Je ne me gênerais pas à votre place. À la
guerre comme à la guerre, avec les juifs comme avec
les juifs ! Voulez-vous me laisser agir ? Dans quinze
jours, je vous jure, comme voilà de l'eau, que M. Bricolin vous donnera vos trois cent mille francs bien
comptés et un beau pot-de-vin par-dessus le marché.

— Je n'aurais jamais l'habileté de suivre vos
conseils, et je trouve beaucoup plus vite fait de rendre
chacun de nous heureux à sa manière, vous, Rose,
moi, M. Bricolin, et mon fils, qui me dira un jour que
j'ai bien fait.

— Romans ! romans ! dit le meunier[1]. Vous ne
savez pas ce que pensera votre fils dans quinze ans
d'ici sur l'argent et sur l'amour. N'allez pas faire
cette folie ; je ne m'y prêterais pas, madame Marcelle... non, non, n'y comptez pas, je suis aussi fier
que qui que ce soit, et têtu comme un mouton... du

---

1. Le Meunier représente une fois de plus l'attitude réaliste
de qui sait combien l'argent est utile et difficile à acquérir, par
opposition à Marcelle et à Henri qui figurent l'idéalisme et le
romanesque. Mais on voit comme il serait abusif de faire de
Marcelle exclusivement le porte-parole de G. Sand. Le Meunier,
c'est aussi G. Sand.

Berri qui plus est ! D'ailleurs, écoutez, ce serait en pure perte. M. Bricolin promettrait tout et ne tiendrait rien. Il faut, vu votre position, que votre contrat de vente soit né avant la fin du mois, et certes ce n'est pas d'ici à un mois que je pourrais espérer d'épouser Rose. Il faudrait pour cela qu'elle fût folle de moi, et cela n'est pas. Il faudrait l'exposer à un bruit, à des scandales ! Je ne m'y résoudrais jamais. Quelle rage aurait sa mère ! quels étonnements et quels dénigrements de la part de ses voisins et de ses connaissances ! Et que ne dirait-on pas ? Qui est-ce qui comprendrait que vous avez imposé cela à M. Bricolin par pure grandeur d'âme et par sainte amitié pour nous ! Vous ne connaissez pas la malice des hommes ; et celle des femmes, si vous saviez ce que c'est ! votre bonté pour moi… non, vous ne pouvez pas vous imaginer, et je n'oserais jamais vous dire comment M. Bricolin tout le premier serait capable de l'interpréter… Ou bien encore on dirait que Rose, pauvre sainte fille ! a fait un faux pas, qu'elle vous l'a confié, et que vous vous êtes dévouée, pour sauver son honneur, à doter le coupable… Enfin, cela ne se peut pas, à voilà plus de raisons qu'il n'en faut, j'espère, pour vous en convaincre. Oh ! ce n'est pas comme cela que je veux obtenir Rose ! Il faut que cela arrive naturellement, et sans faire crier personne contre elle. Je sais bien qu'il faut un miracle pour que je devienne riche, ou un malheur pour qu'elle devienne pauvre. Dieu me viendra en aide si elle m'aime… et elle m'aimera peut-être, n'est-ce pas ?

— Mais, mon ami, je ne puis travailler à enflammer son cœur pour vous si vous m'ôtez les moyens de dominer la cupidité de son père. Je ne l'aurais pas entrepris si je n'avais eu cette pensée ; car précipiter cette jeune et charmante fille dans une passion malheureuse serait un crime de ma part.

— Ah ! c'est la vérité ! dit le Grand-Louis soudainement accablé et je vois bien que je suis un fou... Aussi n'était-ce ni de moi, ni de Rose que je voulais vous parler en vous priant de venir ici, madame Marcelle ; vous vous êtes trompée là-dessus dans votre excellente bonté. Je voulais vous parler de vous seule, quand vous m'avez prévenu en me parlant de moi-même. Je me suis laissé aller comme un grand enfant à vous écouter, et puis force m'a été de vous répondre ; mais je reviens à mon but, qui est de vous forcer à vous occuper de vos affaires. Je sais celles de M. Bricolin ; je sais ses intentions et son ardeur d'acheter vos terres, il n'en démordra pas, et pour en avoir trois cent mille francs, il faut lui en demander trois cent cinquante mille. Vous les auriez si vous vous obstiniez ; mais, de toute façon, il ne faut pas qu'il paie le bien au-dessous de sa valeur. Il en a trop d'envie, ne craignez rien.

— Je vous répète, mon ami, que je ne saurai pas soutenir cette lutte, et que, depuis deux jours qu'elle dure, elle est déjà au-dessus de mes forces.

— Aussi, ne faut-il pas vous en mêler. Vous allez remettre vos affaires à un notaire honnête et habile. J'en connais un ; j'irai lui parler ce soir, et vous le verrez demain, sans vous déranger. C'est demain la fête patronale de Blanchemont. Il y a grande assemblée sur le terrier devant l'église. Le notaire viendra s'y promener et causer, suivant l'habitude, avec ses clients de la campagne ; vous entrerez comme par hasard dans une maison où il vous attendra. Vous signerez une procuration, vous lui direz deux mots, je lui en dirai quatre, et vous n'aurez plus qu'à renvoyer M. Bricolin batailler avec lui. S'il ne se rend pas, pendant ce temps-là votre notaire vous aura trouvé un autre acquéreur. Il n'y aura qu'un peu de prudence à garder pour que le Bricolin ne se doute pas que je vous ai indiqué cet homme d'affaires au lieu du sien, qu'il vous a sans doute proposé, et que vous avez peut-être fait la folie d'accepter !

— Non ! je vous avais promis de ne rien faire sans vos conseils.

— C'est bien heureux ! Allez donc demain, à deux heures sonnant, vous promener au bord de la Vauvre, comme pour voir du bas du terrier le joli coup d'œil de la fête. Je serai là et je vous ferai entrer chez une personne sûre et discrète.

— Mais, mon ami, si M. Bricolin découvre que vous me dirigez dans cette affaire contre ses intérêts il vous chassera de sa maison, et vous ne pourrez jamais revoir Rose.

— Il sera bien fin s'il le découvre ! Mais si ce malheur arrivait... je vous l'ai dit, madame Marcelle, Dieu me viendrait en aide par un miracle, d'autant plus que j'aurais fait mon devoir.

— Ami loyal et courageux, je ne puis me résoudre à vous exposer ainsi.

— Et je ne vous dois pas cela quand vous vouliez vous ruiner pour moi ? Allons, pas d'enfantillage, ma chère dame, nous sommes quittes...

— Voici Rose qui vient vers nous, dit Marcelle. Il me reste à peine le temps de vous remercier.

— Non ! Mlle Rose tourne du côté de l'avenue avec ma mère, qui a le mot pour la retenir un peu, car je n'ai pas fini, madame Marcelle, j'ai bien autre chose à vous dire ! Mais vous devez être lasse de marcher si longtemps. Puisque la cour est libre et le moulin silencieux, venez vous asseoir sur ce banc auprès de la porte. Mlle Rose nous croit de l'autre côté et ne reviendra par ici qu'après avoir fait le tour du pré. Ce que j'ai à vous dire est un peu plus intéressant pour vous que vos affaires, et demande plus de secret encore. »

Marcelle, étonnée de ce préambule, suivit le meunier et s'assit avec lui sur le banc, juste au-dessous de la lucarne du grenier à foin, d'où Lémor pouvait la voir et l'entendre.

« Dites donc, madame Marcelle, balbutia le meunier un peu embarrassé pour entrer en matière, vous savez bien cette lettre que vous m'aviez confiée ?

— Eh bien, mon cher Grand-Louis ! répondit Mme de Blanchemont, dont le visage calme et un peu éteint s'enflamma tout à coup, ne m'avez-vous pas dit ce matin que vous l'aviez fait partir ?

— Pardon, excuse… c'est que je ne l'ai pas mise à la poste.

— Vous l'avez oubliée ?

— Oh ! non, certes !

— Perdue peut-être ?

— Encore moins. J'ai fait mieux que de la jeter dans la boîte, je l'ai remise à son adresse.

— Que voulez-vous dire ? Elle était adressée à Paris !

— Oui, mais la personne à qui elle était destinée s'étant trouvée sur mon chemin, j'ai cru mieux faire de la lui remettre.

— Mon Dieu ! vous me faites trembler, Louis ! dit Marcelle redevenue pâle. Vous aurez fait quelque méprise.

— Pas si sot ! Je connais bien M. Henri Lémor, peut-être !…

— Vous le connaissez ! et il est dans ce pays-ci ? » dit Marcelle avec une émotion qu'elle ne cherchait pas à dissimuler.

En quatre mots Grand-Louis expliqua la manière dont il avait reconnu Lémor pour le voyageur qui était déjà venu à son moulin, et pour le destinataire de la lettre à lui confiée.

« Et où donc allait-il ? et que fait-il à *** ? demanda Marcelle oppressée.

— Il allait en Afrique. Il passait ! répondit le meunier, qui voulait voir venir. C'est bien le chemin par Toulouse. Il avait pris l'heure du déjeuner de la diligence pour aller à la poste.

— Et où est-il maintenant ?

— Je ne vous dirai pas bien où il peut être ; mais il n'est plus à ***.

— Il va en Afrique, dites-vous ? Et pourquoi si loin ?

— Pour aller bien loin précisément. Voilà ce qu'il a répondu à ma question.

— La réponse est plus claire que vous ne pensez ! dit Marcelle, dont l'agitation augmentait, et qui ne songeait pas même à la rendre moins évidente. Mon ami, vous n'êtes pas si malheureux que vous croyez ! Il est des cœurs plus brisés que le vôtre.

— Le vôtre, par exemple, ma pauvre chère dame ?

— Oui, mon ami, le mien.

— Mais n'est-ce pas un peu de votre faute ? Pourquoi ordonniez-vous à ce pauvre jeune homme de rester un an sans entendre parler de vous ?

— Comment ! il vous a donc fait lire ma lettre ?

— Oh ! non ! il est assez méfiant et cachottier, allez ! Mais je l'ai tant questionné, tant obsédé, tant deviné, qu'il a été forcé de m'avouer que je ne me trompais guère. Ah dame ! voyez-vous, madame Marcelle, je suis très curieux des secrets de ceux que j'aime, moi, parce que, tant qu'on ne sait pas ce qu'ils pensent, on ne sait pas comment les servir. Ai-je tort ?

— Non, ami, je suis bien aise que vous ayez mes secrets comme j'ai les vôtres. Mais, hélas ! quelle que soit ici votre bonne volonté et votre bon cœur, vous ne pouvez rien pour moi. Répondez-moi, pourtant. Ce jeune homme ne vous a-t-il transmis aucune réponse ni par écrit, ni verbalement ?

— Il vous a écrit ce matin un tas de billevesées dont je n'ai pas voulu me charger.

— Vous m'avez rendu un mauvais service ! Ainsi, je ne puis savoir ses intentions ?

— Il n'a su me dire que ceci : « Je l'aime, *mais* j'ai du courage ! »

— Il a dit : *Mais* ?

— Il a peut-être dit : *Et* !

— Ce serait si différent ! Rappelez-vous, Grand-Louis !

— Il a dit tantôt l'un, tantôt l'autre, car il l'a répété souvent.

— Ce matin, dites-vous ? Vous n'avez donc quitté la ville que ce matin ?

— J'ai voulu dire hier soir. Il était tard, et nous prenons, nous autres, le matin dès minuit.

— Mon Dieu ! qu'est-ce à dire ? Pourquoi pas de lettre ? Vous avez donc vu celle qu'il m'écrivait ?

— Un peu ! il en a déchiré quatre.

— Mais que disaient ces lettres ? Il était donc bien irrésolu ?

— Tan tôt il vous disait qu'il ne pouvait jamais vous revoir, tantôt qu'il allait venir vous voir tout de suite.

— Et il a résisté à cette dernière tentation ? Il a bien du courage, en effet !

— Ah ! écoutez donc ! il a été tenté plus que saint Antoine ; mais, d'une part, je l'en détournais ; de l'autre, il craignait de vous désobéir ?

— Et que pensez-vous d'un amant qui ne sait pas désobéir ?

— Je pense qu'il aime trop, et qu'on ne lui en saura aucun gré.

— Je suis injuste, n'est-ce pas, mon cher Grand-Louis ? je suis trop émue, je ne sais ce que je dis. Mais pourquoi, vous, ami, l'avez-vous détourné de vous suivre ? Car il en a eu la pensée ?

— Oh ! je crois bien ! Il a même fait un bout de chemin sur ma charrette. Mais moi, excusez ! j'avais trop peur de vous mécontenter.

— Vous aimez, et vous croyez les autres si sévères ?

— Dame ! qu'auriez-vous dit si je l'avais amené dans la Vallée-Noire ? Par exemple, dans ce moment-ci… si je vous disais que je l'ai engagé à se cacher dans mon moulin ! Ah ! pour le coup, vous me traiteriez comme je le mériterais !

— Louis ! dit Marcelle en se levant d'un air de résolution exaltée, il est ici. Vous en convenez !

— Non pas, Madame ; c'est vous qui me faites dire cela.

— Mon ami, reprit-elle en lui prenant la main avec effusion, dites-moi où il est, et je vous pardonne.

— Et si cela était, dit le meunier un peu effrayé de la spontanéité de Marcelle, mais enthousiasmé de sa franchise, vous ne craindriez donc pas de faire jaser sur votre compte ?

— Quand il me quittait volontairement et que j'avais l'esprit abattu, je pouvais songer au monde, prévoir des dangers, me créer des devoirs rigides, exagérés peut-être ; mais quand il revient vers moi, quand il est si près d'ici, à quoi voulez-vous que je songe, et que voulez-vous que je craigne ?

— Il faut pourtant craindre que quelque imprudence ne rende vos projets plus malaisés à exécuter », dit Grand-Louis en faisant un geste pour indiquer à Marcelle la fenêtre au-dessus de sa tête.

Marcelle leva les yeux et rencontra ceux de Lémor, qui, palpitant et penché vers elle, était prêt à sauter du haut du toit pour abréger la distance.

Mais le meunier toussa de toute sa force, et d'un autre geste, indiquant aux deux amants Rose qui s'approchait avec la meunière et le petit Édouard :

« Oui, Madame, dit-il en élevant la voix, un moulin comme ça rapporte peu ; mais si je pouvais tant seulement y établir une grande meule que j'ai dans la tête, il me rapporterait bien… huit cents bons francs par an !… »

XXIII

CADOCHE

Le regard des deux amants avait été brûlant et rapide. Un calme souverain succéda à cette commotion. Ils s'aimaient, ils étaient sûrs l'un de l'autre. Ils s'étaient tout dit, tout expliqué, tout persuadé mutuellement dans le choc électrique de ce regard. Lémor se jeta au fond du grenier, et Marcelle, maîtresse d'elle-même parce qu'elle se sentait heureuse, accueillit Rose sans trouble et sans regret. Elle se laissa emmener dans le délicieux taillis voisin, et après une heure de promenade elle remonta à cheval avec sa compagne, et reprit le chemin de Blanchemont, après avoir dit tout bas au meunier :

« Cachez-le bien, je reviendrai.

— Non, non, pas trop tôt, avait répondu Grand-Louis. J'arrangerai une entrevue sans dangers ; mais laissez-moi prendre mes mesures. Je vous reconduirai votre fils ce soir, et je vous parlerai encore si je peux. »

Quand Marcelle fut partie, Lémor sortit de sa

cachette, où la joie et l'émotion, plus que l'odeur enivrante du foin, commençaient à lui donner des vertiges.

« Ami, dit-il gaiement au meunier, je suis votre garçon de moulin, et je ne prétends pas être à votre charge sans travailler pour vous. Donnez-moi de l'ouvrage, et vous verrez que le Parisien a d'assez bons bras, malgré son peu d'apparence.

— Oui, répondit Grand-Louis, quand le cœur est content, les bras sont assez souples. Vos affaires vont mieux que les miennes, mon garçon, et quand nous causerons ce soir, ce sera à votre tour de me donner du courage. Mais, à cette heure, vous l'avez dit, il faut s'occuper. Je ne puis pas passer mon temps à parler d'amour, et vous pourriez devenir fou de contentement si vous restiez oisif. Le travail est salutaire à tous, il entretient la joie et distrait de la peine ; ce qui veut peut-être dire qu'il est fait pour tous dans les idées du bon Dieu. Allons, vous allez m'aider à lever ma pelle et à mettre la *Grand'Louise* en danse. Sa chanson a la vertu de me remettre l'esprit quand je me détraque.

— Ah ! mon Dieu ! cet enfant va me reconnaître ! dit Lémor en apercevant Édouard qui s'était échappé des bras de la meunière, et qui montait avec les pieds et les mains l'escalier rapide du moulin.

— Il vous a déjà vu, répondit le meunier ; ne vous cachez pas et ne faites semblant de rien. Il n'est pas sûr qu'il vous reconnaisse, affublé comme vous voilà. »

En effet, Édouard s'arrêta incertain et interdit. Depuis un mois que Marcelle avait brusquement quitté Montmorency pour se rendre auprès de son mari expirant, son fils n'avait pas revu Lémor, et un mois est un siècle dans la mémoire d'un si jeune enfant. Celui-là était pourtant exceptionnel par le développement précoce de ses facultés ; mais Lémor sans barbe, le visage barbouillé de farine, et affublé d'une blouse de paysan, était assez peu reconnaissable. Édouard resta comme pétrifié devant lui pendant une minute ; mais ayant rencontré le regard sévère et indifférent de l'ami qui d'ordinaire courait à lui les bras ouverts, il baissa les yeux avec une sorte d'embarras et même de peur, sentiment qui, chez les enfants, est presque toujours mêlé à l'étonnement ; puis il s'approcha du meunier et lui dit de l'air sérieux et méditatif qu'il avait souvent :

« Qu'est-ce que c'est donc que cet homme-là ?

— Ça ? c'est mon garçon de moulin, c'est Antoine.

— Tu en as donc deux ?

— Bon ! j'en ai par douzaines, des garçons ! Celui-là, c'est *Alochon* n° 2.

— Et Jeannie est Alochon 3 ?

— Comme vous dites, mon général !

— Est-il méchant, ton Antoine ?

— Non, non ! Mais il est un peu bête, un peu sourd, et ne joue pas avec les enfants.

— En ce cas, je m'en vais jouer avec Jeannie », dit Édouard en s'éloignant avec insouciance. À quatre ans, on ne sait ce que c'est que d'être trompé, et la parole de ceux qu'on aime est plus puissante sur l'esprit que le témoignage des sens.

On apporta à la meule le blé que le meunier devait rendre le soir même en farine. C'était celui de M. Bricolin, contenu dans deux sacs marqués chacun de deux énormes initiales.

« Voyez, dit le Grand-Louis en riant cette fois avec un peu d'amertume, *Bricolin de Blanchemont*, comme qui dirait Bricolin, demeurant à Blanchemont. Mais quand il aura acheté la terre il faudra qu'il mette un autre petit *b* entre les deux grands. Ça voudra dire : Bricolin, baron de Blanchemont.

— Comment, dit Lémor occupé d'une autre pensée, c'est là le blé de Blanchemont ?

— Oui, répondit le meunier qui le devinait avant qu'il eût parlé, c'est le blé qui fera la farine... dont on fera le pain... que mangeront Mme Marcelle et Mlle Rose. On dit que Rose est trop riche pour épouser un homme comme moi : c'est pourtant moi qui lui fournis le pain qu'elle mange !

— Ainsi, nous travaillons pour *elles* ! reprit Lémor.

— Oui, oui, garçon. Attention au commandement ! Il ne s'agit pas de mal fonctionner. Diable ! je travaillerais pour le roi que je n'y mettrais pas tant de cœur. »

Cette circonstance toute vulgaire dans les habitudes du moulin prit une couleur romanesque et quasi poétique dans le cerveau du jeune Parisien, et il se mit à aider le meunier avec tant de zèle et d'attention, qu'au bout de deux heures il était parfaitement au courant du métier. Il ne lui fut pas difficile de s'habituer au mécanisme élémentaire et presque barbare de l'établissement. Il comprenait les améliorations qu'avec un peu d'argent comptant (le fruit défendu au paysan) on eût pu apporter à la machine rustique. Il eut bientôt appris en patois les noms techniques de chaque pièce et de chaque fonction. Jeannie le voyant si actif et si bien traité par son maître, eut un peu d'inquiétude et de jalousie. Mais quand Grand-Louis eut pris soin de lui expliquer que le Parisien n'était là qu'en passant, et que sa place à lui, Jeannie, ne menaçait pas d'être envahie, il se rassura et se décida même, en bon Berrichon qu'il était, à céder une partie de son travail pendant quelques jours à un compagnon officieux. Il en profita pour reporter à Blanchemont Édouard qui commençait à s'ennuyer et à s'effrayer d'être si longtemps séparé de sa mère. La meunière ne réussissait plus à l'amuser, et la petite Fanchon étant venue le retrouver, Jeannie ne fut pas fâché d'accompagner sa jeune camarade jusqu'au château[1].

La tâche terminée, Lémor, le front baigné de sueur et le visage animé, se sentit plus souple de corps et plus fort de volonté qu'il ne l'avait été depuis longtemps. Les longues rêveries qui dévoraient sa jeunesse firent place à cette sorte de bien-être physique et moral que la Providence a attaché à l'accomplissement du travail de l'homme quand le but en est bien senti et la fatigue mesurée à ses forces. « Ami, s'écriat-il, le travail est beau et saint par lui-même ; vous aviez raison de le dire en commençant ! Dieu l'impose et le bénit. Il m'a semblé doux de travailler pour nourrir ma maîtresse ; oh ! qu'il serait plus doux encore de travailler en même temps pour alimenter la vie d'une famille d'égaux et de frères ! Quand cha-

---

1. Les idylles parallèles se multiplient dans l'architecture du roman : voici encore celle de Fanchon et de Jeannie.

cun travaillera pour tous et tous pour chacun, que la
fatigue sera légère, que la vie sera belle[1] !

— Oui, ma profession serait, dans ce cas-là, une
des plus gentilles ! dit le meunier avec un sourire de
vive intelligence. Le blé est la plus noble des plantes,
le pain le plus pur des aliments. Mes fonctions mérite-
raient bien quelque estime, et, les jours de fête, on
pourrait mettre une couronne d'épis et des bleuets à
la pauvre *Grand'Louise*, à laquelle personne ne fait
attention maintenant ; mais que voulez-vous ? *au jour
d'aujourd'hui*, comme dit M. Bricolin, je ne suis
qu'un mercenaire employé par lui, et il se dit en pensant à moi : «Un homme *comme ça* songerait à ma
fille ! Un malheureux qui broie le grain, quand c'est
moi qui sème le blé et possède la terre !» Voyez pourtant la belle différence ! Mes mains sont plus propres
que les siennes, qui remuent le fumier ; voilà tout. Ah
çà ! mon garçon, l'ouvrage est fait ; dépêchons la
soupe. Je parie que vous la trouverez meilleure que ce
matin, quand même elle serait dix fois plus salée, et
puis je m'en irai à Blanchemont porter ces deux sacs ?

— Sans moi ?

— Tiens ! sans doute. Vous avez donc envie de
vous faire voir à la ferme ?

— Personne ne m'y connaît.

— C'est vrai. Mais qu'y ferez-vous ?

— Rien ; je vous aiderai à décharger les sacs.

— Et à quoi ça vous avancera-t-il ?

---

1. Voir ici l'écho des propos de Leroux, en train, au moment
où écrit G. Sand, de projeter l'installation de son atelier d'imprimerie à Boussac.

— À voir peut-être passer *quelqu'un* dans la cour.

— Et si *quelqu'un* n'y passe pas ?

— Je verrai la maison qu'elle habite. J'entendrai peut-être prononcer son nom.

— M'est avis que c'est un plaisir que nous nous donnons bien sans aller si loin.

— C'est à deux pas d'ici !

— Vous avez réponse à tout. Vous ne ferez pas d'imprudence ?

— Vous croyez donc que je ne l'aime pas ? Est-ce que vous en feriez à ma place, vous ?

— Peut-être ! si l'on m'aimait ! Voyons ! vous ne la regarderez pas comme vous faisiez du haut de la lucarne ? Savez-vous que j'ai cru que vous mettriez le feu à mon foin avec vos yeux enflammés ?

— Je ne la regarderai pas du tout.

— Et vous ne lui parlerez mie ?

— Quel prétexte aurais-je pour lui parler ?

— Vous n'en chercherez pas ?

— Je n'entrerai pas même dans la cour si vous me le défendez. Je regarderai les murailles de loin.

— Ce serait le plus sage. Je vous permets de flairer, de la porte, le vent qui passe sur le château ; voilà tout. »

Les deux amis se mirent en route à la tombée du jour ; Sophie, chargée des deux sacs, marchait magistralement devant eux. Grand-Louis, qui avait le cœur triste, parlait peu et n'exprimait ses idées noires que par de grands coups de fouet allongés à droite et à gauche sur les buissons chargés de mûres sauvages et de pâles chèvrefeuilles plus parfumés que ceux qu'on cultive dans nos jardins.

Ils avaient dépassé un groupe de chaumières qu'on appelle le *Cortioux*, lorsque Lémor, qui côtoyait le fossé du chemin, s'arrêta, surpris de voir un homme étendu tout de son long sous la haie, la tête appuyée sur une besace très rebondie.

«Oh! oh! dit le meunier sans s'étonner, vous avez failli marcher sur *mon oncle*!»

La voix sonore de Grand-Louis réveilla en sursaut le dormeur. Il se souleva brusquement, saisit à deux mains son grand bâton étendu à son flanc, et articula un jurement énergique.

«Ne vous fâchez pas, mon oncle! dit le meunier en riant. Ce sont des amis qui passent, avec votre permission; car quoique les chemins soient à vous, comme vous le dites, vous ne défendez à personne de s'en servir, n'est-ce pas?

— Oui-da! répondit, en se levant tout à fait, cet homme d'une taille gigantesque et d'un aspect repoussant; je suis le meilleur des propriétaires, tu le sais, *mon petit*? Mais c'est abuser un peu de ma bonté que de me marcher sur la figure. Quel est-il donc ce mauvais chrétien, qui ne voit pas un honnête homme étendu sur son lit? Je ne le connais pas, moi qui connais tout le monde ici, et ailleurs!»

Et en parlant ainsi, le mendiant toisait d'un air dédaigneux Lémor, qui le considérait de son côté avec répugnance. C'était un vieillard osseux, couvert de haillons immondes, et dont la barbe dure, mêlée de noir et de blanc, ressemblait à l'armure d'un hérisson. Son chapeau, à forme haute, tombant en lambeaux, était surmonté, comme d'un trophée dérisoire, d'un nœud de rubans blancs et d'un bouquet de fleurs artificielles hideusement fané.

« Rassurez-vous, mon oncle, dit le meunier, celui-là est un bon chrétien, allez !

— Et à quoi le reconnaît-on ? reprit l'oncle Cadoche en ôtant son chapeau qu'il tendit à Henri.

— Allons, dit le meunier à Lémor, vous ne comprenez pas ? mon oncle vous demande un sou. »

Lémor jeta son obole dans le chapeau de l'oncle, qui la prit aussitôt et la tourna dans ses longs doigts avec une sorte de volupté.

« C'est un gros sou ! dit-il avec un ignoble sourire. Dix décimes révolutionnaires peut-être ! Non ! Dieu soit béni ! c'est un Louis XV, c'est mon roi ! un roi dont j'ai vu le règne ! ça me portera bonheur, et à toi aussi, mon neveu, ajouta-t-il en appuyant sa grande main crochue sur l'épaule de Lémor. Tu peux dire à présent que tu es de ma famille, et que je te reconnaîtrai quand même tu serais déguisé des pieds à la tête.

— Allons, allons, bonsoir, mon oncle, dit Grand-Louis en joignant son aumône à celle de Lémor. Sommes-nous amis ?

— Toujours ! répondit le mendiant d'une voix solennelle. Toi, tu as toujours été un bon parent, le meilleur de toute ma famille. Aussi, c'est à toi, Grand-Louis, que je veux laisser tout mon bien. Il y a longtemps que je te l'ai dit, et tu verras si je tiens parole !

— Tiens ! parbleu, j'y compte bien ! reprit le meunier avec gaieté. Le bouquet en sera-t-il aussi ?

— Le chapeau, oui ! Mais le bouquet et le ruban seront pour ma dernière maîtresse.

— Diable ! je tenais pourtant au bouquet !

— Je le crois bien ! dit le mendiant qui s'était mis
à marcher derrière les deux jeunes gens et qui les
suivait d'un pas assez alerte encore malgré son grand
âge. Le bouquet est ce qu'il y a de plus précieux dans
la succession. C'est béni, vois-tu ! c'est de la chapelle
de Sainte-Solange.

— Comment un homme aussi dévot que vous vous
en donnez l'air peut-il parler de ses maîtresses ? dit
Henri, à qui ce personnage ridicule n'inspirait qu'un
profond dégoût.

— Tais-toi, mon neveu, répondit l'oncle Cadoche
en le regardant de travers ; tu parles comme un sot.

— Excusez-le, c'est un enfant, dit le meunier qui
s'amusait du *grand oncle* par habitude. Ça n'a pas
enclore de barbe au menton et ça se mêle de raisonner ! Mais où donc allez-vous si tard, mon oncle ?
Comptez-vous coucher chez vous cette nuit ? C'est
bien loin d'ici !

— Oh, non ! je m'en vas de ce pas à Blanchemont
pour la fête de demain.

— Ah ! c'est vrai, c'est un bon jour pour vous !
Vous y *cueillez* au moins quarante gros sous.

— Non ; mais toujours de quoi faire dire une messe
au bon saint de la paroisse.

— Vous les aimez donc toujours, les messes ?

— La messe et l'eau-de-vie, mon neveu, et un peu
de tabac avec, c'est le salut de l'âme et du corps.

— Je ne dis pas non, mais l'eau-de-vie ne réchauffe
pas assez pour qu'on dorme comme cela dans les
fossés à votre âge, mon oncle.

— On dort où l'on se trouve, mon neveu. On est

fatigué, on s'arrête ; on fait un somme sur une pierre ou sur sa besace, quand elle n'est pas trop plate.

— M'est avis que la vôtre est assez ronde, ce soir.

— Oui ; tu devrais, mon neveu, me la laisser mettre sur ton cheval, elle me fatigue un peu.

— Non ! Sophie est assez chargée. Mais donnez-la-moi, je vous la porterai jusqu'à Blanchemont !

— C'est juste ! Tu es jeune, tu dois servir ton oncle. Tiens, la voilà. Ta blouse est-elle propre ? ajouta-t-il d'un air dégoûté.

— Oh ! c'est de la farine ! dit le meunier en prenant le sac du mendiant ; ça ne fait pas la guerre au pain. Mille tonnerres ! il y en a là-dedans, des vieilles croûtes !

— Des croûtes ? je n'en reçois pas. Je voudrais bien que quelqu'un s'avisât de m'en offrir, je saurais bien les lui jeter au nez, comme j'ai fait une fois à la Bricolin.

— C'est donc depuis ce jour-là qu'elle a peur de vous ?

— Oui ! elle dit que je pourrais bien mettre le feu à ses granges », dit le mendiant d'un air sinistre. Puis il ajouta d'un ton patelin : « Pauvre chère femme du bon Dieu ! comme si j'étais méchant ! À qui ai-je fait du mal, moi ?

— À personne, que je sache, répondit le meunier. Si vous en aviez fait, vous ne seriez pas où vous êtes.

— Jamais, jamais, je n'ai fait tort à personne, reprit l'oncle Cadoche, en élevant la main vers le ciel, puisque jamais je n'ai été repris de justice pour quoi que ce soit. Ai-je fait un seul jour de prison dans ma vie ? J'ai toujours servi le Bon Dieu, et le bon Dieu m'a toujours protégé depuis quarante ans que je cherche ma pauvre vie.

— Quel âge avez-vous donc au juste, mon oncle ?

— Je ne sais pas, mon enfant, car mon acte de baptême a été égaré dans les temps comme tant d'autres, mais je dois avoir quatre-vingts ans passés. J'ai environ dix ans de plus que le père Bricolin, qui paraît cependant plus vieux que moi.

— C'est la vérité, vous êtes joliment conservé, et lui… mais il est vrai qu'il a eu des accidents qui n'arrivent pas à tout le monde.

— Oui, dit le mendiant avec un profond soupir de componction. Il a eu du malheur !…

— C'est une histoire de votre temps, cela ? N'êtes-vous pas de ce pays-là ?

— Oui, je suis né natif de Ruffec, près Beaufort, où l'accident est arrivé.

— Et vous étiez dans le pays alors ?

— Oh ! je le crois bien, bonne sainte Vierge ! Je n'y peux pas penser sans trembler ! Avait-on peur dans ce temps-là !

— Est-ce que vous avez peur de quelque chose, vous, qui êtes toujours tout seul à toute heure par les chemins ?

— Oh ! à présent, mon bon fils, que veux-tu que craigne un pauvre homme comme moi qui ne possède que les trois guenilles qui le couvrent ? Mais dans ce temps-là j'avais un peu de bien, et les brigands me l'ont fait perdre.

— Comment ! est-ce que les chauffeurs ont été chez vous aussi ?

— Oh ! nenni ! je n'avais pas assez pour les tenter ; mais j'avais une petite maison que je louais à des journaliers. Quand la peur des brigands s'est répandue dans le pays, personne n'a plus voulu l'habiter. Je n'ai pas pu la vendre ; je n'avais plus de quoi la faire réparer. Elle me tombait en ruine sur le corps. Il a fallu faire des dettes que je n'ai pu payer. Alors, mon champ, la maison, et une jolie chenevière que j'avais, ont été vendus par expropriation forcée. J'ai donc été forcé de prendre la besace ; j'ai quitté le pays, et depuis ce temps-là je voyage toujours comme les enfants du Bon Dieu.

— Mais vous ne quittez guère le département ?

— Sans doute, j'y suis connu ; j'y ai ma clientèle et toute ma famille.

— Je vous croyais tout seul ?

— Et tous mes neveux, donc !

— C'est vrai, j'oubliais ; moi, par exemple, mon camarade que voilà, et tous ceux qui ne vous refusent jamais votre sou pour acheter du tabac. Mais, dites donc, mon oncle, ces chauffeurs dont nous parlions, quels gens étaient-ils ?

— Demande-le au Bon Dieu, mon pauvre enfant ; lui seul peut le savoir.

— On dit qu'il y avait là-dedans des gens riches et qui passaient pour huppés ?

— On dit qu'il y en a qui vivent encore, qui sont gros et gras, qui ont de bonnes terres, de bonnes maisons, qui font figure dans le pays et qui ne donneraient pas seulement deux liards à un pauvre. Ah ! si c'étaient des gens comme moi, on les aurait tous pendus !

— C'est vrai, ça, père Cadoche !

— J'ai encore eu du bonheur de n'être pas accusé ;

car on soupçonnait tout le monde dans ce temps-là, et la justice ne courait sus qu'aux pauvres. On en a mis en prison qui étaient blancs comme neige, et quand on a eu la main sur les vrais coupables, il est venu des ordres d'en haut pour les relâcher.

— Et pourquoi ça ?

— Parce qu'ils étaient riches, sans doute. Quand donc as-tu vu, mon neveu, qu'on ne faisait pas grâce aux riches ?

— C'est encore la vérité. Allons, mon oncle, nous voilà tout à l'heure à Blanchemont. Où voulez-vous que je porte votre sac à pain ?

— Rends-le-moi, mon neveu. Je vais aller coucher dans l'étable à M. le curé : c'est un saint homme qui ne me renvoie jamais. C'est comme toi, Grand-Louis, tu ne m'as jamais fait mauvaise mine. Aussi, tu en seras récompensé ; tu seras mon héritier, je te l'ai toujours promis. Excepté le bouquet, que je veux donner à la petite Borgnotte, tu auras tout, ma maison, mes habits, ma besace et mon cochon.

— C'est bon, c'est bon, dit le meunier ; je vois bien que je serai trop riche à la fin, et que toutes les filles voudront m'épouser.

— J'admire votre cœur, Grand-Louis, dit Lémor lorsque le mendiant eut disparu derrière les haies des enclos, qu'il coupait en droite ligne sans s'inquiéter des clôtures et sans chercher les sentiers. Vous traitez ce mendiant comme s'il était véritablement votre oncle.

— Pourquoi pas, puisque c'est son plaisir de faire le grand-parent et de promettre son héritage à tout le monde ! Bel héritage, ma foi ! Sa hutte de terre où il couche avec son cochon, ni plus ni moins que saint Antoine, et sa défroque qui fait mal au cœur ! Si je n'ai que cela pour être agréé de M. Bricolin, mes affaires sont en bon train !

— Malgré le dégoût que sa personne inspire, vous avez pourtant pris sa besace sur vos épaules pour le soulager. Louis, vous avez l'âme vraiment évangélique.

— Belle merveille ! Faut-il refuser un si petit service à un pauvre diable qui mendie encore son pain à quatre-vingts ans ? C'est un brave homme, après tout. Tout le monde s'intéresse à lui parce qu'il est honnête, quoique un peu trop cagot et libertin.

— C'est ce qu'il me semble.

— Bah ! quelles vertus voulez-vous que ces gens-là puissent avoir ? C'est beaucoup quand ils n'ont que des vices et qu'ils ne commettent pas de crimes. Est-ce qu'il ne raisonne pas avec bon sens, malgré tout ?

— À la fin, j'en ai été frappé. Mais pourquoi se croit-il l'oncle de tout le monde ? Est-ce un grain de folie ?

— Oh ! non, c'est un genre qu'il se donne. Beaucoup de gens de son métier affectent quelque manie pour se rendre plaisants, attirer l'attention et amuser les gens qui ne feraient l'aumône ni par charité ni par prudence. C'est malheureusement l'usage chez nous que les pauvres fassent l'office de bouffons aux portes des riches[1]... Mais nous voici à la ferme de Blan-

---

1. L'analyse du pauvre comme bouffon n'est pas sans intérêt : on retrouve d'ailleurs là un thème romantique (*cf.* Hugo).

chemont, mon camarade. Tenez, n'entrez pas, croyez-
moi. Vous pouvez être maître de vous, je n'en doute
pas. Mais *elle*, qui n'est pas prévenue, pourrait faire
un cri, dire un mot… Laissez-moi au moins la
prévenir.

— Mais tout le monde est encore debout dans le
hameau ; la présence d'un inconnu ne sera-t-elle pas
remarquée si je reste ici à vous attendre ?

— Aussi, vous allez me faire l'amitié d'entrer dans
la garenne ; à cette heure-ci, personne ne s'y promène.
Asseyez-vous bien raisonnablement dans un coin. En
repassant, je sifflerai comme si j'appelais un chien,
sauf votre respect, et vous viendrez me rejoindre. »

Lémor se résigna, espérant que l'ingénieux meunier trouverait un moyen d'amener Marcelle de ce
côté. Il suivit donc lentement le sentier couvert qui
traversait la garenne, s'arrêtant à chaque instant pour
prêter l'oreille, retenant sa respiration et revenant sur
ses pas, pour être plus à portée d'une bienheureuse
rencontre.

Il ne fut pas longtemps sans entendre des pas légers
qui semblaient effleurer le gazon, et un frôlement dans
le feuillage le convainquit qu'une personne approchait. Il entra dans le fourré pour s'assurer qu'il ne se
trompait pas, et vit venir vers lui une forme vague qui
était celle d'une femme assez petite. On croit aisément à ce qu'on désire, et Henri, ne doutant pas que
ce ne fût Marcelle, envoyée par le meunier, se montra et marcha à la rencontre du fantôme. Mais il s'arrêta en entendant une voix inconnue qui appelait
avec précaution : *Paul ! Paul ! Es-tu là, Paul ?*

Henri voyant qu'il s'était mépris et pensant qu'il

tombait dans un rendez-vous destiné à un autre, voulut s'éloigner. Mais il fit du bruit en marchant sur des branches sèches, et la folle qui l'aperçut, au milieu de son rêve d'amour, s'élança sur ses traces avec la rapidité d'une flèche, en criant d'une voix lamentable : « Paul ! Paul ! me voilà ! Paul ! c'est moi !... ne t'en va pas ! Paul ! Paul ! tu t'en vas toujours ! »

XXIV

LA FOLLE

Lémor ne s'inquiéta pas d'abord beaucoup de l'aventure. Il pensait qu'à la faveur de la nuit il lui serait facile d'éviter cette femme, qu'il n'avait pas distinguée assez pour soupçonner son état de démence. Il se flattait naturellement de courir beaucoup mieux qu'elle. Mais il vit bientôt qu'il se trompait, et que ce n'était pas trop de toute l'agilité dont il était capable pour se maintenir à quelque distance. Forcé de traverser toute la garenne, il se trouva bientôt dans l'avenue du fond, que la Bricoline avait l'habitude de parcourir pendant des heures entières, et dont l'herbe avait été rasée par ses pieds en certains endroits. Le fugitif, que les racines à fleur de terre et les aspérités du sentier avaient un peu gêné jusque-là, déploya toutes ses forces dans l'avenue pour gagner du terrain. Mais la folle, lorsqu'elle était sous l'influence d'une pensée ardente, devenait légère comme une

feuille sèche emportée par l'orage. Elle le suivit donc
si rapidement que Lémor, confondu de surprise, et
tenant beaucoup à n'être pas vu d'assez près pour
être reconnu plus tard, s'enfonça de nouveau dans le
taillis et s'efforça de se perdre dans l'ombre. Mais la
folle connaissait tous les arbres, tous les buissons, et,
pour ainsi dire, toutes les branches de la garenne.
Depuis douze ans qu'elle y passait sa vie, il n'était
pas un recoin où son corps n'eût pris machinalement
l'habitude de pénétrer, bien que l'état de son esprit
l'empêchât de se livrer à aucune observation raison-
née. En outre, l'exaltation de son délire la rendait
complètement insensible à la douleur physique. Elle
eût laissé aux ronces du taillis les lambeaux de sa
chair sans s'en apercevoir, et cette disposition, pour
ainsi dire cataleptique, lui donnait un avantage non
équivoque sur celui qu'elle voulait atteindre. Elle
était d'ailleurs si menue, son corps atténué occupait
si peu de volume, qu'elle se glissait comme un lézard
entre des tiges serrées, où Lémor était obligé de se
frayer un passage avec effort, et que plus souvent
encore il lui fallait tourner.

Se voyant plus embarrassé qu'auparavant, il rega-
gna l'avenue, toujours serré de près, et se décida à
franchir le fossé sans en apprécier la largeur, à cause
des buissons touffus qui le couvraient. Il prit son élan
et alla tomber sur ses genoux dans les épines. Mais il
avait à peine eu le temps de se relever, que le fantôme, traversant cet obstacle sans sauter par-dessus,
et sans s'occuper des pierres ni des orties, se trouva à
ses côtés cramponné à ses vêtements. En se voyant
saisi par cet être vraiment effroyable, Lémor, dont

l'imagination était vive comme celle d'un artiste et d'un poète, se crut sous la puissance d'un rêve, et, se débattant comme s'il eût été aux prises avec le cauchemar, il parvint à se dégager de la folle, qui poussait des cris inarticulés, et à reprendre sa course à travers champs.

Mais elle s'élança sur ses traces, aussi agile dans les sillons hérissés d'une paille fraîchement moissonnée, raide et blessante, qu'elle l'avait été dans le fourré du parc. Au bout du champ, Lémor franchit une nouvelle clôture et se trouva dans un chemin couvert qui descendait rapidement. Il n'y avait pas fait dix pas qu'il entendit derrière lui le spectre criant toujours d'une voix étouffée : *Paul ! Paul ! pourquoi t'en vas-tu ?*

Cette course avait quelque chose de fantastique qui s'emparait de plus en plus de l'imagination de Lémor[1]. Il avait pu, en se dégageant de l'étreinte de la folle, distinguer vaguement par la nuit claire et constellée, cette apparition bizarre, cette face cadavéreuse, ces bras étiques couverts de blessures, ces longs cheveux noirs flottants sur des haillons ensanglantés. Il ne lui était pas venu à l'esprit que cette malheureuse créature fût aliénée. Il se croyait poursuivi par une

---

1. Cette course a, en effet, quelque chose de fantastique, et appartient à ce registre du roman noir, sous-jacent à l'idylle apparemment tranquille du *Meunier d'Angibault*. Mais G. Sand retrouve aussi une autre tradition à laquelle elle a été attentive : celle des contes populaires, de la sorcellerie, si importante dans le Berry, et dans le Centre de la France. (*Cf.* allusions à *La Grand'Bête*, et au *Meneur de loups*. Sur les modifications que G. Sand fit subir à la première édition, à la suite des remarques de H. de Latouche, voir *infra*.)

amante jalouse, folle pour le moment puisqu'elle
s'obstinait à le prendre pour un autre. Il hésita s'il ne
s'arrêterait pas pour lui parler et la détromper; mais
comment alors expliquer sa présence dans la garenne?
Lui, inconnu, et se glissant dans l'ombre comme un
voleur, n'éveillerait-il pas, dès le début, d'étranges
soupçons à la ferme, et ne devait-il pas éviter, par-
dessus tout, de marquer son apparition dans le pays
par une aventure scandaleuse ou ridicule?

Il se décida donc à courir encore, et cet exercice
étrange dura près d'une demi-heure sans interruption. Le cerveau de Lémor s'échauffait malgré lui, et,
par instants, il se sentait devenir fou lui-même, en
voyant l'obstination inconcevable et la rapidité sur-
naturelle du fantôme acharné à sa poursuite. Cela
pouvait se comparer à ce qu'on raconte des willies et
des fées malfaisantes de la nuit.

Enfin Lémor trouva la Vauvre au fond du vallon,
et, quoique baigné de sueur, il allait s'y jeter à la
nage, comptant que cet obstacle mis entre lui et le
spectre le délivrerait enfin, lorsqu'il entendit derrière
lui un cri horrible, déchirant, et qui fit passer un froid
subit dans tout son être. Il se retourna et ne vit plus
rien. La folle avait disparu.

Le premier mouvement de Henri fut de profiter de
ce qui pouvait n'être qu'un moment de répit pour
s'éloigner davantage et faire perdre entièrement ses
traces. Mais ce cri affreux lui laissait une impression
trop pénible. Était-ce bien cette femme qui l'avait
fait entendre? Le son n'avait presque rien d'humain,
et cependant quelle douleur, quel désespoir atroce il
semblait exprimer! Se serait-elle grièvement blessée

en tombant? pensa Lémor; ou bien, en me perdant de vue derrière ces saules, a-t-elle cru que je m'étais noyé? Est-ce un cri d'agonie ou de terreur? Ou bien est-ce la rage de n'avoir pu me suivre jusque dans l'eau, où elle peut présumer que je me suis jeté?

Mais si elle-même était tombée dans quelque fossé, dans un précipice que je n'aurais pas vu en courant? Si cette malencontreuse rencontre coûtait la vie à une infortunée? Non, quoi qu'il puisse en résulter, il est impossible que je l'abandonne aux horreurs de l'agonie.

Lémor retourna sur ses pas et chercha l'inconnue sans la trouver. Le chemin rapide qu'il avait parcouru côtoyait l'extrémité de la garenne; il y avait là de hauts buissons de clôture et point de fossé; aucune mare, aucun puisard où elle eût pu se noyer. Le chemin sablonneux ne portait point, autant que Lémor put le distinguer, les traces de la chute d'un corps. Il cherchait toujours, se perdant en conjectures, lorsqu'il entendit siffler à plusieurs reprises, comme pour appeler un chien. D'abord il y fit peu d'attention, tant il était ému et préoccupé de son aventure. Mais enfin il se souvint que c'était le signal convenu avec le meunier, et, désespérant de retrouver sa *poursuiveuse*, il répondit par un autre sifflement à l'appel du Grand-Louis.

« Vous avez le diable au corps, lui dit ce dernier à voix basse quand ils se furent rejoints dans la garenne, d'aller vous promener si loin, quand je vous avais recommandé de ne pas bouger! Voilà un quart d'heure que je vous cherche dans ce bois, n'osant vous appeler trop fort et perdant patience… Mais comme vous

voilà fait ! tout haletant et tout déchiré ! Le diable
m'emporte, ma blouse a passé un mauvais quart
d'heure sur vos épaules, à ce que je vois. Mais parlez
donc, vous avez l'air d'un lapin *battu de l'oiseau*, ou
plutôt d'un homme poursuivi par le follet.

— Vous l'avez dit, mon ami. Ou ce que Jeannie
raconte des lutins nocturnes de la Vallée-Noire a un
fond de réalité inexplicable, ou j'ai eu une hallucina-
tion. Mais il y a une heure, je crois (peut-être un
siècle, je n'en sais rien !), que je me débats contre le
diable.

— Si vous ne buviez pas obstinément de l'eau
claire à tous vos repas, répondit le meunier, je pense-
rais que vous vous êtes mis justement dans la disposition où il faut être pour rencontrer la *Grand'Bête*,
la levrette blanche, ou *Georgeon*, *le meneur des loups*.
Mais vous êtes un homme trop savant et trop raisonnable pour croire à ces histoires-là. Il faut donc qu'il
vous soit arrivé quelque chose. Un chien enragé, peut-
être ?

— Pire que cela, dit Lémor en reprenant ses esprits
peu à peu ; une femme enragée, mon ami ! une sor-
cière qui courait plus vite que moi et qui a disparu, je
ne sais comment, au moment où j'allais me jeter à
l'eau pour m'en débarrasser.

— Une femme ? oh ! oh ! et que disait-elle ?

— Elle me prenait pour un certain Paul qui lui
tient fort au cœur, à ce qu'il paraît.

— Je m'en doutais, c'est cela ! c'est la folle du
château. Faut-il que je sois étourdi de ne pas avoir
prévu que vous pouviez la rencontrer ici ? Vrai, cela
m'était sorti de la tête ! Nous sommes si accoutumés

à la voir trotter le soir comme une vieille belette, que nous n'y faisons plus d'attention. Et pourtant, c'est un malheur à fendre le cœur quand on y songe ! Mais comment diable s'est-elle mise après vous ? Elle a coutume de s'enfuir quand elle voit venir de son côté. Il faut que son mal ait empiré depuis peu ; la dose était pourtant assez bonne comme cela, pauvre fille !

— Quelle est donc cette infortunée créature ?

— On vous contera cela plus tard. Doublons le pas, s'il vous plaît ! vous avez l'air *vanné*[1] de fatigue.

— Je crois que je me suis brisé les genoux en tombant.

— Pourtant, il y a là au bout du sentier *quelqu'un* qui s'impatiente à vous attendre, dit le meunier en baissant la voix encore plus.

— Oh ! s'écria Lémor, je me sens plus léger que le vent de la nuit ! »

Et il se mit à courir.

« Doucement ! dit le meunier en le retenant. Ne courez que sur l'herbe. Pas de bruit ! Elle est là sous ce grand arbre. Ne quittez pas l'endroit. Je vais faire la ronde tout autour en cas de surprise.

— Y a-t-il donc quelque danger pour elle à venir ici ? dit Lémor effrayé.

— Si je le pensais, je l'aurais bien empêchée d'y venir ! Ils sont tous occupés, au château neuf de la fête de demain. Mais quand je ne servirais qu'à écarter la folle, s'il lui prend fantaisie de revenir vous tourmenter ! »

---

1. *Vanné* est ressenti par G. Sand qui le met en italique comme plus spécifiquement paysan que par nous : le mot est entré dans le langage courant.

Henri, tout à son bonheur, oublia tout le reste, et alla se précipiter aux pieds de Marcelle, qui l'attendait sous un massif de chênes, dans l'endroit le moins fréquenté du bois.

Aucune explication ne trouva place dans leur première expansion. Chastes et retenus, comme ils l'avaient toujours été, ils éprouvaient pourtant une ivresse qu'aucune parole humaine n'eût pu exprimer à leur gré. Ils étaient comme stupéfaits de se revoir si tôt, après avoir cru presque à une éternelle séparation, et cependant ils ne cherchaient pas à se faire comprendre l'un à l'autre tout ce qui s'était passé en eux pour les amener à rétracter si vite tous leurs projets de courage et de sacrifice. Ils devinaient bien mutuellement quelles souffrances inacceptables et quel entraînement irrésistible les avaient forcés à courir l'un vers l'autre, au moment où ils venaient de jurer de se fuir.

« Insensé ! qui voulais me quitter pour toujours ! disait Marcelle en abandonnant sa belle main à Lémor.

— Cruelle ! qui voulais me bannir pour un an ! » répondit Henri en couvrant cette main de ses lèvres embrasées.

Et Marcelle comprenait bien que sa résolution d'un an de courage avait été plus sincère à ses propres yeux que l'exil éternel auquel Lémor avait essayé de se condamner.

Aussi quand ils purent se parler, effort dont ils ne furent capables qu'après s'être longtemps regardés dans le silence du ravissement, Marcelle revint-elle la première à ce dessein vraiment louable.

« Lémor, dit-elle, ceci n'est qu'un rayon de soleil

entre deux nuages. Il faut obéir à la loi du devoir.
Quand même nous ne rencontrerions ici aucun obstacle à la sécurité de nos relations, il y aurait quelque
chose de profondément irréligieux à nous réunir si
vite, et nous devons nous revoir à cette heure pour
la dernière fois jusqu'à l'expiration de mon deuil.
Dites-moi que vous m'aimez et que je serai votre
femme, et j'aurai toute la force nécessaire pour vous
attendre.

— Ne me parlez pas de séparation maintenant !
dit Lémor avec impétuosité. Oh ! laissez-moi savou-
rer cet instant, qui est le plus beau de ma vie. Laissez-
moi oublier ce qui était hier, et ce qui sera demain.
Voyez comme cette nuit est douce, comme ce ciel est
beau ! Comme ce lieu-ci est tranquille et embaumé !
Vous êtes là ! c'est bien vous, Marcelle, ce n'est pas
votre ombre ! Nous sommes là tous les deux ! nous
nous sommes retrouvés par hasard et involontairement ! Dieu l'a voulu, et nous avons été si heureux
d'obéir, *tous les deux !* vous aussi, Marcelle ! autant
que moi ? Est-ce possible ! non, je ne rêve pas, car
vous êtes ici, près de moi ! avec moi ! seuls ! heureux ! nous nous aimons tant ! nous n'avons pas pu
nous quitter, nous ne le pouvons pas, nous ne le pourrons jamais !

— Et pourtant, ami…

— Je sais ! je sais ce que vous voulez dire. Demain,
un autre jour, vous m'écrirez, vous me ferez dire
votre volonté. J'obéirai, vous le savez bien ! Pourquoi
m'en parlez-vous ce soir ? pourquoi gâter ce moment
qui n'a pas eu son pareil dans toute ma vie ? Laissez-
moi me persuader qu'il ne finira jamais. Marcelle, je

vous vois ! Oh ! que je vous vois bien, malgré la nuit ! que vous êtes embellie depuis trois jours… depuis ce matin, où vous étiez déjà si belle ! Oh ! dites-moi que votre main ne sortira plus jamais de la mienne ! je la tiens si bien !

— Ah ! vous avez raison, Lémor ! Soyons heureux de nous retrouver, et ne pensons pas maintenant qu'il faudra se quitter… demain… un autre jour.

— Oui, un autre jour, un autre jour ! s'écria Henri.

— Faites-moi donc le plaisir de parler plus bas, dit le meunier en se rapprochant. J'entends malgré moi tout ce que vous dites, monsieur Henri ! »

Les deux amants restèrent pendant près d'une heure plongés dans une pure extase, faisant les plus doux rêves d'avenir et parlant de leur bonheur, comme s'il devait, non pas s'interrompre, mais commencer le lendemain. La brise secouait sur eux les parfums de la nuit, et les étoiles sereines passaient sur leurs têtes sans qu'ils voulussent s'apercevoir de la marche inévitable du temps, qui ne s'arrête que dans le cœur des amants heureux.

Mais le meunier, après avoir donné de loin plus d'un signe d'impatience, vint les interrompre lorsque l'inclinaison des étoiles polaires lui indiqua dix heures au cadran céleste.

« Mes amis, dit-il, impossible à moi de vous laisser là, et impossible aussi de vous attendre un instant de plus. Je n'entends plus chanter les bouviers dans la cour de la ferme, et les lumières s'éteignent aux fenêtres du château neuf. Il n'y a plus que celle de Mlle Rose qui brille, elle attend Mme Marcelle pour se coucher. M. Bricolin va venir faire sa ronde ici avec ses chiens, comme il fait toujours la veille des jours de fête. Partons vite. »

Lémor se récria : il ne faisait, disait-il, que d'arriver.

« C'est possible, dit le meunier : mais moi, savez-vous qu'il faut que j'aille à La Châtre ce soir ?

— Comment ! pour mes affaires ? dit Marcelle.

— S'il vous plaît ! Je veux voir votre notaire avant qu'il se couche, et je ne me soucie pas d'aller lui parler demain au jour pour que M. Bricolin ait avis que je conspire contre lui.

— Mais, Grand-Louis, dit Marcelle, je ne veux pas que, pour moi, vous risquiez...

— Assez, assez causé, répondit le meunier. Je veux faire ce qui me plaît, moi... Et tenez ! j'entends aboyer les chiens jaunes ! Rentrez dans le pré, madame Marcelle, et nous, mon Parisien, prenons par le chemin d'en haut, s'il vous plaît. Détalons ! »

Les amants se séparèrent sans se rien dire : ils craignaient trop de se rappeler qu'ils devaient regarder cette entrevue comme la dernière. Marcelle n'avait pas la force de fixer un jour pour le départ de Henri, et celui-ci craignant qu'elle ne le fixât, se hâta de s'éloigner après avoir dix fois baisé sa main en silence.

« Eh bien ! qu'avez-vous décidé ? lui demanda le meunier, lorsqu'ils eurent gagné la lisière du parc.

— Rien, mon ami, dit Lémor. Nous n'avons parlé que de notre bonheur...

— Futur ; mais le présent ?

— Il n'y a pas de présent, pas d'avenir. Tout cela, c'est la même chose quand on s'aime.

— Voilà que vous battez la campagne. J'espère pourtant que vous allez vous tenir tranquille et ne pas

trop me faire *trimer* la nuit dans les bois avec des
transes mortelles. Allons, mon garçon, vous voilà dans
votre chemin. Vous saurez bien retourner tout seul à
Angibault ?

— Parfaitement. Mais ne voulez-vous pas que je
vous accompagne à la ville où vous allez ?

— Non, c'est trop loin. L'un de nous deux serait
à pied et retarderait l'autre, à moins de faire à la
mode du pays et de monter tous deux sur Sophie ;
mais la pauvre bête a *trop d'âge*, et, d'ailleurs, elle
n'a pas encore soupé. Je m'en vas la chercher à un
arbre où je l'ai attachée là-bas après avoir fait mine
de reprendre le chemin du moulin. Savez-vous que
ça m'a donné du souci, de laisser comme ça cette
pauvre Sophie à la garde de Dieu ? Je l'ai bien cachée
dans les branches ; mais si quelque vagabond, comme
il en vient de toutes sortes pour l'Assemblée, s'était
avisé de me la dénicher ! Pendant que vous roucou-
liez là-bas, Sophie me trottait dans la tête !…

— Allons ensemble la chercher !

— Non pas, non pas ! vous êtes toujours prêt
à retourner du côté du château, vous ! je le vois
bien ! Allez-vous-en dire à ma mère de se coucher
sans inquiétude ; je rentrerai peut-être un peu tard.
M. Tailland, le notaire, voudra me garder à souper.
C'est un bon vivant, un fin gourmand et un aimable
homme. J'aurai comme ça le temps de lui parler des
affaires de Blanchemont, et Sophie mangera son pico-
tin chez lui sans demander de consultation ».

Lémor n'insista pas pour accompagner son ami.
Quelque affection et quelque reconnaissance que le
bon meunier lui inspirât, il préférait être seul, après

les émotions de la soirée. Il avait besoin de penser à Marcelle sans préoccupation, et de recommencer, en se le retraçant, le doux songe qu'il venait de faire à ses pieds. Il reprit donc le chemin d'Angibault à peu près comme un somnambule retrouve celui de son lit. J'ignore s'il suivit bien la route, s'il traversa la rivière sur le pont, s'il ne fit pas le double de son étape, s'il ne s'oublia pas maintes fois au bord des fontaines. La nuit était pleine de volupté, et, depuis le coq qui jetait sa fanfare aux échos des chaumières jusqu'au grillon qui chuchotait mystérieusement dans les herbes, tout lui semblait répéter, en triomphe comme en secret, le nom chéri de Marcelle.

Mais en arrivant au moulin, il se sentit tellement brisé de fatigue, qu'aussitôt après avoir averti la bonne meunière de ne pas attendre son fils, il alla se jeter sur le petit lit que Louis lui avait fait dresser dans sa propre chambre. La Grand'Marie ayant bien recommandé à Jeannie de ne pas trop faire attendre son maître pour se réveiller, quand il faudrait mettre Sophie à l'étable, alla reposer aussi. Mais la tendresse maternelle ne dort que d'un œil, et l'orage s'étant élevé, la bonne femme s'éveilla en sursaut à tous les roulements de tonnerre qui passaient sur la vallée, croyant entendre son fils frapper à la porte de Jeannie, qui couchait dans le moulin. Quand le jour parut, elle se leva avec précaution et alla lui recommander de ne pas faire trop de bruit, parce que Grand-Louis, étant sans doute rentré tard, devait avoir besoin de dormir un peu plus que de coutume. Elle fut donc fort surprise et presque effrayée lorsque Jeannie lui répondit que son maître n'était pas encore rentré.

« Pas possible ! dit-elle. Il ne découche jamais quand il ne va qu'à Blanchemont.

— Ah ! bah ! notre maîtresse, c'est la veille de la fête. Personne ne dort là-bas. Les cabarets sont ouverts toute la nuit. Les *cornemuseux*[1] arrivent en jouant leurs plus belles marches. Ça met le cœur en danse. On voudrait déjà être au lendemain ; on ne songe pas à se coucher, on a peur de se réveiller trop tard et de perdre un *tant si peu de la divertissance*. Notre maître se sera amusé, il aura fait nuit blanche.

— Le maître ne passe pas ses nuits au cabaret, répondit la meunière en secouant la tête, après avoir ouvert la porte de l'écurie pour bien voir si Sophie n'était pas au râtelier. Je croyais, ajouta-t-elle, qu'il serait rentré sans vouloir te réveiller, Jeannie. Ça lui coûte ; il aime mieux se servir lui-même que de déranger un enfant comme toi qui dors *à pleins yeux*. Mais lui n'a pas dormi ! Il a bien fatigué aussi avant-hier, il a été loin. Il s'est couché tard l'autre nuit, et celle-ci, pas du tout !… »

La meunière alla faire sa toilette du dimanche avec un profond soupir. *Scélérate* d'amour ! pensait-elle, c'est là ce qui le tourmente et le tient sur pied le jour et la nuit. Comment tout ça finira-t-il pour lui ?

---

1. Les cornemuseux : on sait l'attention portée par G. Sand à la musique populaire, les cornemuseux seront les héros des *Maîtres sonneurs*.

QUATRIÈME JOURNÉE

XXV

SOPHIE

La bonne meunière était plongée dans de tristes pensées, et, suivant l'habitude de quelques vieillards, elle les exprimait tout haut, en allant de son armoire à son dressoir, occupée machinalement de préparer son corsage antique à longues basques et le tablier d'indienne à carreaux qu'elle gardait précieusement depuis sa jeunesse, l'estimant beaucoup parce qu'il avait coûté dans ce temps-là quatre fois plus qu'une étoffe plus belle ne coûte aujourd'hui.

«Ne vous faites pas de chagrin, ma mère, dit le Grand-Louis qui l'écoutait au seuil de la porte où il venait d'arriver sans qu'elle l'aperçût; tout cela finira comme ça pourra; mais votre fils tâchera toujours de vous rendre heureuse.

— Eh! mon pauvre enfant, je ne te voyais pas!» dit la meunière un peu honteuse encore à son âge d'être surprise par son fils avec ses longs cheveux gris déroulés sur ses épaules; car les paysannes de la Vallée-Noire mettaient, de son temps, une extrême pudeur à ne jamais montrer leur chevelure. Mais la Grand'Marie oublia bientôt ce mouvement de pruderie surannée en voyant le désordre et la pâleur du meunier.

« Jésus, mon Dieu ! dit-elle en joignant les mains, comme te voilà fatigué ! On dirait que tu as reçu toute la pluie de cette nuit ! Eh ! vraiment ! tu es encore tout humide. Va donc vite te changer. Comment donc n'as-tu pas trouvé une maison pour te mettre à l'abri ? Et quelle mauvaise mine tu as ce matin ! Ah ! mon pauvre enfant, on dirait que tu veux te rendre malade !

— Eh non ! mère, ne vous tourmentez donc pas comme ça ! dit le meunier en s'efforçant de prendre son air de gaieté habituelle. J'ai passé la nuit à l'abri chez des amis... des gens à qui j'avais affaire et qui m'ont fait bien souper. Je ne me suis mouillé qu'un peu tantôt, parce que je suis revenu à pied.

— À pied ! et qu'as-tu donc fait de Sophie ?

— Je l'ai prêtée à... *chose*... de *là-bas*...

— Qui donc, chose de là-bas ?...

— Vous savez bien ? Bah ! Je vous dirai ça plus tard. Si vous voulez aller à l'Assemblée, je prendrai la petite noire, et je vous mènerai en croupe.

— Tu as tort de prêter Sophie, mon enfant. C'est une bête qui n'a pas sa pareille et qui mériterait d'être épargnée. J'aimerais mieux te voir prêter les deux autres.

— Et moi aussi. Mais que voulez-vous ? ça s'est trouvé comme ça. Allons, mère, je vais m'habiller, et quand vous voudrez partir, vous m'appellerez.

— Non, non, je vois bien que tu n'as pas *goûté de dormir* cette nuit, et je veux que tu ailles faire un somme. Nous avons encore du temps de reste jusqu'à l'heure de la messe. Ah! Grand-Louis, quelle mine, quelle mine! ça ne vaut rien de courir comme ça!

— Soyez tranquille, mère, je ne me sens pas malade, et ça ne recommencera pas souvent. Il faut bien s'étourdir un peu quelquefois. »

Et le meunier, encore plus triste d'affliger sa mère dont l'inquiétude et le mécontentement ne s'exprimaient jamais qu'avec une extrême douceur et une sage retenue, alla se jeter sur son lit avec un certain mouvement de colère qui réveilla Lémor.

« Vous vous levez déjà? lui dit ce dernier en se frottant les yeux.

— Non pas, je me couche, avec votre agrément, répondit le meunier qui remuait son lit à coups de poing.

— Ami! vous avez du chagrin, reprit Lémor, réveillé tout à fait par les signes non équivoques de la rage intérieure du Grand-Louis.

— Du chagrin? oui, Monsieur, j'en conviens, peut-être plus que ne vaut la chose; mais enfin, ça me fait plus de peine que je ne voudrais, je ne peux pas m'en empêcher. »

Et de grosses larmes roulaient dans les yeux fatigués du meunier.

« Mon ami! s'écria Lémor en sautant à bas de son lit et en s'habillant à la hâte, il vous est arrivé un malheur cette nuit, je le vois bien! Et moi je dormais là tranquillement! Mon Dieu, que puis-je faire? où dois-je courir?

— Ah! ne courez pas, c'est inutile, dit Grand-Louis en haussant les épaules, comme s'il eût rougi de sa

faiblesse, j'ai assez couru cette nuit pour rien, et me
voilà sur les dents… pour une bêtise après tout ! mais
que voulez-vous, on s'attache aux animaux comme
aux gens, et on regrette un vieux cheval comme un
vieux ami. Vous ne comprendriez pas ça, vous autres
gens de la ville ; mais nous, bonnes gens de paysans,
nous vivons avec les bêtes, dont nous ne différons
guère !

— Et vous avez perdu Sophie, je comprends.

— Perdu, oui ; c'est-à-dire qu'on me l'a volée.

— Peut-être hier dans la garenne ?

Précisément. Vous souvenez-vous que j'en avais
comme un mauvais présage dans la tête ! Quand vous
m'avez eu quitté, je suis retourné dans un endroit où
je l'avais bien cachée, et d'où la pauvre bête, patiente
comme un mouton, ne se serait certainement pas
détachée… De sa vie elle n'a cassé bride ni licou. Eh
bien ! Monsieur, cheval et bride, tout avait disparu.
J'ai cherché, j'ai couru, rien ! Avec ça que je n'osais
pas trop la demander, surtout à la ferme ; ça aurait
donné à penser ! On m'aurait demandé à moi-même
comment, étant parti monté sur ma bête, je l'avais
perdue en route. On aurait cru que j'étais ivre, et
Mme Bricolin n'aurait pas manqué de rapporter devant
Mlle Rose que j'avais eu quelque vilaine aventure
indigne d'un homme qui ne pense qu'à elle au monde.
J'ai cru d'abord que quelqu'un avait voulu me faire
niche. Je suis entré dans toutes les maisons. Tout le
bourg quasiment était encore sur pied. J'ai flâné chez
l'un, chez l'autre, sans faire semblant de rien. Je suis
entré dans toutes les écuries, et même dans celle du
château sans qu'on m'ait aperçu : point de Sophie !

Blanchemont est, à cette heure, rempli de gens de toute farine, et il se sera certainement trouvé dans le nombre quelque rusé coquin qui étant venu à pied, s'en est retourné à cheval en se disant que la fête a été assez bonne pour lui avant de commencer, sans qu'il soit besoin d'en voir davantage. Allons, il n'y faut plus penser. Heureusement qu'au milieu de tout cela, je n'ai pas trop perdu la tête. J'ai été de mon pied léger à La Châtre. J'ai vu mon notaire ; il était un peu tard, il avait fini de souper, et la digestion le rendait un peu lourd ; mais il sera tantôt à la fête, il me l'a promis. En le quittant, j'ai encore fureté partout et battu les buissons comme un chasseur de nuit. J'ai trotté par la pluie et le tonnerre jusqu'au jour, espérant toujours que je découvrirais mon larron caché quelque part. Inutile ! Je ne veux pas faire *tambouriner* mon accident, ça ferait du scandale, et si l'on en venait à une enquête nous serions propres, avec cette histoire de cheval caché dans la garenne et abandonné là pendant une heure sans que je puisse expliquer pourquoi et comment. Je l'avais mis bien loin de votre rendez-vous, afin que s'il venait à remuer un peu, le bruit n'attirât pas l'attention de votre côté. Pauvre Sophie ! J'aurais dû me fier à son bon sens. Elle n'aurait pas bougé !

— Ainsi, c'est moi qui suis la cause de cette mésaventure ! Grand-Louis, j'en ai plus de chagrin que vous, et vous me permettrez certainement de vous indemniser autant qu'il me sera possible.

— Taisez-vous, Monsieur ; je me moque bien du peu d'argent que la vieille bête pouvait valoir en foire ! Croyez-vous que pour une centaine de francs j'aurais tant de souci ? Oh ! non pas : ce que je regrette, c'est elle, et non pas son prix, elle n'en avait pas pour moi. Elle était si courageuse, si intelligente, elle me connaissait si bien ! Je suis sûr qu'à l'heure qu'il est elle pense à moi, et regarde de travers celui qui la soigne. Pourvu au moins qu'il la soigne bien ! Si j'en étais sûr, j'en serais quasi consolé. Mais il la pansera à coups de manche de fouet, et il la nourrira avec des cosses de châtaignes ! Car ça doit être quelque filou marchois qui l'emmènera dans sa montagne pâturer dans un champ de pierres, au lieu de son joli petit pré au bord de l'eau, où elle vivait si bien et où elle faisait encore la folle avec les jeunes pouliches, tant elle s'y sentait de bonne humeur à la vue de la verdure. Et ma mère ! c'est elle qui en aura du regret ! avec cela que je ne pourrai jamais lui expliquer comment ce malheur-là m'est arrivé. Je n'ai pas encore eu le courage de le lui dire. N'en parlez donc pas jusqu'à ce que j'aie trouvé dans ma cervelle quelque histoire pour lui rendre la nouvelle moins amère. »

Il y avait dans les regrets naïfs du meunier quelque chose de comique et de touchant à la fois, et Lémor, désolé d'être la cause de son chagrin, s'en affecta tellement lui-même que le bon Louis s'efforça de l'en consoler.

« Allons, allons, dit-il, c'est assez de niaiseries comme cela pour une créature à quatre pieds. Je sais bien que ce n'est pas votre faute, et je n'ai pas eu un instant la pensée de vous le reprocher. Que ça ne gâte pas le souvenir de votre bonheur, l'ami ! c'est bien peu de chose au prix d'une si belle soirée que vous passiez pendant ce temps-là ! Et si j'avais jamais un rendez-vous avec Rose, moi, je me soucierais bien d'aller toute ma vie à cheval sur un manche à balai ! N'allez pas parler de cela à Mme Marcelle ; elle serait capable de me donner un cheval de mille francs, et vrai, cela me ferait de la peine. Je ne veux plus m'attacher aux bêtes. Il y a bien assez de souci comme ça dans la vie avec les gens ! vous dis-je ; pensez à vos amours et faites-vous beau, mais toujours paysan, pour aller à la fête, car il faut bien que l'on s'habitue un peu à votre figure dans le pays. Ça vaudra mieux que de vous cacher, ce qui donnerait des soupçons tout de suite. Vous verrez Mme Marcelle ; vous ne lui parlerez pas, par exemple ! D'ailleurs, vous n'aurez pas l'occasion, elle ne dansera pas : elle est en grand deuil !... mais Rose n'y est pas, jarnigué ! et je compte bien danser avec elle jusqu'à la nuit, à présent que le papa mignon y consent. Ça me fait penser qu'il faut que je dorme une couple d'heures pour n'avoir pas l'air d'un déterré. Ne vous chagrinez plus, dans cinq minutes vous allez m'entendre ronfler. »

Le meunier tint parole, et quand, vers dix heures, on lui amena sa jument noire, beaucoup plus belle, mais moins aimée que Sophie, quand revêtu de sa veste de drap fin des dimanches, le menton bien rasé, le teint clair et l'œil brillant, il serra sa monture robuste dans ses grandes jambes, la meunière en s'asseyant derrière lui à l'aide d'une chaise et du bras de Lémor, ressentit un mouvement d'orgueil d'être la mère du beau farinier.

On n'avait guère mieux dormi à la ferme qu'au moulin, et nous sommes forcés de revenir un peu sur nos pas pour mettre le lecteur au courant des événements qui s'y passèrent la nuit qui précéda la fête.

Lémor, partagé entre l'agitation pénible que lui avait causée son étrange rencontre avec la folle, et la joie enivrante de revoir Marcelle, n'avait pas remarqué, dans la garenne, que le meunier n'était pas beaucoup plus calme que lui. Grand-Louis avait trouvé la cour de la ferme remplie de mouvement et de tumulte. Deux pataches et trois cabriolets, qui avaient apporté dans leurs flancs solides toute la parenté des Bricolin, reposaient inclinés sur leurs bras fatigués le long des étables et des fumiers. Toutes les pauvres voisines, avides de gagner un mince salaire, avaient été mises en réquisition pour aider à préparer le souper de ces hôtes plus nombreux et plus affamés qu'on ne s'y attendait au château neuf. M. Bricolin, plus vain de montrer son opulence que contrarié des frais qu'elle allait entraîner, était de la meilleure humeur. Ses filles, ses fils, ses cousines, ses neveux et ses gendres, venaient, chacun à son tour, lui demander à l'oreille quel jour on pendrait la crémaillère au vieux château restauré et rebadigeonné, avec le chiffre des Bricolin en guise d'écusson sur la porte. « Car enfin tu vas être seigneur et maître de Blanchemont, lui disait-on pour refrain banal, et tu administreras un peu mieux ta fortune que tous ces comtes et barons auxquels tu vas succéder, à la plus grande gloire de l'aristocratie nouvelle, de la noblesse des bons écus. » Bricolin était donc ivre d'orgueil, et, tout en répondant avec un sourire malicieux à ses chers parents : « Pas encore, pas encore ! Peut-être jamais ! » il prenait avec délices toute l'importance d'un seigneur châtelain. Il ne regardait plus à la dépense, il donnait des ordres à ses valets, à sa mère, à sa fille et à sa femme d'une voix tonnante et en gonflant son gros ventre jusqu'au menton. Toute la maison était bouleversée, la mère Bricolin plumait des poulets, à peine morts, par douzaines, et Mme Bricolin, qui avait été d'abord d'une humeur massacrante en gouvernant le tumulte de la cuisine, commençait à s'égayer aussi à sa manière, en voyant le repas copieux, les chambres préparées et ses hôtes ravis d'admiration. Ce fut à la faveur de tout ce désordre que le meunier put facilement parler à Marcelle, et qu'elle-même, s'excusant par une migraine, avait pu se soustraire au souper et aller rejoindre, pendant ce festin, Lémor au fond de la garenne.

Rose, elle-même, tandis qu'on mettait le couvert, avait trouvé plus d'un excellent prétexte pour errer dans la cour et pour dire en passant quelques paroles amicales au Grand-Louis, suivant sa coutume. Mais sa mère, qui ne la perdait guère de vue, avait trouvé de son côté un moyen d'éloigner promptement le meunier. Forcée de se soumettre aux ordres de son mari, qui lui avait impérativement enjoint de ne pas faire mauvaise mine à ce dernier, elle avait imaginé, pour assouvir sa haine et pour faire honte à Rose de son amitié pour lui, de le ridiculiser auprès de ses autres filles et de ses autres parentes, toutes assez malicieuses et insolentes, les jeunes comme les vieilles. Elle leur avait rapidement confié, à chacune en particulier, que ce bel esprit de village se flattait de plaire à sa fille, que Rose n'en savait rien et n'y faisait nulle attention ; que M. Bricolin, n'y voulant pas croire, le traitait avec beaucoup trop de bonté ; mais qu'elle possédait de bonne source un fait curieux : à savoir, que *le beau farinier*, la coqueluche de toutes les filles de mauvaise vie de la campagne, s'était maintes fois vanté de plaire à la plus riche bourgeoise qu'il lui conviendrait de courtiser, à celle-ci tout aussi bien qu'à celle-là… Et là-dessus, Mme Bricolin nommait les personnes présentes, et riait d'une manière âcre et méprisante en retroussant son tablier et mettant le poing sur sa hanche.

De la partie féminine de la famille, la confidence avait promptement passé, de bouche en bouche et d'oreille en oreille, à tous les Bricolin de l'autre sexe, si bien que Grand-Louis, qui ne songeait qu'à s'en aller rejoindre Lémor, se vit bientôt assailli d'épigrammes si plates qu'elles étaient incompréhensibles, et accompagné, dans sa retraite, de rires mal étouffés et de chuchotements de la dernière impertinence. Ne concevant rien à la gaieté qu'il excitait, il était sorti de la ferme inquiet, soucieux, et plein de mépris pour le gros sel de messieurs les bourgeois de campagne rassemblés à Blanchemont ce soir-là.

D'après la recommandation de Mme Bricolin, on eut soin que M. Bricolin ne s'aperçût pas de la conspiration, et on se donna parole pour persécuter le meunier le lendemain en présence de Rose. C'était, disait sa mère, une nécessité d'humilier ce manant sous ses yeux, afin qu'elle apprît à ne pas trop écouter son bon cœur, et à tenir les paysans à distance.

Après le souper, on fit venir les ménétriers et on dansa dans la cour par anticipation du lendemain. C'était dans un intervalle de repos que le meunier, inquiet et pressé de se rendre à La Châtre, avait assuré que la soirée de plaisir était close au château neuf, et qu'il avait forcé les deux amants à se séparer beaucoup plus tôt qu'ils ne l'eussent souhaité.

Lorsque Marcelle revint à la ferme, on avait recommencé à se divertir, et, se sentant le même besoin de solitude et de rêverie qui avait emporté Lémor dans les traînes de la Vallée-Noire, elle retourna dans la garenne et s'y promena lentement jusqu'à minuit. Le son de la cornemuse, uni à celui de la vielle, écorche un peu les oreilles de près ; mais, de loin, cette voix rustique qui chante parfois de si gracieux motifs rendus plus originaux par une harmonie barbare, a un charme qui pénètre les âmes simples et qui fait battre le cœur de quiconque en a été bercé dans les beaux jours de son enfance. Cette forte vibration de la musette, quoique rauque et nasillarde, ce grincement aigu et ce *staccato* nerveux de la vielle sont faits l'un pour l'autre et se corrigent mutuellement. Marcelle les écouta longtemps avec plaisir, et, remarquant que l'éloignement leur donnait de plus en plus de charme, elle se trouva à l'extrémité de la garenne, perdue dans le rêve d'une vie pastorale dont on pense bien que son amour faisait tous les frais.

Mais elle s'arrêta tout à coup en rencontrant presque sous ses pieds la folle étendue par terre, sans mouvement et comme morte. Malgré le dégoût que lui inspirait la malpropreté inouïe de ce malheureux être, elle se décida, après avoir vainement essayé de l'éveiller, à la soulever dans ses bras et à la traîner à quelque distance. Elle l'appuya contre un arbre, et ne se sentant pas la force de la porter plus loin, elle se disposait à aller lui chercher du secours à la ferme, lorsque

la Bricoline commença à sortir de sa torpeur et à soulever, avec sa main décharnée, ses longs cheveux
hérissés d'herbes et de gravier qui lui pesaient sur le
visage. Marcelle l'aida à écarter ce voile épais qui
gênait sa respiration, et, pour la première fois, osant lui
adresser la parole, elle lui demanda si elle souffrait.

« Certainement, je souffre ! » répondit la folle avec
une indifférence effrayante, et du ton dont elle aurait
dit : j'existe encore ; puis elle ajouta d'une voix brève
et impérieuse : « L'as-tu vu ? Il est revenu. Il ne veut
pas me parler. T'a-t-il dit pourquoi ?

— Il m'a dit qu'il reviendrait, répondit Marcelle
essayant de flatter sa manie.

— Oh ! il ne reviendra pas, s'écria la folle en se
levant avec impétuosité ; il ne reviendra plus ! Il a
peur de moi. Tout le monde a peur de moi, parce que
je suis très riche, très riche, si riche que l'on m'a
défendu de vivre. Mais je ne veux plus être riche ;
demain je serai pauvre. Il est temps que cela finisse.
Demain tout le monde sera pauvre. Tu seras pauvre
aussi, Rose, et tu ne feras plus peur. Je punirai les
méchants qui veulent me tuer, m'enfermer, m'em-
poisonner...

— Mais il y a des personnes qui vous plaignent et
ne vous veulent que du bien, dit Marcelle.

— Non, il n'y en a pas, répondit la folle avec
colère et en s'agitant d'une manière effrayante. Ils
sont tous mes ennemis. Ils m'ont torturée, ils m'ont
enfoncé un fer rouge dans la tête. Ils m'ont attachée
aux arbres avec des clous, ils m'ont jetée plus de deux
mille fois du haut des tours sur le pavé. Ils m'ont traversé le cœur avec de grandes aiguilles d'acier. Ils

m'ont écorchée vive ; c'est pour cela que je ne peux plus m'habiller sans souffrir des douleurs atroces. Ils voudraient m'arracher les cheveux, parce que cela me défend un peu de leurs coups... Mais je me vengerai[1] ! J'ai rédigé une plainte ! j'ai mis cinquante-quatre ans à l'écrire dans toutes les langues pour la faire parvenir à tous les souverains de l'univers. Je veux qu'on me rende Paul qu'ils ont caché dans leur cave et qu'ils font souffrir comme moi. Je l'entends crier toutes les nuits quand on le torture... Je connais sa voix... Tenez, tenez, l'entendez-vous ? ajouta-t-elle d'un ton lugubre en prêtant l'oreille aux sons enjoués de la cornemuse. Vous voyez bien qu'on lui fait souffrir mille morts ! Ils veulent le dévorer, mais ils seront punis, punis ! Demain je les ferai souffrir aussi, moi ! Ils souffriront tant que j'en aurai pitié moi-même... »

En parlant ainsi avec une volubilité délirante, l'infortunée s'élança à travers les buissons et se dirigea vers la ferme, sans qu'il fût possible à Marcelle de suivre sa course rapide et ses bonds impétueux.

---

1. La vengeance de la folle constitue une annonce du dénouement.

XXVI

LA VEILLÉE[1]

La danse était plus obstinée que jamais à la ferme. Les domestiques s'étaient mis de la partie, et une poussière épaisse s'élevait sous leurs pieds, circonstance qui n'a jamais empêché le paysan berrichon de danser avec ivresse, non plus que les pierres, le soleil, la pluie, ou la fatigue des moissons et des fauchailles. Aucun peuple ne danse avec plus de gravité et de passion en même temps. À les voir avancer et reculer à la bourrée[2], si mollement et si régulièrement que leurs quadrilles serrées ressemblent au balancier d'une horloge, on ne devinerait guère le plaisir que leur procure cet exercice monotone, et on soupçonnerait encore moins la difficulté de saisir ce rythme élémentaire que chaque pas et chaque attitude du corps doivent marquer avec une précision rigoureuse, tandis qu'une grande sobriété de mouvements et une langueur apparente doivent, pour atteindre à la perfection, en dissimuler entièrement le travail. Mais quand on a passé quelque temps à les examiner, on s'étonne de leur infatigable ténacité, on apprécie l'espèce de grâce molle et naïve qui les préserve de la

---

1. G. Sand a donné beaucoup d'attention à cette forme fondamentale de la culture paysanne et orale : la veillée.   2. La romancière a analysé avec une grande précision les figures de la bourrée à une époque où Chopin redonne dans ses compositions droit de cité à la mazurka.

lassitude, et, pour peu qu'on observe les mêmes personnages dansant dix ou douze heures de suite sans courbature, on peut croire qu'ils ont été piqués de la tarentule, ou constater qu'ils aiment la danse avec fureur. De temps en temps la joie intérieure des jeunes gens se trahit par un cri particulier qu'ils exhalent sans que leur physionomie perde son imperturbable sérieux, et, par moments, en frappant du pied avec force, ils bondissent comme des taureaux pour retomber avec une souplesse nonchalante et reprendre leur balancement flegmatique. Le caractère berrichon est tout entier dans cette danse. Quant aux femmes, elles doivent invariablement glisser terre à terre en rasant le sol, ce qui exige plus de légèreté qu'on ne pense, et leurs grâces sont d'une chasteté rigide.

Rose dansait la bourrée aussi bien qu'une paysanne, ce qui n'est pas peu dire, et son père était orgueilleux en la regardant. La gaieté s'était communiquée à tout le monde ; les musiciens, largement abreuvés, n'épargnaient ni leurs bras ni leurs poumons. La demi-obscurité d'une belle nuit faisait paraître les danseuses plus légères, et surtout Rose, cette fille charmante qui semblait glisser comme une mouette blanche sur des eaux tranquilles, et se laisser porter par la brise du soir. La mélancolie répandue ce soir-là dans tous ses mouvements, la rendait plus belle que de coutume.

Cependant Rose, qui était, au fond du cœur, une vraie paysanne de la Vallée-Noire, dans toute sa simplicité native, trouvait du plaisir à danser, ne fût-ce que pour s'exercer à répondre le lendemain aux nombreuses invitations que le Grand-Louis ne manquerait pas de lui faire. Mais tout à coup le *cornemuseux* trébucha sur le tonneau qui lui servait de piédestal, et l'air contenu dans son instrument s'échappa dans un ton bizarre et plaintif qui força tous les danseurs stupéfaits à s'arrêter et à se tourner vers lui. Au même moment, la vieille, brusquement arrachée des mains de l'autre ménétrier, alla rouler sous les pieds de Rose, et la folle sautant de l'orchestre champêtre où elle s'était élancée d'un bond semblable à celui d'un chat sauvage, se jeta au milieu de la bourrée en criant : «Malheur, malheur aux assassins ! malheur aux bourreaux ! » — Puis elle se précipita sur sa mère qui s'était avancée pour la retenir, lui appliqua ses griffes sur le cou, et l'eût infailliblement étranglée si la vieille mère Bricolin ne l'en eût empêchée en la prenant à bras-le-corps. La folle ne s'était jamais portée à aucun acte de violence envers sa grand-mère, soit qu'elle eût conservé pour elle, sans la reconnaître, une sorte d'amour instinctif, soit qu'elle la reconnût seule parmi tous les autres et qu'elle eût gardé le souvenir des efforts que la bonne femme avait faits pour favoriser son amour. Elle ne fit aucune résistance et se laissa emmener par elle dans la maison, en poussant des cris déchirants qui jetèrent la consternation et l'épouvante dans tous les esprits.

Lorsque Marcelle, qui avait suivi Mlle Bricolin l'aînée, d'aussi près que possible, arriva dans la cour, elle trouva la fête interrompue, tout le monde effrayé, et Rose presque évanouie. Mme Bricolin souffrait sans doute au fond de l'âme, ne fût-ce que de voir cette plaie de son intérieur exposée ainsi à tous les yeux ; mais, dans son activité à réprimer la fureur de l'aliénée et à étouffer le bruit de ses cris, il y avait quelque chose de violent et d'énergique qui ressemblait à la fermeté d'un gendarme incarcérant un perturbateur, plus qu'à la sollicitude d'une mère au désespoir. La mère Bricolin y mettait autant de zèle et plus de sensibilité. C'était un spectacle douloureux que de voir cette pauvre vieille avec sa voix rude et ses manières viriles caresser la folle et lui parler comme à un petit enfant qu'on gourmande et qu'on flatte tour à tour : « Allons, ma mignonne, lui disait-elle, toi qui es si raisonnable ordinairement, tu ne voudrais pas faire de chagrin à ta grand-mère ? Il faut te mettre au lit tranquillement, ou bien je me fâcherai et ne t'aimerai plus. » La folle ne comprenait rien à ces discours et ne les entendait même pas. Cramponnée au pied de son lit, elle poussait des hurlements épouvantables, et son imagination malade lui persuadait qu'elle subissait en cet instant les châtiments et les tortures dont elle avait fait le tableau fantastique à Marcelle.

Cette dernière, s'étant assurée avant tout que son enfant dormait tranquillement sous les yeux de Fanchon, eut à s'occuper de Rose, qui était égarée par la peur et le chagrin. C'était la première fois que la Bricoline exhalait la haine amassée depuis douze ans dans son âme brisée. Une fois tout au plus par semaine elle criait et pleurait quand sa grand-mère la décidait à changer de vêtements. Mais c'étaient alors les cris d'un enfant, et maintenant c'étaient ceux d'une furie. Elle n'avait jamais adressé la parole à personne, et elle venait, pour la première fois, depuis douze ans, de proférer des menaces. Elle n'avait jamais frappé personne, et elle venait de chercher à tuer sa mère.

Enfin, depuis douze ans, cette victime muette de la cupidité de ses parents avait promené à l'écart son inexprimable souffrance, et presque tout le monde s'était habitué à ce spectacle déplorable avec une sorte d'indifférence brutale. On n'en avait plus peur, on était las de la plaindre, on subissait sa présence comme un mal inévitable, et si l'on avait des remords, on ne se les avouait peut-être pas à soi-même. Mais cet épouvantable mal qui la dévorait devait avoir ses phases de recrudescence, et on arrivait à celle où son martyre devenait dangereux pour les autres. Il fallait bien enfin s'en occuper. M. Bricolin, assis dehors devant la porte, écoutait d'un air hébété les condoléances grossières de sa famille.

« C'est un grand malheur pour vous, lui disait-on, et vous l'avez supporté trop longtemps sous vos yeux. C'est une patience au-dessus des forces humaines, et il faudrait bien vous décider enfin à mettre cette malheureuse dans une maison de fous.

— On ne la guérira pas ! répondit-il en secouant la tête. J'ai essayé de tout. C'est impossible ; son mal est trop grand, il faudra qu'elle en meure !

— C'est ce qui pourrait arriver de plus heureux pour elle. Vous voyez bien qu'elle est trop à plaindre sur la terre. Mais enfin si on ne la guérit pas, on vous soulagera de la peine de la soigner et de la voir. On l'empêchera de vous faire du mal. Si vous n'y faites pas attention, elle finira par tuer quelqu'un ou se tuer elle-même devant vous. Ce sera affreux.

— Mais que voulez-vous ? je l'ai dit cent fois à sa mère, et sa mère ne veut pas s'en séparer. Au fond, elle l'aime encore, croyez-moi, et ça se conçoit. Les mères sentent toujours quelque chose pour leurs enfants, à ce qu'il paraît.

— Mais elle sera mieux qu'ici, soyez-en sûr. On les soigne très bien maintenant. Il y a de beaux établissements où ils ne manquent de rien. On les tient propres, on les fait travailler, on les occupe, on dit même qu'on les amuse, qu'on les mène à la messe et qu'on leur fait entendre de la musique.

— En ce cas ils sont plus heureux que chez eux », dit M. Bricolin. Il ajouta après avoir rêvé un instant : « Et tout cela, ça coûte-t-il bien cher ? »

Rose était profondément affectée. Elle était la seule, avec sa grand-mère, qui ne fût pas devenue insensible à la douleur de la pauvre Bricoline. Si elle évitait d'en parler, c'est parce qu'elle ne pouvait le faire sans accuser ses parents de ce parricide moral commis par eux ; mais vingt fois le jour elle se surprenait à frissonner d'indignation en entendant dans la bouche de sa mère les maximes d'égoïsme et d'avarice auxquelles on avait immolé sa sœur sous ses yeux. Aussitôt que sa défaillance fut dissipée, elle voulut aider sa grand-mère à calmer la folle ; mais Mme Bricolin, qui craignait que ce spectacle ne lui fît trop d'impression, et qui avait un vague instinct que l'excessive douleur peut devenir contagieuse, même dans ses résultats physiques, la renvoya avec la dureté qu'elle portait jusque dans sa sollicitude la mieux fondée. Rose fut outrée de ce refus, et revint dans sa chambre, où elle se promena une partie de la nuit, en proie à une vive exaltation, mais n'en voulant point parler, de crainte de s'exprimer avec trop de force devant Marcelle, sur le compte de ses parents.

Cette nuit qui avait commencé par une douce joie, fut donc extrêmement pénible pour Mme de Blanchemont. Les cris de la folle cessaient par intervalles, et reprenaient ensuite plus terribles, plus effrayants. Lorsqu'ils s'arrêtaient, ce n'était pas par degrés et en s'affaiblissant peu à peu, c'était au contraire brusquement, au milieu de leur plus grande intensité, et comme si une mort violente les eût soudainement interrompus.

« Ne dirait-on pas qu'on la tue ? s'écriait alors Rose, pâle et pouvant à peine se soutenir en marchant dans sa chambre. Oui, cela ressemble à un supplice ! »

Marcelle ne voulut pas lui dire quels atroces supplices en effet la folle croyait subir et subissait par la pensée dans ces moments-là. Elle lui cacha l'entretien qu'elle avait eu avec elle dans le parc. De temps en temps elle allait voir la malade ; elle la trouvait alors étendue sur le carreau, les bras étroitement enlacés autour du pied de son lit, et comme suffoquée par la fatigue de crier ; mais les yeux ouverts, fixes, et l'esprit évidemment toujours en travail. La grand-mère, agenouillée auprès d'elle, essayait en vain de glisser un oreiller sous sa tête ou d'introduire, dans sa bouche contractée une cuillerée de potion calmante. Mme Bricolin, assise vis-à-vis sur un fauteuil, pâle et immobile, portait, dans ses traits énergiques fortement creusés, la trace d'une douleur profonde qui ne voulait pas se confesser à Dieu même de son crime. La grosse Chounette, debout dans un coin, sanglotait machinalement sans offrir ses services et sans qu'on songeât à les réclamer. Il y avait un profond découragement sur ces trois figures. La folle seule, lorsqu'elle ne hurlait pas, paraissait rouler de sombres pensées de haine dans son cerveau. On entendait ronfler dans la chambre voisine ; mais ce lourd sommeil de M. Bricolin n'était pas sans agitation. De temps à autre il paraissait interrompu par de mauvais rêves. Plus loin encore, le long de la cloison opposée, on entendait tousser et geindre le père Bricolin ; étranger aux souffrances des autres, il n'avait pas trop du peu de forces qui lui restaient pour supporter les siennes propres.

Enfin, vers trois heures du matin, la pesanteur de l'orage parut accabler les organes excédés de la folle. Elle s'endormit par terre, et on parvint à la mettre au lit sans qu'elle s'en aperçût. Il y avait sans doute bien longtemps qu'elle n'avait goûté un instant de sommeil, car elle s'y ensevelit profondément, et tout le monde put se reposer, même Rose à qui Mme de Blanchemont s'empressa de porter cette meilleure nouvelle.

Si Marcelle n'eût trouvé là l'occasion de se dévouer à la pauvre Rose, elle eût maudit la malheureuse inspiration qui l'avait poussée dans cette maison habitée par l'avarice et le malheur. Elle se fût hâtée de chercher un autre gîte que celui-là, si antipathique à la poésie, si déplaisant dans la prospérité, si lugubre dans la disgrâce. Mais quelque nouvelle contrariété qu'elle pût être exposée à y subir encore, elle résolut d'y rester tant qu'elle pourrait être secourable à sa jeune compagne. Heureusement la matinée fut calme. Tout le monde s'éveilla fort tard, et Rose dormait encore lorsque Mme de Blanchemont, à peine éveillée elle-même, reçut de Paris, grâce à la rapidité des communications actuelles, la réponse suivante à la lettre que trois jours auparavant elle avait écrite à sa belle-mère.

Lettre de la comtesse de Blanchemont
à sa belle-fille,
Marcelle, baronne de Blanchemont.

« Ma fille,

« Que la providence qui vous envoie tout ce courage daigne vous le conserver ! Il ne m'étonne pas de votre part, quoiqu'il soit grand. Ne louez pas le mien. À mon âge on n'a pas longtemps à souffrir ! Au vôtre... heureusement, on ne se fait pas une idée nette de la longueur et de la difficulté de l'existence. Ma fille, vos projets sont louables, excellents, et d'autant plus sages qu'ils sont nécessaires ; encore plus nécessaires que vous ne pensez. Nous aussi, ma chère Marcelle, noue sommes ruinés ! et nous ne pourrons peut-être rien laisser en héritage à notre petit-fils bien-aimé. Les dettes de mon malheureux fils surpassent tout ce que vous en connaissez, tout ce qu'on pouvait prévoir. Nous temporiserons avec les créanciers ; mais nous acceptons la responsabilité, et c'est en privant l'avenir d'Édouard de l'honorable fortune à laquelle il devait aspirer après notre décès. Élevez-le donc avec simplicité. Apprenez-lui à se créer lui-même des ressources par ses talents et à maintenir son indépendance par la dignité avec laquelle il saura supporter le malheur. Quand il sera en âge d'homme nous ne serons plus du monde. Qu'il respecte la mémoire de vieux parents qui ont préféré l'honneur d'un gentilhomme à ses plaisirs, et qui ne lui auront laissé en héritage qu'un nom pur et sans reproche. Le fils d'un banqueroutier n'aurait eu dans la vie que des jouissances condamnables : le fils d'un père coupable aura, du moins, quelque obligation à ceux qui auront su mettre sa vie à l'abri du blâme public.

« Demain je vous écrirai des détails, aujourd'hui je suis sous le coup de la découverte d'un nouvel abîme. Je vous l'annonce en peu de mots. Je sais que vous pouvez tout comprendre et tout supporter. Adieu, ma fille, je vous admire et je vous aime. »

« Édouard ! dit Marcelle en couvrant de baisers son fils endormi, il était donc écrit au ciel que tu aurais la gloire et peut-être le bonheur de ne pas succéder à la richesse et au rang de tes pères ! Ainsi périssent les grandes fortunes, ouvrage des siècles, en un seul jour ! Ainsi les anciens maîtres du monde, entraînés par la fatalité, plus encore que par leurs passions, se chargent d'accomplir eux-mêmes les décrets de la sagesse divine, qui travaille insensiblement à niveler les forces de tous les hommes ! Puisses-tu comprendre un jour, ô mon enfant ! que cette loi providentielle t'est favorable, puisqu'elle te jette dans le troupeau de brebis qui est à la droite du Christ, et te sépare des boucs qui sont à sa gauche. Mon Dieu, donnez-moi la force et la sagesse nécessaires pour faire de cet enfant un homme ! Pour en faire un patricien, je n'avais qu'à me croiser les bras et laisser agir la richesse. À présent j'ai besoin de lumières et d'inspirations ; mon

Dieu, mon Dieu ! vous m'avez donné cette tâche à remplir, vous ne m'abandonnerez pas ! »

« Lémor ! écrivait-elle un instant après, mon fils est ruiné, ses parents sont ruinés. Mon fils est pauvre. Il eût été peut-être un riche indigne et méprisable. Il s'agit d'en faire un pauvre courageux et noble. Cette mission vous était réservée par la Providence. À présent, parlerez-vous jamais de m'abandonner ? Cet enfant, qui était un obstacle entre nous, n'est-il pas un lien cher et sacré ? À moins que vous ne m'aimiez plus dans un an, Henri, qui peut s'opposer maintenant à notre bonheur ? Ayez du courage, ami, partez. Dans un an, vous me retrouverez dans quelque chaumière de la Vallée-Noire, non loin du moulin d'Angibault. »

Marcelle écrivit ce peu de lignes avec exaltation. Seulement, lorsque sa plume traça cette phrase : « *À moins que vous ne m'aimiez plus dans un an* », un imperceptible sourire donna à ses traits une expression ineffable. Elle joignit à ce billet celui de sa belle-mère pour explication, et, cachetant le tout, elle le mit dans sa poche, pensant bien qu'elle ne tarderait pas à revoir le meunier et peut-être Lémor lui-même sous cet habit de paysan qui lui allait si bien.

La folle dormit toute la journée. Elle avait la fièvre ; mais depuis douze ans elle ne l'avait point quittée un seul jour, et cet anéantissement, où on ne l'avait jamais vue, faisait croire à une crise favorable. Le médecin qu'on avait appelé de la ville et qui était habitué à la voir, ne la trouva pas malade relativement à son état ordinaire. Rose, bien rassurée, et rendue aux doux instincts de la jeunesse, s'habilla lentement avec beaucoup de coquetterie. Elle voulait être simple pour ne pas effaroucher son ami, en faisant devant lui l'étalage de sa richesse ; elle voulait être jolie pour lui plaire. Elle chercha donc les plus ingénieuses combinaisons, et réussit à être modeste comme une fille des champs et belle comme un ange du paradis. Sans vouloir s'en rendre compte, au milieu de toutes ses douleurs, elle avait un peu tremblé à l'idée de perdre cette riante journée. À dix-huit ans, on ne renonce pas sans regret à enivrer tout un jour l'homme dont on est aimée, et cette crainte était venue, à l'insu d'elle-même, se mêler à la sincère et profonde douleur que sa sœur lui avait fait éprouver. Lorsqu'elle parut à la grand-messe, il y avait longtemps que Louis guettait son entrée. Il s'était placé de manière à ne pas la perdre de vue un instant. Elle se trouva comme par hasard auprès de la Grand'Marie, et il la vit avec attendrissement mettre son joli châle sous les genoux de la meunière, en dépit du refus de la bonne femme.

Après l'office, Rose prit adroitement le bras de sa grand-mère, qui avait coutume de ne pas quitter la meunière, son ancienne amie, quand elle avait le plaisir de la rencontrer. Ce plaisir devenait chaque année plus rare, à mesure que l'âge rendait aux deux matrones la distance de Blanchemont à Angibault plus difficile à franchir. La mère Bricolin aimait à causer. Continuellement *rembarrée*, comme elle disait, par sa belle-fille, elle avait un flux de paroles rentrées à verser dans le sein de la meunière, qui, moins expansive, mais sincèrement attachée à sa compagne de jeunesse, l'écoutait avec patience et lui répondait avec discernement.

De cette façon, Rose espérait échapper toute la journée à la surveillance de Mme Bricolin et même à la société de ses autres parents, la grand-mère aimant beaucoup mieux l'entretien des paysans ses pareils que celui des parvenus de sa famille.

Sous les vieux arbres du terrier, en vue d'un site charmant, la foule des jolies filles se pressait autour des ménétriers placés deux à deux sur leurs tréteaux à peu de distance les uns des autres, faisant assaut de bras et de poumons, se livrant à la concurrence la plus jalouse, jouant chacun dans son ton et selon son prix, sans aucun souci de l'épouvantable cacophonie produite par cette réunion d'instruments braillards qui s'évertuaient tous à la fois à qui contrarierait l'air et la mesure de son voisin. Au milieu de ce chaos musical, chaque quadrille restait inflexible à son poste, ne confondant jamais la musique qu'il avait payée avec celle qui hurlait à deux pas de lui, et ne frappant jamais du pied à faux pour marquer le rythme, tour de force de l'oreille et de l'habitude. Les ramées retentissaient de bruits non moins hétérogènes, ceux-ci chantant à pleine voix, ceux-là parlant de leurs affaires avec passion ; les uns trinquant de bonne amitié, les autres menaçant de se jeter les pots à la tête, le tout rehaussé de deux gendarmes indigènes circulant d'un air paterne au milieu de cette cohue, et suffisant, par leur présence, à contenir cette population paisible qui, des paroles, en vient rarement aux coups.

Le cercle compact qui se formait autour des premières bourrées s'épaissit encore lorsque la charmante Rose ouvrit la danse avec le grand farinier. C'était le plus beau couple de la fête et celui dont le pas ferme et léger électrisait tous les autres. La meunière ne put s'empêcher de le faire remarquer à la mère Bricolin, et même elle ajouta que c'était un malheur que deux jeunes gens si bons et si beaux ne fussent pas destinés l'un à l'autre.

« *Fié pour moi* (c'est-à-dire, quant à moi), répondit sans hésiter la vieille fermière, je n'en ferais ni une ni deux, si j'étais la maîtresse ; car je suis sûre que ton garçon rendrait ma petite-fille plus heureuse qu'elle ne le sera jamais avec un autre. Je sais bien que Grand-Louis l'aime ; ça se voit de reste, quoiqu'il ait l'esprit de n'en rien dire. Mais que veux-tu, ma pauvre Marie ! on ne pense qu'à l'argent, chez nous. J'ai fait la bêtise d'abandonner tout mon bien à mon fils, et depuis ce temps-là, on ne m'écoute pas plus que si j'étais morte. Si j'avais agi autrement, j'aurais aujourd'hui le droit de marier Rose à mon gré en la dotant. Mais il ne me reste que les sentiments, et c'est une monnaie qui ne se rend pas chez nous en bons procédés. »

Malgré l'adresse que Rose sut mettre à passer d'un groupe à l'autre pour éviter sa mère et se retrouver toujours, soit à côté, soit vis-à-vis de son ami, Mme Bricolin et sa société réussirent à la rejoindre et à se fixer autour d'elle. Ses cousins la firent danser jusqu'à la fatiguer, et Grand-Louis s'éloigna prudemment, sentant qu'à la moindre querelle sa tête s'échaufferait plus que de raison. On avait bien essayé de l'*entreprendre* par des plaisanteries blessantes ; mais le regard clair et hardi de ses grands yeux bleus, son calme dédaigneux et sa haute stature avaient contenu aisément la bravoure des Bricolin. Quand il se fut retiré, on s'en donna à cœur joie, et Rose fut fort surprise d'entendre ses sœurs, ses belles-sœurs et ses nombreuses cousines décréter, autour d'elle, que ce grand garçon avait l'air d'un sot, qu'il dansait ridiculement, qu'il paraissait bouffi de prétentions, et qu'aucune d'elles ne voudrait danser avec lui pour *tout un monde*. Rose avait de l'amour-propre. On avait trop obstinément travaillé à développer ce défaut en elle pour qu'elle ne fût pas sujette à y tomber quelquefois. On avait tout fait pour corrompre et rabaisser cette bonne et franche nature, et si l'on n'y avait guère réussi, c'est qu'il est des âmes incorruptibles sur lesquelles l'esprit du mal a peu de prise. Cependant elle souffrit d'entendre dénigrer si obstinément et si amèrement son amoureux. Elle en prit de l'humeur, n'osa plus se promettre de danser encore avec lui, et, déclarant qu'elle avait mal à la tête, elle rentra à la ferme, après avoir vainement cherché Marcelle, dont l'influence lui eût rendu, elle le sentait bien, le courage et le calme.

XXVII

LA CHAUMIÈRE

Marcelle avait été attendre le meunier au bas du terrier, ainsi qu'il le lui avait expressément recommandé. Au coup de deux heures, elle le vit entrer dans un enclos très ombragé et lui faire signe de le suivre. Après avoir traversé un de ces petits jardins de paysan, si mal tenus, et par conséquent si jolis, si touffus et si verts, elle entra, en se glissant sous les haies, dans la cour d'une des plus pauvres chaumières de la Vallée-Noire. Cette cour était longue de vingt pieds sur six, fermée d'un côté par la maisonnette, de l'autre par le jardin, à chaque bout par des appentis en fagots recouverts de paille, qui servaient à rentrer quelques poules, deux brebis et une chèvre, c'est-à-dire toute la richesse de l'homme qui gagne son pain au jour le jour et qui ne possède rien, pas même la chétive maison qu'il habite et l'étroit enclos qu'il cultive ; c'est le véritable prolétaire rustique. L'intérieur de la maison était aussi misérable que l'entrée, et Marcelle fut touchée de voir par quelle excessive propreté le courage de la femme luttait là contre l'horreur du dénuement. Le sol inégal et raboteux n'avait pas un grain de poussière, les deux ou trois pauvres meubles étaient clairs et brillants comme s'ils eussent été vernis ; la petite vaisselle de terre, dressée à la muraille et sur des planches, était lavée et rangée avec soin. Chez la plupart des paysans de la Vallée-Noire, la misère la plus réelle, la plus complète, se dissimule discrètement et noblement sous ces habitudes consciencieuses d'ordre et de propreté. La pauvreté rustique y est attendrissante et affectueuse. On vivrait de bon cœur avec ces indigents. Ils n'inspirent pas le dégoût, mais l'intérêt et une sorte de respect. Il faudrait si peu du superflu du riche pour faire cesser l'amertume de leur vie, cachée sous ces apparences de calme poétique !

Cette réflexion frappa Marcelle au cœur lorsque la

Piaulette vint à sa rencontre, avec un enfant dans ses bras et trois autres pendus à son tablier ; tout cela, en habits du dimanche, était frais et propre. Cette Piaulette (ou Pauline), était jeune encore, et belle, quoique fanée par les fatigues de la maternité et l'abstinence des choses les plus nécessaires à la vie. Jamais de viande, jamais de vin, pas même de légumes pour une femme qui travaille et allaite ! Cependant les enfants auraient revendu de la santé à celui de Marcelle, et la mère avait le sourire de la bonté et de la confiance sur ses lèvres pâles et flétries.

« Entrez chez nous et asseyez-vous, Madame, dit-elle en lui offrant une chaise de paille couverte d'une serviette de grosse toile de chanvre bien lessivée. Le monsieur que vous attendez est déjà venu, et, ne vous trouvant pas, il a été faire un tour à l'assemblée, mais il reviendra tout à l'heure. Si je pouvais vous offrir quelque chose en attendant !... Voilà des prunes tout fraîchement cueillies et des noisettes. Allons, Grand-Louis, prends donc un fruit de mon jardin, toi aussi ?... Je voudrais tant pouvoir t'offrir un verre de vin, mais nous n'en cueillons pas, tu le sais bien, et si ce n'était de toi, nous n'aurions pas toujours du pain.

— Vous êtes très pauvre ? dit Marcelle, en glissant une pièce d'or dans la poche de la petite fille qui touchait avec étonnement sa robe de soie noire ; et Grand-Louis, qui n'est pas bien riche lui-même, vient à votre secours ?

— Lui ? répondit la Piaulette, c'est le meilleur cœur d'homme que le Bon Dieu ait fait ! Sans lui nous serions morts de faim et de froid depuis trois hivers ; mais il nous donne du blé, du bois, il nous prête ses chevaux pour aller en pèlerinage quand nous avons des malades, il…

— En voilà bien assez, Piaulette, pour me faire passer pour un saint, dit le meunier en l'interrompant. Vraiment, c'est bien beau de ma part de ne pas avoir abandonné un bon ouvrier comme ton mari !

— Un bon ouvrier ! dit la Piaulette en secouant la tête. Pauvre cher homme ! M. Bricolin dit partout que c'est un lâche, parce qu'il n'est pas fort.

— Mais il fait ce qu'il peut. Moi j'aime les gens de bonne volonté ; aussi je l'emploie toujours.

— C'est ce qui fait dire à M. Bricolin que tu ne seras jamais riche et que tu n'as pas de bon sens d'employer des gens de petite santé.

— Eh bien, si personne ne les emploie, il faudra donc qu'ils meurent de faim ? Beau raisonnement !

— Mais vous savez, dit tristement Marcelle, la moralité que tire de là M. Bricolin : *tant pis pour eux !*

— Mam'selle Rose est bien bonne, reprit la Piaulette. Si elle pouvait, elle secourrait les malheureux ; mais elle ne peut rien, la pauvre demoiselle, que d'apporter en cachette un peu de pain blanc pour faire la soupe à mon petit. Et c'est bien malgré moi ; car si sa mère la voyait ! oh ! la rude femme ! mais le monde est comme ça. Il y a des méchants et des bons. Ah ! voilà M. Tailland qui vient. Vous n'attendrez pas longtemps.

— Piaulette, tu sais ce que je t'ai recommandé, dit le meunier en posant le doigt sur ses lèvres.

— Oh ! répondit-elle, j'aimerais mieux me faire couper la langue que de dire un mot.

— C'est que, vois-tu…

— Tu n'as pas besoin de m'expliquer le pourquoi et le comment, Grand-Louis ; il suffit que tu me commandes de me taire. Allons, enfants, dit-elle à ses trois marmots qui jouaient sur la porte ; allons-nous-en voir un peu l'assemblée.

— Cette dame a mis un louis d'or dans la poche de ta petite, lui dit tout bas le Grand-Louis. Ce n'est pas pour payer ta discrétion ; elle sait bien que tu ne la vends pas. Mais c'est qu'elle a vu que tu étais dans le besoin. Serre-le, l'enfant le perdrait, et ne remercie pas ; la dame n'aime pas les compliments, puisqu'elle s'est cachée en te faisant cette charité. »

M. Tailland était un honnête homme, très actif pour un Berrichon, assez capable en affaires, mais seulement un peu trop ami de ses aises. Il aimait les bons fauteuils, les jolies petites collations, les longs repas, le café bien chaud et les chemins sans cahots pour son cabriolet. Il ne trouvait rien de tout cela à la fête de Blanchemont. Et cependant, tout en pestant un peu contre les plaisirs de la campagne, il y restait volontiers tout le jour pour rendre service aux uns et pour faire ses affaires avec les autres. En un quart d'heure de conversation, il eut bientôt démontré à Marcelle la possibilité, la probabilité même de vendre cher. Mais quant à vendre vite et à être payée comptant, il n'était pas de l'avis du meunier. « Rien ne se fait vite dans notre pays, dit-il. Cependant ce serait une folie de ne pas essayer de gagner cinquante mille francs sur le prix offert par Bricolin. Je vais y mettre tous mes soins. Si, dans un mois, je n'ai pas réussi, je vous conseillerai peut-être, vu votre position particulière, de céder. Mais il y a cent à parier contre un que d'ici là Bricolin, qui grille d'être seigneur de Blanchemont, aura composé avec vous, si vous savez feindre une grande âpreté, qualité sauvage, mais nécessaire, dont je vois bien, Madame, que vous n'êtes pas trop pourvue. Maintenant, signez la procuration que je vous apporte, et je me sauve, parce que je ne veux pas avoir l'air d'avoir fait concurrence, par mes menées, à mon collègue M. Varin, que votre fermier aurait bien voulu vous faire choisir. »

Grand-Louis reconduisit le notaire jusqu'à la sortie de l'enclos, et chacun disparut de son côté. Il avait été convenu que Marcelle sortirait seule, la dernière, quelques instants plus tard, et qu'elle tiendrait les *huisseries* de la maison fermées, afin que si quelque curieux observait leurs mouvements, on crût la maison déserte.

Ces *huis* de la chaumière se composaient d'une seule porte coupée en deux transversalement, la partie supérieure servant de fenêtre pour donner de l'air et du jour. Dans les anciennes constructions de nos paysans, les croisées indépendantes de la porte et garnies de vitres étaient inconnues. Celle de la Piaulette avait été bâtie il y a cinquante ans, pour des gens aisés, tandis qu'aujourd'hui les plus pauvres, pour peu qu'ils habitent une maison neuve, ont des croisées à espagnolettes et des portes à serrure. Chez la Piaulette, la porte à deux fins fermait en dedans et en dehors à l'aide d'un *coret*, c'est-à-dire d'une cheville en bois que l'on plante dans un trou de la muraille, d'où vient le vieux mot *coriller* et *décoriller*, pour dire fermer et ouvrir.

Lorsque Marcelle se fut renfermée ainsi, elle se trouva dans une obscurité profonde, et alors elle se demanda quelle pouvait être l'existence intellectuelle de gens qui, trop pauvres pour avoir de la chandelle, étaient obligés, dès que la nuit venait, de se coucher en hiver, ou de se tenir le jour dans les ténèbres pour se préserver du froid[1]. Je me disais, je me croyais ruinée, pensa-t-elle, parce que j'étais forcée de quitter mon appartement doré, ouaté et tendu de soie ; mais que de degrés encore à parcourir dans l'échelle des existences sociales avant d'en venir à cette vie du pauvre qui diffère si peu de celle des animaux ! Pas de milieu entre supporter à toute heure les intempéries du climat, ou s'ensevelir dans le néant de l'oisiveté comme le mouton dans la bergerie ! À quoi s'occupe cette triste famille dans les longues soirées de l'hiver ? À parler ? Et de quoi parler si ce n'est de ses maux ! Ah ! Lémor a raison, je suis trop riche encore pour oser dire à Dieu que je n'ai rien à me reprocher.

Cependant les yeux de Marcelle s'habituaient à l'obscurité. La porte, mal jointe, laissait pénétrer une lueur vague qui devenait plus claire à chaque instant. Tout à coup Marcelle tressaillit en voyant qu'elle n'était pas seule dans la chaumière, mais son second frisson ne fut pas causé par la peur : Lémor était à ses côtés. Il s'était caché, à l'insu de tous, derrière le lit en forme de corbillard, garni de rideaux de serge. Il

---

1. On pensera volontiers qu'il y a ici un écho des propres réflexions de G. Sand qui, même entraînée par ses amis socialistes, demeure assez lucide pour se rendre compte à quel point l'intellectuel est tributaire d'un luxe relatif.

s'était enhardi jusqu'à rechercher un tête-à-tête avec Marcelle, se disant que c'était le dernier, et qu'il faudrait partir après.

« *Puisque vous voilà*, lui dit-elle, dissimulant, avec une tendre coquetterie, la joie et l'émotion de sa surprise, je veux vous dire tout haut ce que je pensais. Si nous étions réduits à habiter cette chaumière, votre amour résisterait-il à la souffrance du jour et à l'inaction du soir ? Pourriez-vous vivre privé de livres, ou ne pouvant vous en servir faute d'une goutte d'huile dans la lampe, et de temps aux heures où le travail occuperait vos bras ? Après quelques années d'ennuis et de privations de tous genres, trouveriez-vous cette demeure pittoresque dans son délabrement et la vie du pauvre poétique dans sa simplicité ?

— J'avais les mêmes pensées précisément, Marcelle, et je songeais à vous demander la même chose. M'aimeriez-vous si je vous entretenais, par mes utopies, dans une pareille misère ?

— Il me semble que oui, Lémor.

— Et pourquoi doutez-vous de moi ? Ah ! vous n'êtes pas sincère en me répondant oui !

— Je ne suis pas sincère ? dit Marcelle en mettant ses deux mains dans celles de Lémor. Mon ami, je veux être digne de vous, c'est pourquoi je me préserve de l'exaltation romanesque qui peut pousser, même une femme du monde, à tout affirmer, à tout promettre, sauf à ne rien tenir, et à se dire le lendemain : « J'ai composé hier un joli roman. » Moi, je ne passe pas un jour sans adresser à ma conscience les plus sévères interrogations, et je crois être sincère en vous répondant que je ne puis me représenter une

situation, fût-ce l'horreur d'un cachot, où je cesserais
de vous aimer à force de souffrir !

— Ô Marcelle ! chère et grande Marcelle ! Mais
pourquoi donc doutez-vous de moi ?

— Parce que l'esprit de l'homme diffère du nôtre.
Il est habitué à d'autres aliments que la tendresse
et la solitude. Il lui faut de l'activité, du travail, l'espoir d'être utile, non seulement à sa famille, mais à
l'humanité.

— Aussi, n'est-ce pas un devoir de se précipiter
volontairement dans cette impuissance de la misère !

— Nous vivons donc dans un temps où les devoirs
se contredisent ? car on n'a la puissance de l'esprit
qu'avec les lumières de l'instruction, et l'instruction
qu'avec la puissance de l'argent : et pourtant, tout ce
dont on jouit, tout ce qu'on acquiert, tout ce qu'on
possède, est au détriment de celui qui ne peut rien
acquérir, rien posséder des biens célestes et matériels.

— Vous me prenez par mes propres utopies, Marcelle. Hélas ! que vous répondrai-je, sinon que nous
vivons, en effet, dans un temps d'énorme et inévitable inconséquence, où les bons cœurs veulent le
bien et sont forcés d'accepter le mal ? On ne manque
pas de raisons pour se prouver à soi-même, comme
font tous les heureux du siècle, qu'on doit soigner,
édifier et poétiser sa propre existence pour faire de
soi un instrument actif et puissant au service de ses
semblables ; que se sacrifier, s'abaisser et s'annihiler
comme les premiers chrétiens du désert, c'est neutra-
liser une force, c'est étouffer une lumière que Dieu
avait envoyée aux hommes pour les instruire et les
sauver. Mais que d'orgueil dans ce raisonnement, tout

juste qu'il semble dans la bouche de certains hommes éclairés et sincères ! C'est le raisonnement de l'aristocratie. Conservons nos richesses pour faire l'aumône, disent aussi les dévots de votre caste. C'est nous, disent les princes de l'Église, que Dieu a institués pour éclairer les hommes. C'est nous, disent les démocrates de la bourgeoisie, nous seuls, qui devons initier le peuple à la liberté ! Voyez pourtant quelles aumônes, quelle éducation et quelle liberté ces puissants ont données aux misérables ! Non ! la charité particulière ne peut rien, l'Église ne veut rien, le libéralisme moderne ne sait rien. Je sens mon esprit défaillir et mon cœur s'éteindre dans ma poitrine quand je songe à l'issue de ce labyrinthe où nous voilà engagés, nous autres qui cherchons la vérité et à qui la société répond par des mensonges ou des menaces. Marcelle, Marcelle, aimons-nous, pour que l'esprit de Dieu ne nous abandonne pas !

— Aimons-nous, s'écria Marcelle en se jetant dans les bras de son amant ; et ne me quitte pas, ne m'abandonne pas à mon ignorance, Lémor, car tu m'as fait sortir de l'étroit horizon catholique où je faisais tranquillement mon salut, mettant la décision de mon confesseur au-dessus de celle du Christ, et me consolant de ne pouvoir être chrétienne à la lettre, lorsqu'un prêtre m'avait dit : *Il est avec le ciel des accommodements.* Tu m'as fait entrevoir une sphère plus vaste, et aujourd'hui je n'aurais plus un instant de repos si tu m'abandonnais sans guide dans ce pâle crépuscule de la vérité.

— Mais moi, je ne sais rien, répondit Lémor avec douleur. Je suis l'enfant de mon siècle. Je ne possède pas la science de l'avenir, je ne sais que comprendre et commenter le passé. Des torrents de lumière ont passé devant moi, et comme tout ce qui est jeune et pur aujourd'hui, j'ai couru vers ces grands éclairs qui nous détrompent de l'erreur sans nous donner la vérité. Je hais le mal, j'ignore le bien. Je souffre, oh ! je souffre. Marcelle, et je ne trouve qu'en toi le beau idéal que je voudrais voir régner sur la terre. Oh ! je t'aime de tout l'amour que les hommes repoussent du milieu d'eux, de tout le dévouement que la société paralyse et refuse d'éclairer, de toute la tendresse que je ne puis communiquer aux autres, de toute la charité que Dieu m'avait donnée pour toi et pour eux, mais que toi seule comprends et ressens comme moi-même lorsque tous sont insensibles ou dédaigneux. Aimons-nous donc sans nous corrompre en nous mêlant à ceux qui triomphent, et sans nous abaisser avec ceux qui se soumettent. Aimons-nous comme deux passagers qui traversent les mers pour conquérir un nouveau monde, mais qui ne savent pas s'ils l'atteindront jamais. Aimons-nous, non pour être heureux dans l'*égoïsme à deux*, comme on appelle l'amour, mais pour souffrir ensemble, pour prier ensemble, pour chercher ensemble ce qu'à nous deux, pauvres oiseaux égarés dans l'orage, nous pouvons faire, jour par jour, pour conjurer ce fléau qui disperse notre race, et pour rassembler sous notre aile quelques fugitifs brisés comme nous d'épouvante et de tristesse ! »

Lémor pleurait comme un enfant en pressant Marcelle contre son cœur. Marcelle, entraînée par une sympathie brûlante et un respect enthousiaste, tomba à genoux devant lui comme une fille devant son père, en lui disant :

« Sauve-moi, ne me laisse pas périr ! Tu étais là, tout à l'heure, tu m'as entendue consulter un homme d'argent sur des affaires d'argent. Je me laisse persuader de lutter contre la pauvreté pour sauver mon fils de l'ignorance et de l'impuissance morale ; si tu me condamnes, si tu me prouves que mon fils sera meilleur et plus grand en subissant la pauvreté, j'aurai peut-être l'effroyable courage de faire souffrir son corps pour fortifier son âme !

— Ô Marcelle ! dit Lémor en la forçant à se rasseoir et en se mettant à son tour à genoux devant elle, tu as la force et la résolution des grandes saintes et des fières martyres du temps passé. Mais où sont les eaux du baptême, pour que nous y portions ton enfant ? l'église des pauvres[1] n'est pas édifiée, ils vivent dispersés dans l'absence de toute doctrine, suivant des inspirations diverses ; ceux-ci résignés par habitude, ceux-là idolâtres par stupidité, d'autres féroces par vengeance, d'autres encore avilis par tous les vices de l'abandon et de l'abrutissement. Nous ne pouvons pas demander au premier mendiant qui passe d'imposer les mains à ton fils et de le bénir. Ce mendiant a trop souffert pour aimer, c'est peut-être un bandit ! Gardons ton fils à l'abri du mal autant que possible, enseignons-lui l'amour du bien et le besoin de la lumière.

---

1. C'est cette église des pauvres que Consuelo s'efforce de réaliser et annonce avec tant de foi dans la suite du roman qui porte son nouveau nom : *La Comtesse de Rudolstadt*. G. Sand vient de le publier, lorsqu'elle écrit *Jeanne*, puis *Le Meunier d'Angibault*, coup sur coup.

Cette génération la trouvera peut-être. Ce sera peut-être à elle de nous instruire un jour. Garde ta richesse ; comment pourrais-je te la reprocher, quand je vois que ton cœur en est entièrement détaché et que tu la regardes comme un dépôt dont le Ciel te demandera compte ? Garde ce peu d'or qui te reste. Le bon meunier le disait l'autre jour : Il est des mains qui purifient comme il en est qui souillent et corrompent. Aimons-nous, aimons-nous, et comptons que Dieu nous éclairera quand son jour sera venu. Et maintenant, adieu Marcelle, je vois que tu désires que ce courage vienne de moi. Je l'aurai. Demain j'aurai quitté cette douce et belle vallée où j'ai vécu deux jours si heureux malgré tout ! Dans un an j'y reviendrai : que tu sois dans un palais ou dans une chaumière, je vois bien qu'il faut que je me prosterne à ta porte et que j'y suspende mon bâton de pèlerin pour ne jamais le reprendre. »

Lémor s'éloigna, et, quelques moments après, Marcelle quitta la chaumière à son tour. Mais quelque précaution qu'elle mît à dissimuler sa retraite, elle se trouva face à face au bord de l'enclos avec un enfant de mauvaise mine, qui, tapi derrière le buisson, semblait l'attendre au passage. Il la regarda fixement d'un air effronté, puis, comme enchanté de l'avoir surprise et reconnue, il se mit à courir dans la direction d'un moulin qui est situé sur la Vauvre de l'autre côté du chemin. Marcelle, à qui cette laide figure ne parut pas inconnue, se rappela, après quelque effort, que c'était là le *Patachon* qui l'avait tout récemment égarée dans la Vallée-Noire et abandonnée dans un marécage. Cette tête rousse et cet œil vert de mauvais augure lui causèrent quelques inquiétudes, bien qu'elle ne pût concevoir quel intérêt cet enfant pouvait avoir à surveiller ses démarches.

XXVIII

LA FÊTE

Le meunier était retourné à la danse, espérant y retrouver Rose débarrassée de ce qu'il appelait dédaigneusement sa *cousinaille*. Mais Rose boudait contre ses parents, contre la danse et un peu aussi contre elle-même. Elle avait des remords de ne pas se sentir le courage d'affronter les brocards de sa famille.

Son père l'avait prise à l'écart le matin.

« Rose, lui avait-il dit, ta mère t'a défendu de danser avec le Grand-Louis d'Angibault, moi je te défends de lui faire cet affront. C'est un honnête homme, incapable de te compromettre ; et d'ailleurs, qui pourrait s'aviser de faire un rapprochement entre toi et lui ? Ce serait trop *inconvenable*, et *au jour d'aujourd'hui*, on ne peut pas supposer qu'un paysan oserait en conter à une fille de ton rang. Danse donc avec lui ; il ne faut pas humilier ses inférieurs ; on a toujours besoin d'eux un jour ou l'autre, et on doit se les attacher quand ça ne coûte rien.

— Mais si maman me gronde ? avait dit Rose, à la fois heureuse de cette autorisation, et blessée du motif qui la dictait.

— Ta mère ne dira rien. Je lui ai fait la morale »,

avait répondu M. Bricolin ; et en effet, Mme Bricolin
n'avait rien dit. Elle n'eût osé désobéir à son seigneur et maître, qui lui permettait d'être méchante
avec les autres, à la seule condition qu'elle fléchirait
devant lui. Mais comme il n'avait pas jugé à propos
de l'instruire de ses vues, comme elle ignorait l'importance qu'il attachait à se conserver l'alliance du
meunier dans l'affaire diplomatique de l'acquisition
du domaine de Blanchemont, elle avait su éluder
ses ordres, et sa condescendance ironique était plus
fâcheuse pour le Grand-Louis qu'une guerre ouverte.

Ennuyé de ne pas voir Rose, et comptant sur la protection de son père, qu'il avait vu rentrer à la ferme,
Grand-Louis s'y rendit, cherchant quelque prétexte
pour causer avec lui et apercevoir l'objet de ses pensées. Mais il fut assez surpris de trouver dans la cour
M. Bricolin en grande conférence avec le meunier de
Blanchemont, celui dont le moulin était situé au bas
du terrier, juste en face de la maison de la Piaulette.
Or, M. Bricolin était, peu de jours auparavant, irré-
vocablement brouillé avec ce meunier, qui avait eu
quelque temps sa pratique, et qui, selon lui, l'avait
abominablement volé sur son grain. Ledit meunier,
innocent ou coupable, regrettant fort la pratique de la
ferme, avait juré haine et vengeance à Grand-Louis.
Il ne cherchait qu'une occasion de lui nuire, et il venait
de la trouver. Le propriétaire de son moulin était précisément M. Ravalard, à qui le meunier d'Angibault
avait vendu la calèche de Marcelle. Heureux et fier
d'essayer et de montrer son carrosse à ses vassaux,
M. Ravalard, tout en venant donner le coup d'œil du
maître aux propriétés qu'il avait à Blanchemont, mais

n'ayant pas de domestique qui sût conduire deux chevaux à la fois, avait requis les talents du patachon roux qui faisait le métier de conducteur du louage, et qui se vantait de connaître parfaitement les chemins de la Vallée-Noire. M. Ravalard était arrivé, non sans peine, mais du moins sans accident, le matin de ce jour de fête. Il avait mis ses chevaux à son moulin et n'avait pas fait remiser *sa carrosse*, afin que, du haut du terrier, tout le monde pût la contempler et savoir à qui elle appartenait.

La vue de cette brillante calèche avait déjà fort indisposé M. Bricolin, qui détestait M. Ravalard, son rival en richesse territoriale dans la commune. Il était descendu au chemin qui longe la Vauvre pour l'examiner et la critiquer. Le meunier Grauchon, rival de Grand-Louis, était venu lier conversation avec M. Bricolin, sans avoir l'air de se rappeler leur inimitié, et il n'avait pas manqué de le narguer adroitement en lui faisant comprendre que son maître était mieux en position que lui de rouler carrosse. Là-dessus, M. Bricolin de dénigrer le carrosse, de dire que c'était une vieille voiture du préfet mise à la réforme, une brouette sans solidité, et qui ne sortirait peut-être pas de la Vallée-Noire aussi pimpante qu'elle y était entrée. Grauchon de défendre le discernement de son bourgeois et la qualité de la marchandise ; puis de dire que cela *sortait de chez* Mme de Blanchemont et que le Grand-Louis avait été le commissionnaire de cette acquisition. M. Bricolin, surpris et choqué, écouta les détails de l'affaire, et sut que le meunier d'Angibault avait décidé M. Ravalard à s'emparer de cet objet de luxe en lui disant que cela ferait enrager M. Bricolin. Le fait n'était malheureusement que trop vrai. M. Ravalard avait fait conversation tout le long de son chemin avec le patachon. Celui-ci, habile à se ménager un bon *pourboire*, et voyant le bourgeois enivré de sa nouvelle voiture, ne lui avait pas parlé d'autre chose. Il n'y avait rien de plus beau, de plus léger, de plus *aimable à conduire* que cette voiture-là. Ça devait avoir coûté au moins quatre mille francs, et ça en valait le double dans le pays. M. Ravalard, doucement flatté de cette naïve admiration, avait confié à son guide tous les détails de l'affaire, et ce dernier, en déjeunant au moulin de Blanchemont, en avait bavardé avec le meunier Grauchon. Voyant là que Grand-Louis excitait la haine et l'envie, il avait envenimé les choses autant pour le plaisir de jaser et de se faire écouter, que par suite de la rancune qu'il gardait au Grand-Louis pour l'avoir raillé cruellement le jour de l'aventure du bourbier.

Peu d'instants après que M. Bricolin eut quitté Grauchon, le front plissé et l'air rogue, ledit Grauchon vit entrer Grand-Louis et Marcelle chez la Piaulette. Ce rendez-vous, qui sentait le mystère, le frappa, et il se creusa la cervelle pour trouver là une nouvelle occasion de nuire à son ennemi. Il mit le patachon en embuscade, et, au bout d'une heure, il sut que le Grand-Louis, un inconnu qui avait l'air d'être un nouveau garçon de moulin engagé à son service, la jeune dame de Blanchemont et M. Tailland, le notaire, avaient été enfermés en grande conférence chez la Piaulette ; qu'ils en étaient tous sortis séparément et en prenant d'inutiles précautions pour n'être pas remarqués ; enfin, qu'il se tramait là quelque complot, une affaire d'argent, à coup sûr, puisque le notaire s'en était mêlé. Grauchon n'ignorait pas que cet honnête notaire était la bête noire et la terreur de Bricolin. Devinant à moitié la vérité, il se hâta d'aller informer complaisamment Bricolin de tous ces détails, et de lui faire compliment de la manière dont son favori le meunier d'Angibault servait ses intérêts. C'est cette délation que Grand-Louis surprit en entrant dans la cour de la ferme.

En toute autre circonstance, notre honnête meunier eût été droit à son accusateur et l'eût forcé à s'expliquer devant lui. Mais voyant Bricolin lui tourner le dos brusquement, et Grauchon le regarder en dessous d'un air sournois et railleur, il se demanda avec inquiétude quelle grave question pouvait s'agiter ainsi entre deux hommes qui, la veille, ne *se seraient pas donné un coup de bonnet derrière l'église*, c'est-à-dire qui ne se seraient pas salués en se rencontrant nez à nez dans le chemin le plus étroit du bourg. Grand-Louis ne savait pas de quoi il s'agissait, ni même s'il était l'objet de ce *à parte* affecté ; mais sa conscience lui reprochait quelque chose. Il avait voulu jouer au plus fin avec M. Bricolin. Au lieu de le repousser avec mépris lorsque celui-ci lui avait offert de l'argent pour servir ses intérêts au détriment de ceux de Marcelle, il avait feint de transiger avec lui pour une ou deux bourrées avec Rose ; il lui avait laissé l'espérance, et, pour se venger de l'outrage de ses offres, il l'avait trompé.

« Je mériterais bien, pensa-t-il, que ma belle mine

fût éventée. Voilà ce que c'est que de *finasser*! Ma mère m'a toujours dit que c'était une habitude du pays qui portait malheur, et moi, je n'ai pas su m'en préserver. Si je m'étais montré honnête homme à ce maudit fermier, comme je le suis au fond du cœur, il m'aurait haï, mais respecté et peut-être craint davantage qu'il ne va le faire à présent, s'il découvre que je lui ai dit des paroles de Marchois! Grand-Louis, mon ami, tu as fait une sottise. Toutes les mauvaises actions sont bêtes; puisses-tu ne pas boire la tienne!»

Tourmenté, intimidé et mécontent de lui-même, il alla rejoindre sa mère sur le terrier pour lui proposer de la reconduire à Angibault. Les vêpres étaient finies, et la meunière était déjà partie avec quelques voisines, recommandant à Jeannie de dire à son maître de s'amuser encore un peu, mais de ne pas rentrer trop tard.

Grand-Louis ne sut pas profiter de la permission. Livré à mille anxiétés, il erra jusqu'au coucher du soleil sans prendre goût à rien, attendant ou que Rose reparût, ou que son père vint lui faire connaître ses intentions.

C'est à l'entrée de la nuit que les habitants du hameau s'amusent le mieux un jour de fête. Les gendarmes, fatigués de n'avoir rien à faire, commencent à reprendre leurs chevaux; les gens de la ville et des environs grimpent dans leurs carrioles de toute espèce, et s'en vont, pour éviter les mauvais chemins, de nuit. Les petits marchands plient bagage, et le curé va souper gaiement avec quelque confrère venu pour regarder danser, tout en soupirant peut-être de ne pouvoir prendre part à ce coupable plaisir. Les indigènes restent donc seuls en possession du terrain avec celui des ménétriers qui n'a pas fait une bonne journée, et qui s'en dédommage en la prolongeant. Là, tous se connaissent, et, une fois en train, se dédommagent d'avoir été dispersés, observés et peut-être raillés par les étrangers ; car on appelle étrangers, dans la Vallée-Noire, tout ce qui sort du rayon d'une lieue. Alors, toute la petite population de la localité se met en danse, même les vieilles parentes et amies qu'on n'eût pas osé produire au grand jour, même la grosse servante du cabaret, qui s'est évertuée depuis le matin à servir ses pratiques, et qui retrousse son tablier enfumé pour se trémousser avec des grâces surannées ; même le petit tailleur bossu, qui eût fait rougir les jeunes filles en les embrassant à la *belle heure*, et qui dit, en fendant sa bouche jusqu'aux oreilles, *qu'à la nuit tous les chats sont gris*.

Rose, ennuyée de bouder, retrouva l'envie de se divertir lorsque tous ses parents furent partis. Avant de retourner à la fête, elle voulut voir la folle, qui avait dormi tout le jour sous la garde de la grosse Chounette. Elle entra doucement dans sa chambre, et la trouva éveillée, assise sur son lit, l'air pensif et presque calme. Pour la première fois, depuis bien longtemps, Rose osa lui toucher la main et lui demander de ses nouvelles, et, pour la première fois depuis douze ans, la folle ne retira pas sa main et ne se retourna pas du côté de la ruelle avec humeur.

« Ma chère sœur, ma bonne Bricoline, répéta Rose enhardie et joyeuse, te sens-tu mieux ?

— Je me sens bien, répondit la folle d'une voix

brève. J'ai trouvé en m'éveillant ce que je cherchais *depuis cinquante-quatre ans*[1].

— Et que cherchais-tu, ma chérie ?

— *Je cherchais la tendresse !* répondit la Bricoline d'un ton étrange et en posant un doigt sur ses lèvres d'un air mystérieux. Je l'ai cherchée partout : dans le vieux château, dans le jardin, au bord de la source, dans le chemin creux, dans la garenne surtout ! Mais elle n'est pas là, Rose, et tu la cherches en vain, toi-même. Ils l'ont cachée dans un grand souterrain qui est sous cette maison, et c'est sous des ruines qu'on pourra la trouver. Cela m'est venu en dormant, car en dormant je pense et je cherche toujours. Sois tranquille, Rose, et laisse-moi seule ! Cette nuit, pas plus tard que cette nuit, je trouverai la tendresse et je t'en ferai part. C'est alors que nous serons riches ! *Au jour d'aujourd'hui*, comme dit ce gendarme qu'on a mis ici pour nous garder, nous sommes si pauvres que personne ne veut de nous. Mais demain, Rose, pas plus tard que demain, nous serons mariées toutes les deux, moi avec Paul, qui est devenu roi d'Alger ; et toi avec cet homme qui porte des sacs de blé et qui te regarde toujours. J'en ferai mon premier ministre, et son emploi sera de faire brûler à petit feu ce gendarme qui dit toujours la même chose et qui nous a fait tant souffrir. Mais tais-toi, ne parle de cela à personne. C'est un grand secret, et le sort de la guerre d'Afrique en dépend. »

---

1. Même vertige des nombres dans *Aurélia* de G. de Nerval. Sur les rapports entre G. Sand et Nerval, on se reportera aux études de L. Cellier.

Ce discours bizarre effraya beaucoup Rose, et elle n'osa parler davantage à sa sœur, dans la crainte de l'exalter de plus en plus. Elle ne voulut pas la quitter que le médecin, qu'on attendait à cette heure-là, ne fût venu, et même elle oublia son envie de danser et resta pensive auprès du lit de la folle, la tête penchée, les deux mains croisées sur son genou et le cœur rempli d'une tristesse profonde. C'était un contraste frappant que ces deux sœurs, l'une si horriblement dévastée par la souffrance, si repoussante dans son abandon d'elle-même, l'autre si bien parée, brillante de fraîcheur et de beauté, et cependant, il y avait de la ressemblance dans leurs traits ; toutes deux aussi couvaient, à des degrés différents, dans leur sein, *une amour contrariée*, comme on dit dans le pays ; toutes deux étaient tristes et graves. La moins abattue des deux était la folle, qui roulait dans son esprit égaré des espérances et des projets fantastiques.

Le médecin arriva très exactement. Il examina la folle avec l'espèce d'apathie d'un homme qui n'a rien à espérer, rien à tenter dans un cas depuis longtemps désespéré.

« Le pouls est le même, dit-il. Il n'y a pas de changement.

— Pardonnez-moi, docteur, lui dit Rose en l'attirant à part. Il y a du changement depuis hier soir. Elle crie, elle dort, elle parle autrement que de coutume. Je vous assure qu'il se fait en elle une révolution. Ce soir, elle cherche à rassembler ses idées et à les exprimer, quoique ce soient les idées du délire ; est-ce pire, est-ce mieux que son abattement ordinaire ? Qu'en pensez-vous ?

— Je ne pense rien, répondit le médecin. On peut s'attendre à tout dans ces sortes de maladies, et on ne peut rien prévoir. Votre famille a eu tort de ne pas faire les sacrifices nécessaires pour l'envoyer dans un de ces établissements où des gens de l'art s'occupent spécialement des cas exceptionnels. Moi, je ne me suis jamais vanté de la guérir, et je pense que, même les plus habiles, ne pourraient en répondre aujourd'hui. Il est trop tard. Tout ce que je désire, c'est que sa manie de silence et de solitude ne dégénère pas en fureur. Évitez de la contrarier et ne la faites pas parler, afin que sa pensée ne se fixe pas sur un même objet.

— Hélas ! dit Rose, je n'ose vous contredire, et pourtant c'est si affreux de vivre toujours seule, en horreur à tout le monde ! Lorsqu'elle semble enfin chercher quelque sympathie, quelque pitié, faudra-t-il opposer à ce besoin d'affection un silence glacé ? Savez-vous ce qu'elle me disait tout à l'heure ? Elle disait que depuis qu'elle est folle (elle prétend qu'il y a cinquante-quatre ans), elle était occupée à chercher la tendresse. Pauvre fille, il est certain qu'elle ne l'a guère trouvée !

— Et disait-elle cela en termes raisonnables ?

— Hélas, non ! elle y mêlait des idées effrayantes et des menaces épouvantables.

— Vous voyez bien que ces épanchements du délire sont plus dangereux que salutaires. Laissez-la seule, croyez-moi, et, si elle veut sortir, empêchez qu'on ne gêne en rien ses habitudes. C'est la seule manière d'éviter que la crise d'hier soir ne revienne. »

Rose obéit à regret ; mais Marcelle, qui désirait se

retirer dans sa chambre pour écrire et qui voyait sa compagne triste et préoccupée, la conjura d'aller se distraire, et lui promit qu'au premier cri, au premier symptôme d'agitation de sa sœur, elle l'enverrait avertir par la petite Fanchon. D'ailleurs, Mme Bricolin était occupée aussi à la maison, et la grand-mère pressait Rose de venir encore danser une bourrée sous ses yeux avant la clôture de l'assemblée.

« Songe, lui dit-elle, que je compte maintenant les jours de fête, en me disant chaque année que je ne verrai peut-être pas la suivante. Il faut que je te voie encore danser et t'amuser aujourd'hui, autrement il m'en resterait une idée triste, et je me figurerais que ça doit me porter malheur. »

Rose ne fit point trois pas sur le terrier sans voir Grand-Louis à ses côtés.

« Mademoiselle Rose, lui dit-il, votre papa ne vous a-t-il rien dit contre moi ?

— Non. Il m'a, au contraire, presque commandé ce matin de danser avec toi.

— Mais… depuis ce matin ?

— Je l'ai à peine vu ; il ne m'a pas parlé. Il paraît très occupé de ses affaires.

— Allons, Louis, dit la grand-mère, tu ne fais donc pas danser Rose ? tu ne vois donc pas qu'elle en a envie ?

— Est-ce vrai, mam'selle Rose ? dit le meunier en prenant la main de la jeune fille ; auriez-vous fantaisie de danser encore ce soir avec moi ?

— Je veux bien danser, répondit-elle avec une nonchalance assez piquante.

— Si c'est avec quelque autre que moi, dit Grand-

Louis en pressant le bras de Rose sur son cœur agité, dites, j'irai le chercher !

— Cela veut peut-être dire que vous souhaiteriez que ce ne fût pas vous ? répondit la malicieuse fille en s'arrêtant.

— Vous pensez ça ? s'écria le meunier transporté d'amour. Eh bien, vous allez voir si j'ai les jambes engourdies ! »

Et il l'entraîna, il l'emporta presque au milieu de la danse, où, au bout d'un instant, oublieux l'un et l'autre de leurs inquiétudes et de leurs chagrins, ils rasèrent légèrement le gazon, en se tenant la main un peu plus serrée que la bourrée ne l'exigeait absolument.

Mais cette enivrante bourrée n'était pas finie, que M. Bricolin, qui avait attendu ce moment pour rendre l'affront plus sanglant à la face de tout le village, s'élança au beau milieu des danseurs, et, d'un geste interrompant la cornemuse, qui eût couvert sa voix :

« Ma fille ! s'écria-t-il en prenant le bras de Rose, vous êtes une honnête et respectable fille ; ne dansez donc plus jamais avec des gens que vous ne connaissez pas !

— Mlle Rose danse avec moi, monsieur Bricolin ! répondit Grand-Louis fort animé.

— C'est à cause de ça que je le lui défends, comme je vous défends, à vous, de vous permettre de l'inviter, ni de lui adresser la parole, ni de jamais passer ma porte, ni... »

La voix tonnante du fermier fut étouffée par cet excès d'éloquence, et, la colère le faisant bégayer, Grand-Louis l'arrêta.

« Monsieur Bricolin, lui dit-il, vous êtes le maître

de commander en père à votre fille, vous êtes le maître de me défendre votre maison, mais vous n'êtes pas le maître de m'offenser en public avant de m'avoir donné une explication en particulier.

— Je suis le maître de faire tout ce que je veux, reprit Bricolin exaspéré, et de dire à un mauvais sujet tout ce que je pense de lui !

— À qui dites-vous ça, monsieur Bricolin ? » demanda Grand-Louis, dont les yeux se remplirent d'éclairs ; car bien qu'il se fût dit, dès le début de cette scène : « Nous y voilà ! j'ai ce que je mérite jusqu'à un certain point », il lui était impossible de supporter patiemment un outrage.

« Je dis cela à qui bon me semble ! répondit Bricolin d'un air majestueux, mais, au fond, intimidé subitement.

— Si vous parlez à votre bonnet, peu m'importe ! reprit Grand-Louis, essayant de se modérer.

— Voyez un peu cet enragé ! répliqua M. Bricolin en se renfonçant dans le groupe de curieux qui se pressait autour de lui ; ne dirait-on pas qu'il veut m'insulter parce que je lui défends de parler à ma fille ? N'en ai-je pas le droit ?

— Oui, oui ! vous en avez parfaitement le droit, reprit le meunier en s'efforçant de s'éloigner ; mais non pas sans m'en dire la raison, et j'irai vous la demander quand vous serez de sang-froid et moi aussi.

— Tu me fais des menaces, malheureux ? » s'écria Bricolin alarmé ; et, prenant l'assemblée à témoin : « Il me fait des menaces ! » ajouta-t-il d'un ton emphatique, et comme pour invoquer l'assistance de ses clients et de ses serviteurs contre un homme dangereux.

« Dieu m'en garde ! monsieur Bricolin, dit Grand-Louis en haussant les épaules ; vous ne m'entendez pas.

— Et je ne veux pas t'entendre. Je n'ai rien à écouter d'un ingrat et d'un faux ami. Oui, ajouta-t-il, voyant que ce reproche causait plus de chagrin que de colère au meunier, je te dis que tu es un faux ami, un Judas !

— Un Judas ? non, car je ne suis pas un juif, monsieur Bricolin.

— Je n'en sais rien ! reprit le fermier, qui s'enhardissait lorsque son adversaire semblait faiblir.

— Ah ! doucement, s'il vous plaît, répliqua Grand-Louis d'un ton qui lui ferma la bouche. Pas de gros mots ; je respecte votre âge, je respecte votre mère, et votre fille aussi, plus que vous-même peut-être ; mais je ne réponds pas de moi si vous vous emportez trop en paroles. Je pourrais répondre et faire voir que si j'ai un petit tort, vous en avez un grand. Taisons-nous, croyez-moi, monsieur Bricolin, ça pourrait nous mener plus loin que nous ne voulons. J'irai vous parler, et vous m'entendrez.

— Tu n'y viendras pas ! Si tu y viens, je te mettrai dehors honteusement, s'écria M. Bricolin lorsqu'il vit le meunier, qui s'éloignait à grands pas, hors de portée de l'entendre. Tu n'es qu'un malheureux, un trompeur, un intrigant ! »

Rose qui, pâle et glacée de terreur, était restée jusque-là immobile au bras de son père, fut prise d'un mouvement d'énergie dont elle-même ne se serait pas crue capable un instant auparavant.

« Mon papa, dit-elle en le tirant avec force de la

foule, vous êtes en colère, et vous dites ce que vous ne pensez pas. C'est en famille qu'il faut s'expliquer, et non pas devant tout le monde. Ce que vous faites là est très désobligeant pour moi, et vous n'êtes guère soigneux de me faire respecter.

— Toi, toi ? dit le fermier étonné et comme vaincu par le courage de sa fille. Il n'y a rien contre toi dans tout cela, rien qui doive faire parler sur ton compte. Je t'avais permis de danser avec ce malheureux, je trouvais cela honnête et naturel, comme tout le monde doit le trouver. Je ne savais pas que cet homme-là était un scélérat, un traître, un…

— Tout ce que vous voudrez, mon père, mais en voilà bien assez », dit Rose en lui secouant le bras avec la force d'un enfant mutiné. Et elle réussit à l'entraîner vers la ferme.

XXIX

LES DEUX SŒURS

Mme Bricolin ne s'attendait pas à voir revenir si tôt son monde. Son époux l'avait consignée à la maison sans lui dire l'esclandre qu'il méditait ; il ne voulait pas qu'elle vînt nuire par des criailleries à la majesté de son rôle en public. Lors donc qu'elle le vit rentrer, cramoisi de colère, essoufflé, grondant sourdement, et traînant à son bras Rose très animée, très oppressée aussi et les yeux gros de larmes qu'elle ne pouvait retenir, tandis que la grand-mère les suivait en trottinant et en joignant les mains d'un air consterné, elle recula de surprise : puis, élevant sa chandelle à la hauteur de leur visage :

« Qu'est-ce qu'il y a donc ? dit-elle ; qu'est-ce qui vient de se passer ?

— Il y a que mon fils a grandement tort, et qu'il parle sans raison, répondit la mère Bricolin en se laissant tomber sur une chaise.

— Oui, oui, c'est le refrain de la vieille, dit le fermier, à qui la vue de sa moitié rendit une partie de sa colère. Assez causé ! Le souper est-il prêt ? Allons, Rose, as-tu faim ?

— Non, mon père, dit Rose assez sèchement.

— C'est donc moi qui t'ai coupé l'appétit ?

— Oui, mon père.

— C'est un reproche, ça ?

— Oui, mon père, j'en conviens.

— Ah çà ! dis donc, Rose, reprit le fermier, qui avait pour sa fille autant de condescendance que possible, mais qui, pour la première fois, la voyait un peu révoltée contre lui : tu le prends sur un ton qui ne me va guère. Sais-tu que ta mauvaise humeur me donnerait à penser ? tu ne le voudrais pas, j'espère ?

— Parlez, parlez, mon père. Dites ce que vous pensez ; si vous vous trompez, mon devoir est de me justifier.

— Je dis, ma fille, que tu aurais mauvaise grâce de prendre le parti d'un manant de meunier, à qui je romprai mon rotin sur le dos un de ces quatre matins s'il rôde autour de ma maison.

— Mon père, répondit Rose avec feu, j'oserai vous

dire, oui, dussiez-vous me rompre votre bâton sur le dos à moi-même, que tout cela est cruel et injuste ; que je suis humiliée de servir à votre vengeance en public, comme si j'étais responsable des torts qu'on a ou qu'on n'a pas envers vous, qu'enfin tout cela me fait de la peine et blesse ma grand-mère, vous le voyez bien.

— Oui, oui, ça m'afflige et ça me fâche, dit la mère Bricolin avec son ton franc et bref, qui cachait cependant une grande douceur et une grande bonté (et c'est en cela que Rose lui ressemblait, ayant le parler vif et l'âme tendre). Ça me *saigne l'âme*, continua la vieille, de voir maltraiter en paroles un honnête garçon que j'aime quasiment comme un de mes enfants, d'autant plus que je suis amie depuis plus de soixante ans avec sa mère et avec toute sa famille… Une famille de braves gens, oui ! et à qui Grand-Louis n'est pas fait pour porter déshonneur !

— Ah ! c'est donc à propos de ce joli monsieur-là que votre mère grogne, dit Mme Bricolin à son mari, et que votre fille pleure ? Regardez-la, la voilà toute larmoyante ! Oui-da ! vous nous avez embarqués dans de jolies affaires, monsieur Bricolin, avec votre amitié pour ce grand âne ! Vous en voilà récompensé ! Voyez si ce n'est pas une honte de voir votre mère et votre fille prendre son parti contre vous, et en verser des larmes comme si… comme si… Vrai Dieu ! je ne veux pas en dire plus long, j'en rougirais.

— Dites tout, ma mère, dites, s'écria Rose tout à fait irritée. Puisqu'on est si bien en train de m'humilier aujourd'hui, qu'on ne se refuse donc rien ! Je suis toute prête à répondre si l'on m'interroge sérieusement et sincèrement sur mes sentiments pour Grand-Louis.

— Et quels sont vos sentiments, Mademoiselle ? dit le fermier courroucé, en prenant sa plus grosse voix : dites-nous ça bien vite, s'il vous plaît, puisque la langue vous démange.

— Mes sentiments sont ceux d'une sœur et d'une amie, répliqua Rose, et personne ne m'en fera changer.

— Une sœur ! la sœur d'un meunier ! dit M. Bricolin en ricanant et en contrefaisant la voix de Rose ; une amie ! l'amie d'un paysan ! Voilà un beau langage et fort convenable pour une fille comme vous ! Le tonnerre m'écrase si, *au jour d'aujourd'hui*, les jeunes filles ne sont pas toutes folles. Rose, vous parlez comme on parlerait aux Petites-Maisons ! »

En ce moment, des cris perçants retentirent dans la chambre de la folle ; Mme Bricolin tressaillit, et Rose devint pâle comme la mort.

« Écoutez ! mon père, dit-elle en saisissant avec force le bras de M. Bricolin ; écoutez bien, et osez donc rire encore de la folie des jeunes filles ! Plaisantez sur les maisons des fous, vous qui semblez oublier qu'une fille de *notre rang* peut aimer un homme sans fortune, jusqu'à tomber dans un état pire que la mort !

— Ainsi, elle l'avoue, elle le proclame ! s'écria Mme Bricolin, partagée entre la rage et le désespoir, elle aime ce manant, et elle nous menace de *tourner* comme sa sœur !

— Rose ! Rose ! dit M. Bricolin épouvanté, taisez-vous ! et vous, Thibaude, allez-vous-en voir la Bricoline », ajouta-t-il d'un ton impérieux.

Mme Bricolin sortit. Rose restait debout, la figure

bouleversée, effrayée de ce qu'elle venait de dire à son père.

« Ma fille, tu es malade, dit M. Bricolin tout ému. Il faut reprendre tes sens.

— Oui, vous avez raison, mon père, je suis malade », dit Rose en fondant en larmes et en se jetant dans les bras de son père.

M. Bricolin avait été effrayé, mais il lui était impossible de s'attendrir. Il embrassa Rose comme un enfant qu'on apaise, mais non comme une fille qu'on adore. Il était vain de sa beauté, de son esprit, et plus encore de la richesse qu'il voulait placer sur sa tête. Il eût mieux aimé l'avoir mise au monde laide et sotte, mais inspirant l'envie par son argent, que parfaite et pauvre, et inspirant la pitié.

« Petite, lui dit-il, tu n'as pas le sens commun, ce soir. Va te coucher, et que ce meunier et vos belles amitiés te sortent de la cervelle. Sa sœur t'a nourrie, c'est vrai ; mais elle a été parbleu ! bien payée. Ce garçon a été ton camarade d'enfance, c'est encore vrai ; mais il était notre domestique, et il ne faisait que son devoir en t'amusant. Il me plaît de le chasser *au jour d'aujourd'hui*, parce qu'il m'a joué un vilain tour : c'est ton devoir de trouver que j'ai raison.

— Oh ! mon père, dit Rose en pleurant toujours dans les bras du fermier, vous révoquerez cet ordre-là. Vous lui permettrez de se justifier, car il n'est pas coupable, c'est impossible et vous ne me forcerez pas à humilier mon ami d'enfance, le fils de la bonne meunière qui m'aime tant !

— Rose, tout ça commence à m'ennuyer particulièrement, répondit Bricolin en se débarrassant des caresses de sa fille. C'est trop bête qu'il faille faire une affaire de famille de l'expulsion d'un pareil *va-nu-pieds*. Allons, flanque-moi la paix, je te prie. Écoute comme ta pauvre sœur *braille*, et ne t'occupe pas tant d'un étranger quand le malheur est dans notre maison.

— Oh ! si vous croyez que je n'entends pas la voix de ma sœur, dit Rose avec une expression effrayante, si vous croyez que ses cris ne disent rien à mon âme, vous vous trompez, mon père ! je les entends bien, et je n'y pense que trop ! »

Rose sortit en chancelant, mais comme elle se dirigeait vers la chambre de sa sœur, on l'entendit rouler sur le plancher du corridor. Les deux dames Bricolin accoururent effrayées. Rose était évanouie et comme morte.

On s'empressa de porter Rose dans la chambre où Marcelle écrivait en l'attendant, sans se douter de l'orage où s'agitait sa pauvre amie. Elle l'entoura des plus tendres soins et eut seule la présence d'esprit d'envoyer voir dans le bourg si le médecin n'était pas reparti. Il vint, et trouva la jeune fille dans une violente contraction nerveuse. Elle avait les membres raidis, les dents serrées, les lèvres bleuâtres. La connaissance lui revint quand on eut exécuté quelques prescriptions ; mais son pouls passa d'une atonie effrayante à une ardente énergie. La fièvre brillait dans ses grands yeux noirs, et elle parlait avec agitation, sans trop savoir à qui. Frappée de lui entendre prononcer plusieurs fois de suite le nom de Grand-Louis, Marcelle réussit à éloigner ses parents alarmés et à rester seule avec elle, tandis que le médecin se rendait auprès de

Mlle Bricolin l'aînée, qui commençait à présenter des symptômes de fureur comme la veille.

« Ma chère Rose, dit Marcelle en pressant sa compagne dans ses bras, vous avez du chagrin, c'est la cause de votre mal. Apaisez-vous ; demain vous me conterez tout cela, et je ferai tout au monde pour voir cesser vos peines. Qui sait si je ne trouverai pas quelque moyen ?

— Ah ! vous êtes un ange, vous, répondit Rose en se jetant à son cou. Mais vous ne pouvez rien pour moi. Tout est perdu, tout est rompu, Louis est chassé de la maison ; mon père, qui le protégeait ce matin, le hait et le maudit ce soir. Je suis trop malheureuse, en vérité !

— Vous l'aimez donc bien ? dit Marcelle étonnée.

— Si je l'aime ! s'écria Rose ; puis-je ne pas l'aimer ! Et quand donc en avez-vous douté ?

— Hier encore, Rose, vous n'en conveniez pas.

— C'est possible, je n'en serais peut-être jamais convenue si on ne l'eût pas persécuté, si on ne m'eût pas poussée à bout comme on l'a fait aujourd'hui. Imaginez-vous, dit-elle en parlant d'une manière précipitée, et en tenant à deux mains son front brûlant, qu'ils ont cherché à l'humilier devant moi, à l'avilir à mes yeux, parce qu'il est pauvre et qu'il ose m'aimer ! Ce matin, quand on l'accablait de railleries, j'étais lâche ; j'étais en colère, et je n'osais pas le faire paraître. Je l'ai laissé vilipender sans songer à le défendre, je rougissais presque de lui. Et puis je suis rentrée, prise tout à coup d'un grand mal de tête, et me demandant si j'aurais jamais la force de braver pour lui tant d'insultes. Je me suis figuré que je ne voulais plus l'aimer, et alors il m'a semblé que j'allais mourir, que cette maison, qui m'a toujours semblé belle, parce que j'y ai été élevée et que je m'y trouvais heureuse, devenait noire, malpropre, triste et laide comme elle vous le paraît sans doute à vous-même. Je me suis crue dans une prison, et ce soir, quand ma pauvre sœur me disait dans sa folie que notre père était un gendarme qui nous gardait à vue pour nous faire souffrir, il y a eu un instant où j'étais comme folle aussi, et où je me figurais voir tout ce que voyait ma sœur. Oh ! que cela m'a fait de mal ! Et quand j'ai repris ma raison, j'ai bien senti que sans mon pauvre Louis il n'y avait pour moi rien d'agréable, rien de supportable dans ma vie. C'est parce que je l'aime que j'ai accepté gaiement jusqu'à ce jour toutes mes peines, l'humeur terrible de ma mère, l'insensibilité de mon père, le fardeau de notre richesse, qui ne fait que des malheureux et des jaloux autour de nous, et le spectacle des maladies affreuses qui frappent depuis si longtemps sous mes yeux ma sœur et mon grand-père. Tout cela m'a paru hideux quand je me suis vue seule, n'osant plus aimer, et forcée de subir tout cela sans la consolation d'être chérie par un être beau, noble, excellent, dont l'attachement me dédommageait de tout. Oh ! c'est impossible ! je l'aime, je ne veux plus essayer de m'en guérir. Mais j'en mourrai, voyez-vous, madame Marcelle ; car ils l'ont chassé, et, j'aurai beau souffrir, ils seront impitoyables. Je ne pourrai plus le voir ; si je lui parle en secret, ils me gronderont et me persifleront jusqu'à ce que j'aie perdu la tête… Ma pauvre tête, que je croyais si saine, si forte, et qui me fait tant de mal qu'il me semble qu'elle se brise... Oh! je ne me laisserai pas devenir comme ma sœur, n'ayez pas peur de moi, ma chère madame Marcelle! Je me tuerai plutôt si je sens que son mal me gagne. Mais cela ne se gagne pas, n'est-il pas vrai?... Pourtant, quand je l'entends crier, cela me déchire le cœur, cela fait passer du feu et de la glace dans mon sang. Une sœur, une pauvre sœur! c'est le même sang que nous, et son mal se ressent dans notre corps comme dans notre âme! Oh ciel! Madame, oh! mon Dieu, l'entendez-vous? Tenez! ils ont beau fermer les portes, je l'entends encore, je l'entends toujours!... Comme elle souffre, comme elle aime, comme elle appelle! ma sœur, ô ma pauvre amie, que j'ai vue si belle, si sage, si douce, si gaie, et qui rugit à présent comme une louve!...»

La pauvre Rose éclata en sanglots, et peu à peu ses larmes, longtemps étouffées par un violent effort de sa volonté, devenaient des cris inarticulés, puis des cris perçants. Sa figure s'altérait, ses yeux égarés semblaient rentrer et s'éteindre, ses mains crispées pressaient les bras de Marcelle jusqu'à les meurtrir, et elle finit par cacher sa figure dans son oreiller en criant d'une manière déchirante, imitant par un instinct fatal et irrésistible les cris effroyables de sa malheureuse sœur.

La famille, frappée de cet écho sinistre, quitta l'aînée pour la cadette. Le médecin accourut, et, sachant ce qui s'était passé, n'attribua pas seulement cette violente attaque de nerfs à l'impression produite sur l'imagination de Rose par la démence de sa sœur aînée. Il réussit à la calmer; mais lorsqu'il se retrouva

seul avec les Bricolin, il leur parla assez sévèrement :
« Vous avez commis une longue imprudence, leur dit-
il, d'élever cette jeune fille en présence d'un aussi
triste spectacle. Il serait opportun de l'y soustraire,
d'envoyer l'aînée dans un établissement d'aliénés, et
de marier la cadette pour dissiper la mélancolie qui
pourrait bien s'emparer d'elle.

— Comment, monsieur Lavergne ! mais certainement ! dit Mme Bricolin, nous ne demandons qu'à
la marier. Elle en a trouvé dix fois l'occasion, et,
aujourd'hui encore, nous avions là son cousin Honoré,
qui est un très bon parti ; il aura bien un jour cent mille
écus. Si elle le voulait, il ne demanderait pas mieux et
nous aussi, mais elle ne veut pas en entendre parler ;
elle refuse tous ceux que nous lui présentons !

— C'est peut-être que vous ne lui présentez pas
celui qui lui plairait, répondit le docteur. Je n'en sais
rien, et je ne me mêle pas de vos affaires ; mais
vous savez bien la cause du malheur de l'autre, et je
vous conseille fort de vous conduire autrement avec
celle-ci.

— Oh ! celle-ci, dit M. Bricolin, ce serait trop
grand dommage, une si belle fille, hein, monsieur le
docteur ?

— L'autre aussi était une belle fille ; vous ne vous
en souvenez pas !

— Mais enfin, Monsieur, dit Mme Bricolin plus
irritée que pénétrée de la franchise du docteur, est-ce
que vous croiriez que ma fille n'aurait pas la tête
saine ? Le malheur de l'autre est un accident, un chagrin qu'elle a eu de la mort de son amant…

— Que vous ne lui aviez pas permis d'épouser !

— Monsieur, vous n'en savez rien ; nous le lui aurions peut-être permis, si nous avions su que ça devait tourner si mal. Mais Rose, Monsieur, c'est une fille bien organisée, bien raisonnable, et, Dieu merci, ce n'est pas un mal héréditaire chez nous. Il n'y a jamais eu de fous, que je sache, dans la famille des Bricolin ni dans celle des Thibaut ! Moi, j'ai toujours eu la tête froide et forte ; j'ai d'autres filles qui sont comme moi : je ne conçois pas pourquoi Rose ne l'aurait pas aussi bonne que les autres.

— Vous en penserez ce que vous voudrez, reprit le médecin ; mais je vous déclare que vous jouez gros jeu si vous contrariez jamais les inclinations de votre fille cadette. C'est un tempérament nerveux des mieux conditionnés, et assez semblable à celui de l'aînée. De plus, la folie, si elle n'est pas héréditaire, est contagieuse…

— Oh ! nous enverrons l'autre dans une maison de santé ; nous nous déciderons à cela quoi qu'il en puisse coûter, dit Mme Bricolin.

— Et il ne faut pas contrarier Rose, entends-tu, ma femme ? dit le fermier en se versant du vin à pleins verres pour s'étourdir sur ses chagrins domestiques. Il y a des acteurs à La Châtre, il faudra la mener voir la comédie. Nous lui achèterons une robe neuve, deux s'il faut. Nous avons, sapredié, bien le moyen de ne lui rien refuser !… »

M. Bricolin fut interrompu par Mme de Blanchemont, qui lui demandait un entretien particulier.

XXX

LE CONTRAT

« Monsieur Bricolin, dit Marcelle en suivant le fermier dans une espèce de cabinet sombre et mal rangé où il entassait ses papiers pêle-mêle avec divers instruments aratoires et ses échantillons de semence, êtes-vous disposé à m'écouter avec calme et douceur ? »

Le fermier avait beaucoup bu pour se donner de l'aplomb avant d'aller insulter Grand-Louis sur le terrier. En revenant, il avait encore bu pour se calmer et se rafraîchir. En troisième lieu, il avait bu pour conjurer la tristesse répandue autour de lui et chasser les idées noires qui le gagnaient. Son pichet de faïence à fleurs bleues, en permanence sur la table de la cuisine, lui servait ordinairement de contenance ou de stimulant contre la première pesanteur de l'ivresse. Quand il se vit seul avec la dame de Blanchemont et privé du secours de son vin blanc, il se sentit mal à l'aise, fit machinalement le mouvement de chercher sur sa table à écrire un verre qui ne s'y trouvait point, et, en voulant offrir une chaise, il en fit tomber deux. Marcelle s'aperçut alors que ses jambes, sa face rouge, sa langue et son cerveau étaient passablement avinés, et, malgré le dégoût que lui inspirait ce redoublement d'attrait du personnage, elle résolut d'affronter une franche explication avec lui, se rappelant le proverbe *in vino veritas*.

Voyant qu'il avait à peine entendu ses premières

paroles, elle revint à l'assaut. «Monsieur Bricolin, lui dit-elle, j'ai eu le plaisir de vous demander si vous étiez disposé à écouter avec bienveillance et tranquillité une demande assez délicate que j'ai à vous faire.

— Qu'est-ce qu'il y a, Madame? répondit le fermier d'un ton peu gracieux, mais sans énergie. Il en voulait beaucoup à Marcelle, mais il était trop appesanti pour le lui témoigner.

— Il y a, monsieur Bricolin, reprit-elle, que vous avez chassé de votre maison le meunier d'Angibault, et que je désirerais savoir la cause de votre mécontentement contre lui.»

Bricolin fut étourdi de cette franche manière d'aborder la question. Il y avait dans l'extérieur de Marcelle une sincérité hardie qui le gênait toujours, et surtout dans un moment où il n'avait pas le libre exercice de ses facultés. Dominé comme par une volonté supérieure à la sienne, il fit le contraire de ce qu'il eût fait à jeun, il dit la vérité.

«Vous le savez, Madame, répondit-il, la cause de mon mécontentement! je n'ai pas besoin de vous la dire.

— C'est donc moi? dit Mme de Blanchemont.

— Vous? non. Je ne vous accuse pas. Vous songez à vos propres intérêts, c'est tout simple, comme je songe aux miens… mais je trouve que c'est le fait d'une canaille de faire semblant d'être mon ami, et d'aller, pendant ce temps-là, vous donner des conseils contre moi. Écoutez-les, profitez-en, payez-les bien, vous n'en manquerez pas. Mais moi, je mets à la porte l'ennemi qui me nuit auprès de vous. Voilà!… Tant pis pour ceux qui le trouvent mauvais… Je suis le maître chez moi ; car enfin, voyez-vous, madame de Blanchemont, je vous le dis, chacun pour soi !… Vos intérêts sont vos intérêts à vous, mes intérêts sont mes intérêts à moi. La canaille est de la canaille… *Au jour d'aujourd'hui*, chacun songe à soi. Je suis le maître dans ma maison et dans ma famille, vous avez vos intérêts comme j'ai les miens ; pour des conseils contre moi, vous n'en manquerez guère, je vous le dis… »

Et M. Bricolin continua ainsi pendant dix minutes à se répéter fastidieusement sans s'en apercevoir, perdant à chaque parole le souvenir d'avoir dit déjà cent fois la même chose.

Marcelle, qui avait vu rarement de près des gens ivres, et qui n'avait jamais causé avec aucun, l'écoutait avec étonnement, se demandant s'il était devenu tout à coup idiot, et songeant avec effroi que le sort de Rose et de son amant dépendait d'un homme dur et opiniâtre à jeun, stupide et sourd quand le vin avait apaisé sa rudesse. Elle le laissa ressasser pendant quelque temps les mêmes lieux communs ignobles, puis, voyant que cela pouvait durer jusqu'à ce que le sommeil le prît sur sa chaise, elle essaya de le dégriser en touchant brusquement la corde la plus sensible.

« Voyons, monsieur Bricolin, dit-elle en l'interrompant, vous voulez absolument acheter Blanchemont ? Et si j'acceptais le prix que vous m'en offrez, seriez-vous encore fâché ? »

Bricolin fit un effort pour relever ses paupières dilatées, et pour regarder fixement Marcelle qui, de son côté, le regardait avec attention et assurance. Peu à peu l'œil du fermier s'éclaircit, sa face lourde et gonflée parut se raffermir, et on eût dit qu'un voile tombait de dessus ses traits. Il se leva et fit deux ou trois tours dans la chambre, comme pour essayer ses jambes et rassembler ses idées. Il craignait de rêver. Quand il revint s'asseoir vis-à-vis de Marcelle, son attitude était solide et son teint presque pâle.

«Pardon, madame la baronne, lui dit-il, qu'est-ce que vous m'avez fait l'honneur de me dire?

— Je dis, reprit Marcelle, que je suis capable de vous laisser ma terre pour deux cent cinquante mille francs, si…

— Si quoi? demanda Bricolin d'un ton bref et avec un regard de lynx.

— Si vous voulez me promettre de ne pas faire le malheur de votre fille.

— Ma fille! Qu'est-ce que ma fille a à faire dans tout cela?

— Votre fille aime le meunier d'Angibault; elle est fort malade, elle peut en perdre la raison comme sa sœur. Entendez-vous, comprenez-vous, monsieur Bricolin?

— J'entends, et ne comprends guère. Je vois bien que ma fille a une espèce d'amourette dans la tête. Ça peut passer d'un jour à l'autre, comme ça est venu. Mais quel si grand intérêt portez-vous à ma fille?

— Que vous importe? Puisque vous ne comprenez pas qu'on puisse avoir de l'amitié et de la compassion pour une fille charmante qui souffre, vous comprenez du moins l'avantage d'être propriétaire de Blanchemont?

— C'est un jeu, madame la baronne. Vous vous moquez de moi. Vous avez parlé aujourd'hui à mon plus grand ennemi, à Tailland le notaire, qui vous aura certainement conseillé de me tenir la dragée haute !

— Sans aucune animosité contre vous, il m'a donné les renseignements nécessaires sur ma position. Or, je sais que je pourrais trouver un acquéreur très prochainement, et vous tenir, comme vous dites, la dragée très haute.

— Et c'est le meunier d'Angibault qui vous a procuré ce bon conseiller-là en cachette de moi ?

— Qu'en savez-vous ? Vous pourriez vous tromper. D'ailleurs, toute explication à ce sujet est inutile ; si je me contente de vos offres, que vous importe le reste ?

— Mais le reste… le reste, c'est qu'il faut que ma fille épouse un meunier !

— Votre père l'était avant d'entrer comme fermier chez mes parents.

— Mais il a ramassé du bien, et, *au jour d'aujourd'hui*, je suis en position d'avoir un gendre qui m'aidera à acheter votre terre.

— À l'acheter trois cent mille francs, et peut-être plus ?

— C'est donc une condition *sinet quoi nomme* ? Vous voulez que ce meunier épouse ma fille ? Quel intérêt avez-vous à cela ?

— Je vous l'ai dit, l'amitié, le plaisir de faire des heureux, toutes choses qui vous paraissent bizarres ; mais chacun son caractère.

— Je sais bien que défunt M. le baron votre mari aurait donné dix mille francs d'un mauvais cheval, quarante mille francs d'une mauvaise fille, quand ça lui passait par la tête. Ce sont des fantaisies de noble ; mais enfin ça se conçoit, c'était pour lui, ça lui procurait de l'agrément : au lieu que faire un sacrifice purement pour le plaisir des autres, à des gens qui ne vous tiennent en rien, que vous connaissez à peine…

— Vous me conseillez donc de ne pas le faire ?

— Je vous conseille, dit vivement Bricolin effrayé de sa maladresse, de faire ce qui vous plaît ! On ne dispute pas des goûts et des idées ; mais enfin !…

— Mais enfin, vous vous méfiez de moi, cela est clair. Vous ne me croyez pas sincère dans mes propositions ?

— Dame, Madame ! quelle garantie en aurais-je ? C'est une fantaisie de reine qui peut vous passer d'un moment à l'autre.

— C'est pourquoi vous devriez vous hâter de me prendre au mot. »

« Elle a pardieu raison, se dit M. Bricolin ; dans sa folie, elle a plus de sang-froid que moi. »

« Voyons, madame la baronne, dit-il, quelle garantie me donneriez-vous ?

— Un engagement écrit.

— Signé ?

— À coup sûr.

— Et moi, je vous promettrais de donner ma fille en mariage à votre protégé ?

— Vous m'en donneriez d'abord votre parole d'honneur.

— D'honneur ? et puis après ?

— Et puis tout de suite vous iriez, en présence de

votre mère, de votre femme et de moi, la donner à
Rose.

— Ma parole d'honneur ? Rose est donc bien
amourachée ?

— Enfin, consentez-vous ?

— S'il ne faut que cela pour lui faire plaisir, à
cette petite !...

— Il faut plus encore...

— Quoi donc ?

— Il faut tenir votre parole. »

La figure du fermier s'altéra.

« Tenir ma parole... tenir ma parole ! dit-il ; vous
en doutez donc ?

— Pas plus que vous ne doutez de la mienne ;
mais, comme vous me demandez un écrit, je vous en
demanderai un aussi[1].

— Un écrit comme quoi tourné ?

— Une promesse de mariage que je rédigerais
moi-même, que Rose signerait, et que vous signeriez
aussi.

— Et si Rose allait me demander une dot après
tout cela ?

— Elle y renoncerait par écrit. »

« Ce serait une fameuse économie, pensa le fer-

---

1. Marcelle fait preuve de prudence en exigeant que tout soit
écrit. Cependant on peut se demander quelle est la valeur juridique de cet acte. La question sera posée un peu plus loin dans
le roman (*cf.* p. 453) : « Le mariage étant *d'ordre public*, on n'en
pouvait faire une clause de vente. Dans le cas de clauses illicites,
la vente subsiste et lesdites clauses *sont réputées non écrites.* » La
romancière prétendra que Bricolin en était parfaitement conscient.
Ce n'est finalement pas en vertu de cet acte que Bricolin donnera Rose au Grand-Louis, mais grâce à l'argent de Cadoche.

mier. Cette diable de dot qu'il aurait fallu fournir d'un jour à l'autre m'aurait empêché peut-être d'acheter Blanchemont. Ne pas doter et avoir Blanchemont pour deux cent cinquante mille francs, c'est cent mille francs de profit. Allons, il n'y a pas à barguigner. Avec ça que si Rose devenait folle, il faudrait bien renoncer à trouver un gendre… et puis payer un médecin à l'année… Et puis enfin, c'est trop triste ; ça me ferait trop de peine de la voir devenir laide et malpropre comme sa sœur. Ça serait une honte pour nous d'avoir deux filles folles. Celle-là sera drôlement établie, mais la seigneurie de Blanchemont peut replâtrer bien des choses. On critiquera d'un côté, on nous jalousera de l'autre. Allons, soyons bon père. L'affaire n'est pas mauvaise. »

« Madame la baronne, dit-il, si nous essayions de voir comment on pourrait tourner cet écrit-là ? C'est un drôle de marché tout de même, et je n'en ai jamais vu de modèle.

— Ni moi non plus, répondit Mme de Blanchemont, et je ne sais s'il en existe dans la législation moderne. Mais, qu'importe ? avec du bon sens et de la loyauté, vous savez qu'on peut rédiger un acte plus solide que tous ceux des gens du métier.

— Ça se voit tous les jours. Un testament, par exemple ! le papier timbré même n'y fait rien. Mais j'en ai ici. J'en ai toujours. On doit toujours avoir de ça sous la main.

— Laissez-moi faire un brouillon sur papier libre, monsieur Bricolin, et faites-en un de votre côté ; nous comparerons, nous discuterons s'il y a lieu, et nous transcrirons sur papier marqué.

— Faites, faites, Madame, répondit Bricolin, qui savait à peine écrire. Vous avez plus d'esprit que moi, vous tournerez ça mieux que moi, et puis nous verrons. »

Pendant que Marcelle écrivait, M. Bricolin chercha dans un coin une cruche d'eau, et, sans être aperçu, il la posa sur une encoignure, s'inclina et en avala une certaine quantité. « Il s'agit d'avoir sa tête, pensait-il ; il me semble bien que c'est revenu ; mais de l'eau froide dans le sang, c'est très bon en affaires, ça rend prudent et méfiant. »

Marcelle, inspirée par son cœur, et douée d'ailleurs d'une grande lucidité d'intelligence dans ses généreuses résolutions, rédigea un écrit qu'un légiste eût pu regarder comme un chef-d'œuvre de clarté, quoiqu'il fût écrit en bon français, qu'il n'y eût pas un mot de l'argot consacré, et qu'il fût empreint de la plus admirable bonne foi. Quand Bricolin en eut écouté la lecture, il fut frappé de la précision de cet acte, qu'il n'eût pas dicté, mais dont il comprenait fort bien la valeur et les conséquences.

« Le diable soit des femmes ! pensa-t-il. On a bien raison de dire que, quand par hasard elles s'entendent aux affaires, elles en remontreraient au plus malin d'entre nous. Je sais bien que, quand je consulte la mienne, elle s'aperçoit toujours de ce qui peut laisser une porte ouverte en ma faveur ou à mon détriment. Je voudrais qu'elle fût là ! Mais elle nous retarderait par ses objections. Nous verrons bien quand il sera question de signer. Qu'est-ce qui croirait pourtant que cette jeune dame-là qui est une liseuse de romans, une républicaine et un cerveau brûlé, est capable de

faire si sagement une folie ? J'en perdrai la tête d'étonnement. Buvons encore un verre d'eau. Pouah ! que
c'est mauvais ! que de bon vin il me faudra boire
après le marché pour me refaire l'estomac ! »

XXXI

ARRIÈRE-PENSÉE

« Ça me paraît sans objection, dit M. Bricolin quand
il eut écouté attentivement une seconde et une troisième lecture de l'acte, tout en suivant avec ses yeux,
qui s'agrandissaient et s'éclaircissaient à chaque ligne,
le texte que Marcelle tenait entre eux deux. Il n'y a
qu'une petite chose que je trouve à redire, c'est le
prix, madame Marcelle ; vrai, c'est trop cher de vingt
mille francs. Je ne réfléchissais pas d'abord quel tort
pouvait me faire le mariage de ma fille avec ce meunier. On va dire que je suis ruiné, puisque je l'établis
si misérablement. Ça m'ôtera mon crédit. Et puis, ce
garçon n'a pas de quoi acheter les présents de noce.
C'est encore une dépense de huit ou dix mille francs
qui retombera à ma charge. Rose ne peut pas se passer d'un joli trousseau… Je suis sûr qu'elle y tient !

— Je suis sûre, moi, qu'elle n'y tient pas, dit Marcelle. Écoutez, monsieur Bricolin, elle pleure ! l'entendez-vous ?

— Je ne l'entends pas, Madame, je crois que vous
vous trompez.

— Je ne me trompe pas, dit Marcelle en ouvrant la porte, elle souffre, elle sanglote, et sa sœur crie ! Comment, vous hésitez, Monsieur ? Vous trouvez le moyen de vous enrichir en lui rendant la santé, la raison, la vie peut-être, et, dans un moment pareil, vous songez à gagner encore sur votre marché ! Vraiment ! ajouta-t-elle avec indignation, vous n'êtes pas un homme, vous n'avez pas d'entrailles ! Prenez garde que je ne me ravise, et que je ne vous abandonne aux calamités qui pèsent sur votre famille comme un châtiment de votre avarice ! »

De cette sortie véhémente, le fermier n'entendit clairement que la menace de rompre le marché.

« Allons, Madame, passez-moi dix mille francs, dit-il, et c'est conclu.

— Adieu ! dit Marcelle. Je vais voir Rose ; faites vos réflexions, les miennes sont faites ; je ne changerai rien à mes conditions. J'ai un fils, et je n'oublie pas qu'en songeant aux autres, je ne dois pas trop le sacrifier.

— Rasseyez-vous donc, madame Marcelle, et laissons dormir la pauvre Rose. Elle est si malade !

— Allez donc la voir vous-même ! dit Marcelle avec feu ; vous vous convaincrez qu'elle ne dort pas. Peut-être que ses souffrances vous feront souvenir que vous êtes son père.

— Je m'en souviens, répondit Bricolin effrayé de la pensée que Marcelle pourrait bien changer d'avis s'il lui donnait le temps de la réflexion. Allons, Madame, bâclons cet acte-là, afin de pouvoir en porter la nouvelle à Rose et la guérir.

— J'espère, Monsieur, que vous lui donnerez votre

consentement pur et simple, et qu'elle ne saura jamais que je vous l'ai acheté.

— Vous ne voulez pas qu'elle sache que c'est une condition entre nous ? Ça m'arrange ! Alors, il est inutile qu'elle signe l'écrit.

— Pardon, elle le signera sans le bien comprendre. Ce sera une espèce de dot que j'aurai faite à son fiancé.

— Ça revient au même. Mais, oui, ça m'est égal ; Rose est assez raisonnable pour comprendre que je ne pouvais pas la marier si bêtement sans lui en faire retirer quelque avantage dans l'avenir. Mais le paiement, madame Marcelle, vous exigez donc qu'il se fasse comptant ?

— Vous m'avez dit que vous étiez en mesure.

— Sans doute, je le suis ! Je viens de vendre une grosse métairie qui était trop loin de mes yeux, et dont j'ai touché, il y a huit jours, le paiement intégral ; chose qui ne se fait guère dans notre pays ; mais c'est un grand seigneur qui m'a acheté ça, et ces gens-là ont du comptant à pleins coffres. C'est un pair de France, c'est un monsieur le duc de ***, qui voulait faire un parc sur mes terres et s'arrondir. Ça lui convenait, j'ai vendu cher, comme de juste !

— N'importe, vous avez les fonds ?

— Je les ai en portefeuille, en beaux billets de banque, dit Bricolin en baissant la voix. Je vas vous les faire voir pour que vous n'ayez pas de souci. »

Et après avoir été fermer les portes au verrou, il tira de sa ceinture un énorme portefeuille de cuir gras et luisant, où s'amoncelait une quantité de billets sur la banque de France. Étonné de l'air indifférent avec lequel Marcelle les comptait :

« Oh ! dit-il, ça fait frémir d'avoir tant d'argent que ça à la fois ! Heureusement qu'il n'y a plus de chauffeurs, et qu'on peut se risquer à garder ça quelques jours sans le placer. Je porte ça tout le jour sur moi ; la nuit, je le mets sous mon oreiller, je dors dessus. Il me tarde tant de m'en débarrasser ! Si je n'avais pas fait affaire avec vous tout de suite, j'aurais acheté un coffre de fer pour le serrer, en attendant le placement, car de confier ça à des notaires où à des banquiers, pas si bête ! Aussi, je voudrais que nous pussions bâcler notre marché ce soir, afin de n'avoir plus à garder ce trésor.

— J'espère bien que nous allons terminer de suite, dit Marcelle.

— Mais quoi ! sans consulter ? Et ma femme ? et mon notaire ?

— Votre femme est ici ; quant à votre notaire, si vous l'appelez, il faut que j'appelle aussi le mien.

— Ces diables de notaires gâteront tout, croyez-moi, Madame ! J'en sais aussi long qu'eux, et vous aussi, car notre acte est bon, et si nous le faisons enregistrer, il nous en coûtera diablement.

— Passons-nous donc de cette formalité. Je vous vendrai, comme on dit, de la main à la main.

— Un marché si important ! ça fait frémir cependant ! Mais ceci n'est qu'une promesse après tout : si nous la signions ?

— C'est une promesse qui vaut acte. Je suis prête à la signer. Allez chercher votre femme. »

« Il le faut bien, se dit Bricolin. Pourvu que ça ne

prenne pas trop de temps et que le vent ne tourne pas pendant une heure de dispute que la Thibaude va peut-être me chercher ! »

« Vous allez voir Rose, madame Marcelle ? Ne lui dites rien encore.

— Je m'en garderai bien ! mais vous me permettez de lui faire entrevoir quelque espérance de votre consentement ?

— Au point où nous en sommes, ça se peut », répondit Bricolin, s'avisant avec sagacité que la vue de Rose et de ses larmes était le meilleur moyen d'entretenir Marcelle dans ses généreuses intentions.

M. Bricolin trouva sa femme dans des dispositions bien différentes de celles qu'il prévoyait. Mme Bricolin était dure, acariâtre ; mais, quoique plus avare que son mari dans les détails de la vie, elle était peut-être moins cupide quant à l'ensemble ; plus amère dans ses paroles, plus insensible en apparence, elle était plus capable que lui d'un mouvement dans l'occasion. D'ailleurs, elle était femme, et le sentiment maternel, pour être caché sous des formes acerbes, n'en était pas moins vivant dans son sein.

« Monsieur Bricolin, dit-elle en venant à sa rencontre et en s'enfermant avec lui dans la cuisine où brûlait tristement une maigre chandelle, tu me vois dans la peine. Rose est plus malade que tu ne penses. Elle ne fait que crier et pleurer comme si elle avait perdu la tête. Elle aime ce meunier ; c'est comme une punition de Dieu pour nos péchés. Mais le mal est fait, son cœur est pris, et elle est tout juste comme était sa sœur quand elle commençait à *déménager*. D'un autre côté, l'état de l'autre empire et menace de

devenir intolérable. Le médecin, voyant qu'elle faisait mine de briser les portes, vient d'exiger qu'on la
laissât sortir et *vaguer* dans la garenne et le vieux
château comme à l'ordinaire. Il dit qu'elle est habituée à être seule, toujours en mouvement, et que si on
la tient enfermée avec du monde autour d'elle, elle
deviendra furieuse. Mais j'en tremble, si elle allait se
tuer ! Elle paraît si méchante ce soir ! Elle, qui ne
parle jamais, nous a dit toutes les horreurs de la vie.
J'ai l'estomac qui m'en fait mal. C'est abominable
de vivre comme ça ! Et quand on pense que c'est *une
amour contrariée* qui en est la cause ! Nous avons
pourtant également bien élevé toutes nos filles ! Les
autres se sont mariées comme nous avons voulu, elles
nous font honneur ; elles sont riches, et elles ont l'esprit de se trouver heureuses, quoique leurs maris ne
soient pas des jolis cœurs. Mais l'aînée et la dernière
ont des têtes de fer, et puisque nous avons eu le
guignon de ne pas comprendre ce qui pouvait perdre
l'une, nous devons avoir la prudence de ne pas
contrarier l'autre. J'aimerais mieux qu'elle ne fût pas
née que d'épouser ce meunier ! Mais elle le veut, et
comme j'aimerais mieux la voir morte que folle, il
faut prendre son parti là-dessus. Je te le dis donc,
monsieur Bricolin, je donne mon consentement, et il
faut bien que tu donnes le tien. Je viens de dire à
Rose que si elle voulait absolument se marier avec
cet homme-là, je ne l'en empêcherais pas. Ça a paru
la calmer, quoiqu'elle n'ait pas eu l'air de me comprendre ou de me croire. Il faut que tu ailles chez elle
et que tu dises de même.

— Comme ça se trouve ! s'écria Bricolin enchanté.

Tiens, femme, lis-moi ce bout d'écrit, et dis-moi s'il n'y manque rien.

— Je tombe des nues ! » dit la fermière après avoir lu l'écrit. Et après maintes exclamations, elle rassembla toutes les glaces de sa volonté pour le relire avec toute l'attention d'un procureur. « Cet écrit-là est bon pour toi, dit-elle. Ça vaut un jugement. Tu n'as pas besoin de consulter, monsieur Bricolin ; tu n'as qu'à signer. C'est tout profit, tout bonheur ! Ça fait nos affaires et ça contente Rose. On a raison de dire que quand on a bonne intention, le Bon Dieu vous en récompense. J'étais décidée à la donner pour rien à son amant, et nous en voilà bien payés ! Signe, signe, mon vieux, et paie. Ça fera que l'acte aura reçu exécution, et qu'il n'y aura pas à y revenir.

— Payer déjà ? comme ça tout d'un coup ! sur un chiffon de papier qui n'est pas seulement notarié ?

— Paie ! te dis-je, et fais publier les bans demain matin.

— Mais si l'on faisait entendre raison à la petite ! Peut-être qu'elle se portera bien demain, et qu'elle consentira à en épouser un autre si on la raisonne, et si tu sais t'y prendre avec elle. On pourrait dire alors qu'un acte pareil de ma part est une folie, une bêtise qui ne peut pas engager ma fille…

— Eh bien ! alors la vente serait annulée.

— Savoir ! on peut toujours plaider.

— Tu perdrais !

— Savoir encore ! D'ailleurs, qu'est-ce que ça fait ? La vente serait suspendue. Un procès, on peut faire durer ça longtemps. Tu sais que Mme de Blanchemont ne peut pas attendre. Ça la forcerait bien à transiger.

— Bah ! avec ces histoires-là on fait mal parler de soi, monsieur Bricolin. On perd son honneur et son crédit. Il y a toujours profit à agir rondement.

— Eh bien, *on verra*, Thibaude ! Va toujours dire à ta fille que c'est conclu. Peut-être que quand elle ne se sentira plus contrariée, elle ne se souciera plus tant de son Grand-Louis ; car ça m'a l'air tout bonnement d'une *pique* entre elle et moi qui lui monte comme ça la tête. Dis donc ? il n'a pas mal manœuvré dans tout ça, le meunier ! Il a su trouver le moyen de capter la protection et l'amitié de cette dame, je ne sais comment… Le gaillard n'est pas sot !

— Je le détesterai toute ma vie ! répondit la fermière ; mais c'est égal. Pourvu que Rose ne devienne pas comme sa sœur, je battrai froid à son mari et je me tairai.

— Oh ! son mari, son mari !… il ne l'est pas encore !

— Si fait, Bricolin, c'est une affaire finie : va signer.

— Et toi ? il faut bien que tu signes aussi ?

— Je suis prête. »

Mme Bricolin entra délibérément chez sa fille, où Marcelle l'attendait, et elle signa avec son mari sur un coin de la commode.

Quand ce fut fait, Bricolin dit tout bas à sa femme, avec un regard de triomphe farouche :

« Thibaude ! la vente est bonne et la condition est nulle ! Tu ne savais pas ça, toi qui prétends tout savoir ! »

Rose avait toujours la fièvre et des douleurs intolérables à la tête ; mais depuis que la folle était dehors et qu'on ne l'entendait plus crier, Rose avait les nerfs plus calmes. Quand Marcelle eut signé et qu'elle présenta la plume à sa jeune amie, celle-ci eut bien de la peine à comprendre ce dont il s'agissait ; mais quand elle l'eut compris, elle fondit en larmes et se jeta avec effusion dans les bras de son père, de sa mère et de son amie, en disant à l'oreille de celle-ci :

« Divine Marcelle, c'est un prêt que j'accepte ; je serai assez riche un jour pour m'acquitter envers votre fils. »

La grand-mère Bricolin fut la seule de la famille qui comprit la noble conduite de Marcelle. Elle se jeta à ses genoux et les embrassa sans rien dire.

« Et maintenant, dit Marcelle tout bas à la vieille, il n'est pas bien tard, dix heures seulement ! Grand-Louis pourrait bien être encore sur le terrier, et d'ailleurs il n'y a pas si loin d'ici à Angibault. Si on envoyait quelqu'un le chercher ? Je n'ose le proposer ; mais on pourrait le faire arriver comme par hasard, et une fois ici il faudrait bien l'instruire de son bonheur.

— Je m'en charge ! s'écria la vieille. Quand je devrais aller moi-même au moulin ! Je retrouverais mes jambes de quinze ans pour ça ! »

Elle sortit elle-même en effet dans le village, mais elle ne trouva pas le meunier. Elle voulut lui dépêcher un garçon de ferme. Ils étaient tous ivres, endormis dans leur lit ou au cabaret, incapables de se mouvoir. La petite Fanchon était trop poltronne pour s'en aller de nuit par les chemins ; d'ailleurs, il n'était pas humain d'exposer cette jeune enfant, un soir de fête, à rencontrer toutes sortes de gens. La mère Bricolin allait, cherchant sur le terrier devenu presque désert, quelqu'un d'assez mûr et d'assez prudent pour se charger de sa commission, lorsque l'oncle Cadoche, sortant de dessous le porche de l'église, où il venait de marmotter une dernière prière, s'offrit à ses regards.

XXXII

LE PATACHON

« Vous vous promenez bien tard, madame Bricolin ? dit le mendiant à la vieille fermière ; vous avez l'air de chercher quelqu'un ? Votre petite-fille est rentrée depuis longtemps. Son papa l'a joliment contrariée aujourd'hui !…

— C'est bon, c'est bon, Cadoche, répondit la vieille, je n'ai pas d'argent sur moi. Mais je crois qu'on t'a donné aujourd'hui chez nous.

— Je ne vous demande rien ; ma journée est faite ; j'ai bu trois petits verres ce soir, et je n'en vas que plus droit. Tenez, mère Bricolin, ce n'est pas votre mari, ni même votre garçon le gros monsieur, qui porteraient la boisson comme je le fais à mon âge. Je vous souhaite le bonsoir. Je m'en vas coucher à Angibault.

— À Angibault ? Cadoche, mon vieux, tu vas à Angibault ?

— Ça vous étonne ? Ma maison est à deux grandes lieues d'ici du côté de *Jeu-les-Bois*. Je n'ai pas besoin de me fatiguer. Je m'en vas passer la nuit chez mon neveu le meunier ; j'y suis toujours bien reçu, et on ne me met pas à la paille, comme dans les autres maisons, comme chez vous, par exemple, qui êtes pourtant assez riches encore, malgré les chauffeurs ! Chez mon neveu, il y a un lit pour moi dans le moulin, et on n'a pas peur que j'y mette le feu… comme chez vous où, quand on n'a pas le feu aux pieds on l'a dans la tête. »

Ces allusions à la catastrophe dont son mari avait été victime firent passer un frisson dans le vieux sang de la mère Bricolin ; mais elle fit un effort pour ne penser qu'à sa petite-fille et à des jours meilleurs.

« C'est donc chez le Grand-Louis que tu vas ? dit-elle au vieillard.

— Sans doute ; chez le meilleur de mes neveux, chez mon vrai neveu, mon héritier futur !

— Dis donc, Cadoche, puisque tu es dans ton bon sens et que tu es si ami du Grand-Louis, tu peux lui rendre un fameux service. Il y a une affaire qui presse, et il faut qu'il vienne tout de suite me parler : dis-lui, ça, je l'attendrai à la porte de la grand-cour. Qu'il prenne sa jument, il ira plus vite.

— Sa jument ? il ne l'a plus ; on la lui a volée.

— C'est égal, qu'il vienne, n'importe comment ! l'affaire l'intéresse beaucoup.

— Et qu'est-ce que c'est que cette affaire ?

— Ah ! bon, il veut qu'on lui explique ça, à présent ! Cadoche, il y aura une pièce neuve de vingt sous pour toi, que tu pourras venir chercher demain matin.

— À quelle heure ?

— Quand tu voudras.

— J'irai à sept heures. Soyez-y, parce que je n'aime pas à attendre.

— Va donc !

— J'y vas. Je n'en ai pas pour trois quarts d'heure. Ah ! c'est que j'ai de meilleures jambes que votre mari, mère Bricolin, et pourtant j'ai dix ans de plus. »

Le mendiant partit d'un pas assez ferme en effet. Il approchait d'Angibault, lorsqu'il se trouva dans un chemin étroit, juste devant la calèche de M. Ravalard, conduite à grand train par le patachon roux et méchant, qui dédaigna de lui crier gare ! et poussa ses chevaux sur lui.

Il est contraire à la dignité du paysan berrichon de se déranger jamais pour une voiture, quelque avertissement qu'il reçoive, quelque difficulté qu'il y ait à se déranger pour lui. L'oncle Cadoche était plus fier que qui que ce soit dans le pays. Habitué à traiter du haut de sa grandeur, avec un sérieux comique, tous ceux auxquels il tendait une main suppliante, il affecta de ralentir son allure et de garder le milieu du chemin, quoiqu'il sentît l'haleine ardente des chevaux sur son épaule. « Range-toi donc, animal ! » cria enfin le patachon en lui allongeant un grand coup de fouet autour du visage.

Le mendiant se retourna, et, saisissant les chevaux à la bride, il les fit reculer si fort, qu'ils faillirent verser la voiture dans le fossé. Alors s'engagea entre lui et le patachon furieux une lutte désespérée ; celui-ci frappant toujours de son fouet et proférant mille imprécations ; le vieux Cadoche se garantissant de ses atteintes en se baissant sous la tête des chevaux,

et les poussant toujours en leur secouant le mors avec
force, tantôt les faisant reculer, tantôt reculant lui-
même devant eux. M. Ravalard avait pris d'abord
des airs de grand seigneur, comme il convient à un
homme qui roule carrosse pour la première fois de sa
vie. Il avait juré lui-même contre l'insolent qui osait
l'arrêter ; mais, le bon cœur du Berrichon l'empor-
tant bientôt sur l'orgueil du parvenu, dès qu'il vit que
le vieillard bravait follement un danger réel[1] :

« Prenez garde, dit-il au patachon en se penchant
hors de sa calèche ; prenez garde de faire du mal à ce
pauvre homme ! »

Il était trop tard : les chevaux, exaspérés d'être
fouettés d'un côté et repoussés de l'autre, avaient fait
un bond furieux : ils avaient renversé Cadoche. Grâce
à l'admirable instinct de ces généreux animaux, ils
franchirent son corps sans le toucher, mais les deux
roues de la voiture lui passèrent sur la poitrine.

Le chemin était sombre et désert. Il faisait trop
nuit pour que M. Ravalard pût distinguer ce porteur
de haillons couleur de terre, étendu derrière sa calèche
qui fuyait rapidement, le patachon lui-même ne pouvant maîtriser ses chevaux. D'abord le bourgeois
éprouva la peur de verser ; quand l'attelage se calma,
le mendiant était déjà bien dépassé.

« J'espère que vous ne l'avez pas renversé ? dit-il à
son cocher, qui tremblait encore de peur et de colère.

— Non, non, dit le patachon convaincu ou non de

---

1. Toute cette scène est d'une grande violence et d'une sai-
sissante force : voilà encore de quoi mettre en échec ceux qui ne
voient dans les romans paysans de G. Sand que de l'idylle.

ce qu'il affirmait. Il est tombé de côté. C'est sa faute, vieille canaille ! mais les chevaux n'y ont pas touché, et il n'a pas eu de mal, car il n'a pas seulement crié. Il en sera quitte pour la peur, et ça lui servira de leçon.

— Mais si nous retournions voir ? dit M. Ravalard.

— Oh ! non, non, Monsieur ; pour une égratignure ces gens-là vous feraient un procès. Il n'aurait même rien du tout qu'il ferait semblant d'avoir la tête cassée pour vous faire donner beaucoup d'argent. J'en ai accroché un comme ça une fois, qui a eu la patience de rester quarante jours au lit pour se faire indemniser par mon bourgeois de quarante jours de travail perdu. Et il n'était pas plus malade que moi.

— Ces gens-là sont bien fins ! dit M. Ravalard. Cependant, j'aimerais mieux n'avoir jamais de calèche que d'écraser n'importe qui. Une autre fois, petit, il faudra s'arrêter court plutôt que de se disputer comme ça ; c'est dangereux. »

Le patachon, qui ne se souciait pas des suites de l'affaire, fouetta encore ses chevaux pour s'éloigner au plus vite. Il n'était pas sans terreur et sans remords, et il jura entre ses dents jusqu'à la fin du voyage.

Le meunier, Lémor, la Grand'Marie et M. Tailland le notaire, sortaient en ce moment du moulin. Lémor était résolu à partir le lendemain ; il passait là sa dernière soirée, peu attentif à ce qui se disait autour de lui, et contemplant, plongé dans une douce mélancolie, la beauté du ciel et le miroitement des étoiles dans la rivière. Le meunier, triste et sombre, s'efforçait de faire politesse au notaire, qui venait de rédiger un testament à quelques pas de là, chez un métayer de la Vallée-Noire, et qui, en repassant devant le moulin, s'y était arrêté pour allumer son cigare et les lanternes de son cabriolet. La Grand'Marie était en train de lui expliquer qu'en prenant une autre direction il éviterait un long trajet pierreux, et Grand-Louis assurait qu'en passant ce même chemin au pas ou à pied, en conduisant le cheval par la bride, il aurait le reste du chemin meilleur. Le notaire, quand il s'agissait de ses aises, était ce qu'on appelle dans le pays extrêmement *fafiot*, mot intraduisible qui désigne un homme à la fois musard et minutieux. Il venait de perdre un quart d'heure qu'il eût pu employer chez lui à se reposer, à se faire expliquer comme quoi il pouvait éviter un quart d'heure de fatigue légère.

Il trouvait que mener à pied son cheval par la bride était encore plus fatigant que de rester dans sa carriole en supportant les cahots, mais que des deux le meilleur ne valait rien et troublait la digestion.

« Allons, dit le meunier, en qui les tristes pensées ne pouvaient étouffer l'obligeance et la bonté naturelles, suivez-moi en vous promenant tout doucement, je vas vous conduire votre équipage jusque là-haut. Quand nous aurons dépassé les vignes, vous aurez tout chemin de sable. »

En remplissant avec bonhomie l'office de groom, Grand-Louis fut bientôt obligé de ranger le cabriolet presque dans le fossé pour laisser passer la calèche de M. Ravalard qui allait grand train. M. Ravalard, préoccupé de sa rencontre avec le mendiant, ne songea pas à répondre au bonsoir amical du meunier.

« C'est donc parce qu'il a voiture qu'il ne me reconnaît pas ! dit celui-ci à Lémor qui l'avait suivi.

Argent, argent! tu fais tourner le monde comme l'eau la roue de mon moulin. Ce damné patachon brisera tout s'il va de ce train-là sur nos cailloux; sans doute qu'il a du vin dans la tête et de l'argent dans le gousset. Je ne sais pas lequel grise le mieux. Ah! Rose! Rose! ils te feront boire le poison de la vanité, et avant peu, tu m'oublieras peut-être aussi. Cependant elle paraissait presque m'aimer ce soir; elle avait les yeux pleins de larmes quand on l'a séparée de moi. Je ne lui parlerai plus... elle me regrettera peut-être... Ah! que je serais heureux si je n'étais pas si malheureux!»

Le meunier fut tiré de ses réflexions par un écart du cheval qu'il conduisait. Il se pencha en avant et vit quelque chose de pâle en travers du chemin. Le cheval refusait obstinément d'avancer, et la traîne ombragée était si noire en cet endroit que Grand-Louis fut obligé de mettre pied à terre pour voir s'il avait heurté un tas de pierres ou un ivrogne.

«Oh! diable! mon oncle, dit-il en reconnaissant la grande taille et la besace du mendiant. Hier soir, c'était au bord du fossé, encore passe, mais aujourd'hui c'est tout en travers des ornières! Il paraît que vous aimez cet endroit-là; mais vous y faites mal votre lit. Allons, réveillez-vous donc, et venez coucher au moulin, vous y serez un peu mieux que sous les pieds des chevaux.

— Cet homme est mort! dit Henri en soulevant le mendiant dans ses bras.

— Oh! n'ayez pas peur! il a souvent passé par cette mort-là; ça le connaît. Il porte pourtant bien la boisson, le compère! mais un jour de fête on en prend plus que de raison, et il n'y a, comme on dit en parlant du vin, si fidèle ami qui ne vienne à vous trahir. Allons, laissons-le au pied de cet arbre ; nous le reprendrons en passant pour le conduire à la maison. »

Lémor toucha le bras du mendiant.

« Si je ne sentais son pouls battre faiblement, dit-il, je jurerais qu'il est mort. Quoi ! ce n'est pas assez de la misère, de la vieillesse et de l'abandon, sans qu'une passion honteuse traîne ainsi ce malheureux sous les pieds des hommes ! Et c'est pourtant là un homme aussi !

— Bah ! vous êtes sévère comme un buveur d'eau, vous ! Qui est-ce qui a dit que le pauvre a besoin de boire l'oubli de ses maux[1] ? J'ai entendu cette parole-là quelque part ; c'est une vérité. »

Au moment où Lémor et le meunier allaient abandonner provisoirement Cadoche, celui-ci fit entendre un gémissement profond.

« Eh bien ! mon oncle, dit en souriant le meunier, ça ne va pas mieux ?

— Je suis mort ! répondit faiblement le mendiant. Ayez pitié de moi ! achevez-moi… je souffre trop.

— Ça se passera, mon oncle. Un peu d'eau et un bon lit…

— Ils m'ont écrasé, ils m'ont passé sur le corps ! reprit le mendiant.

— Mais ce n'est pas impossible ! dit Lémor.

— Oh ! ça se dit toujours comme ça, reprit le meu-

---

1. « Boire l'oubli des maux » pourrait être une réminiscence de Senancour : « boire l'oubli des douleurs » (*Oberman*).

nier qui avait vu trop souvent les divagations pénibles de l'ivresse pour s'inquiéter beaucoup. Voyons, père Cadoche, vous est-il arrivé malheur tout de bon ?

— Oui, la voiture, la voiture… sur l'estomac, sur le ventre, sur les bras !…

— Décrochez donc une des lanternes de ce cabriolet, et apportez-la ici, dit le meunier à Lémor. Ça éclaire un coin, ça obscurcit l'autre ; quand il aura ça sous le nez, nous verrons bien s'il a *du mal ou du vin*.

— Non ! pas de vin… pas de vin, murmurait le mendiant, on m'a assassiné, écrasé comme un pauvre chien ; il faudra que j'en meure. Que le Bon Dieu et la sainte Vierge, et tous les bons chrétiens aient pitié de moi et vengent ma mort ! »

Lémor approcha la lanterne. La face du mendiant était livide, ses vêtements étaient trop délabrés pour qu'une déchirure et une souillure de plus ou de moins pussent servir d'indice, mais en écartant les haillons qui lui couvraient la poitrine, on vit sur ses côtes décharnées des traces d'un rouge ardent : c'étaient les bandes de fer des roues qui l'avaient sillonné. Cependant le sang n'avait pas jailli, les côtes ne paraissaient pas brisées, et la respiration était encore assez libre. Il put même raconter son accident, et il eut assez de force pour vomir contre le riche en voiture et le vil mercenaire qui renchérissait sur l'insolence et la cruauté du maître, toutes les imprécations et tous les serments de vengeance que la rage et le désespoir purent lui suggérer.

« Dieu merci ! dit le meunier, vous n'en êtes pas mort, mon pauvre Cadoche, et il faut espérer que vous n'en mourrez pas. Tenez, la roue de droite était dans ce fossé, on en voit la trace ; c'est ce qui vous a sauvé ; la voiture, en y penchant, a pesé sur vous aussi peu que possible. C'est un miracle qu'elle n'ait pas versé sur l'autre flanc.

— J'y avais bien fait mon possible ! dit le mendiant.

— Eh bien ! votre malice vous a servi, mon oncle. Ils n'ont pas pu vous écraser, et nous leur revaudrons ça, non pas à ce pauvre M. Ravalard qui en aura plus de chagrin que vous, mais à ce damné méchant enfant !

— Et *mes journées* que je vais perdre ! dit le mendiant d'un ton dolent.

— Ah ! dame ! vous gagniez peut-être plus d'argent à vous promener que nous autres à travailler. Mais on vous aidera, père Cadoche ; on fera une quête pour vous ; et je vous donnerai, moi, votre pesant de blé ; ne vous chagrinez pas. Quand on a du mal il ne faut pas se laisser achever par la peur. »

En parlant ainsi le bon meunier, avec l'aide de Lémor, plaça le mendiant dans le cabriolet, et ils le ramenèrent au pas, évitant les cailloux avec un soin extrême. M. Tailland, qui ne gravissait pas vite la colline, de crainte de s'essouffler, s'étonna de les voir revenir, et, quand il sut de quoi il était question, il prêta son cabriolet de bonne grâce, non sans s'inquiéter pourtant un peu du retard que cet accident lui faisait éprouver et de la fatigue qu'il aurait à remonter la côte, quand il était déjà en haut. Il ne la redescendit pas moins, pour voir s'il pourrait aider ses amis du moulin à secourir le pauvre Cadoche.

Quand on déposa le vieillard sur le propre lit du meunier, il tomba en défaillance. On lui fit respirer du vinaigre.

« J'aimerais mieux l'odeur de l'eau-de-vie, dit-il, quand il commença à revenir, c'est plus sain. ».

On lui en apporta.

« J'aimerais mieux la boire que de la respirer, dit-il, c'est plus fortifiant. »

Lémor voulut s'y opposer. Après un tel accident, cet ardent breuvage pouvait et devait provoquer un accès de fièvre terrible. Le mendiant insista. Le meunier essaya de l'en détourner ; mais le notaire, qui avait trop étudié sa propre santé pour n'avoir pas quelques préjugés en médecine, déclara que l'eau, dans un tel moment, serait mortelle à un homme qui n'en avait peut-être pas bu une goutte depuis cinquante ans ; que l'alcool, étant sa boisson ordinaire, ne pouvait lui faire que du bien, qu'il n'avait pas d'autre mal sérieux que la peur, et que l'excitation d'un *petit-verre* lui remettrait les sens. La meunière et Jeannie, qui comme tous les paysans, croyaient aussi à la vertu infaillible du vin et du *brandevin*[1] dans tous les cas, affirmèrent, comme le notaire, qu'il fallait contenter ce pauvre homme. L'avis de la majorité l'emporta, et pendant qu'on cherchait un verre, Cadoche, qui se sentait dévoré réellement par la soif qu'excitent les grandes souffrances, porta précipitamment la bouteille à ses lèvres et en avala d'un trait plus de la moitié.

« C'est trop, c'est trop ! dit le meunier en l'arrêtant.

— Comment, mon neveu ! répondit le mendiant avec la dignité d'un père de famille réclamant l'exer-

---

1. « Brandevin » : eau-de-vie de vin. Le mot est employé par Voltaire (voir Littré) et par Chateaubriand (*Mémoires d'outre-tombe* ; voir *Trésor de la langue française*, éd. C.N.R.S.).

cice légitime de son autorité, tu me mesures ma part chez toi ? Tu *chichottes* [1] sur les secours que mon état réclame ? »

Ce reproche injuste vainquit la prudence du simple et bon meunier. Il laissa la bouteille à côté du mendiant en lui disant :

« Gardez ça pour plus tard, mais à présent, c'est assez.

— Tu es un bon parent et un digne neveu ! dit Cadoche, qui parut tout à coup comme ressuscité par l'eau-de-vie ; et si je dois en mourir, je préfère que ce soit chez toi, parce que tu me feras faire un enterrement convenable. J'ai toujours aimé ça, un bel enterrement ! Écoute, mon neveu, garçons de moulin, notaire !... je vous prends tous à témoin, j'ordonne à mon neveu et à mon héritier, Grand-Louis d'Angibault, de me faire porter en terre ni plus ni moins honorablement qu'on le fera sans doute bientôt pour le vieux Bricolin de Blanchemont... qui me survivra de peu, malgré qu'il soit plus jeune... mais qui s'est laissé brûler les jambes dans le temps... Ah ! ah ! dites donc, vous autres, faut-il être bête pour se laisser *rôtir les quilles* [2] pour de l'argent qu'on a en dépôt ! Il est vrai qu'il y en avait du sien avec, dans le pot de fer !...

— Qu'est-ce qu'il dit donc ? dit le notaire qui s'était assis devant une table et qui n'était pas trop fâché de voir la meunière préparer du thé pour le malade, comptant en avaler aussi une tasse bien chaude pour

---

1. « Chichotter » : « terme populaire. Contester sur des bagatelles » (Littré). Le mot est attesté dès le XVIᵉ siècle. Verbe évidemment dérivé de « chiche ». 2. Les « quilles », ce sont les jambes.

se préserver des vapeurs du soir au bord de la Vauvre. Qu'est-ce qu'il nous chante avec ses quilles rôties et son pot de fer ?

— Je crois qu'il bat la campagne, répondit le meunier. Au reste, quand il ne serait ni soûl ni malade, il est assez vieux pour radoter, et les histoires de sa jeunesse l'occupent plus que celles d'hier. C'est l'habitude des vieillards. Comment vous sentez-vous, mon oncle ?

— Je me sens bien mieux depuis cette petite goutte, quoique ton *brandevin* soit diablement fade ! M'aurait-on fait la niche d'y mettre de l'eau par économie ? Écoute, mon neveu, si tu me refuses quelque chose pendant ma maladie, je te déshérite !

— Ah oui, parlons de ça, *pour changer* ! dit le meunier en haussant les épaules. Vous feriez mieux d'essayer de dormir, père Cadoche.

— Dormir, moi ? Je n'en ai nulle envie, répondit le mendiant en se redressant sur son coussin et en promenant autour de lui ses yeux étincelants. Je sens bien que je suis cuit, mais je ne veux pas mourir sur le flanc comme un bœuf. Oui-da ! je sens quelque chose de bien lourd dans mon estomac, là sur le cœur, comme si j'avais une pierre à la place. Ça me démange… ça me gêne. Meunière ! faites-moi donc des compresses. Personne ne s'occupe de moi ici, comme si je n'étais pas un oncle à succession !

— N'aurait-il pas les côtes enfoncées ? dit Lémor. C'est peut-être là ce qui oppresse le cœur ?

— Je n'y connais goutte, ni personne ici, dit le meunier ; mais on peut bien envoyer chercher le médecin, qui est sans doute encore à Blanchemont.

— Et qui est-ce qui la paiera, la visite du méde-cin? dit le mendiant, qui était aussi avare que vani-teux de sa prétendue richesse.

— Ce sera moi, répondit Grand-Louis, à moins qu'il ne veuille agir par humanité. Il ne sera pas dit qu'un pauvre diable crèvera chez moi faute de tous les secours qu'on donnerait à un riche. Jeannie, monte sur Sophie, et va-t'en bien vite chercher M. Lavergne.

— Monte sur Sophie? dit Cadoche en ricanant. Tu dis cela par habitude, mon neveu! Tu oublies qu'on t'a volé Sophie.

— On a volé Sophie? dit la meunière en se retournant.

— Il déraisonne, répondit le meunier. Mère, n'y faites pas attention. Dites donc, père Cadoche, ajouta-t-il en baissant la voix et en s'adressant au mendiant; vous savez donc ça? Est-ce que vous pourriez me donner des nouvelles de ma bête et de mon voleur?

— Qui peut savoir pareille chose! répliqua Cadoche d'un air confit. Qui est-ce qui découvre les voleurs? ce n'est pas les gendarmes, ils sont trop bêtes! Qui est-ce qui a jamais pu dire quelles gens ont fait brûler les jambes, et enlevé le pot de fer du père Bricolin?

— Ah çà! dites donc, mon oncle, reprit le meu-nier; vous nous parlez toujours de ces jambes-là; ça vous occupe donc beaucoup. Depuis quelque temps, toutes les fois que je vous rencontre vous y revenez! et ce soir il y a un pot de fer de plus dans votre his-toire. Vous ne m'aviez jamais parlé de ça?

— Ne le fais donc pas causer! dit la meunière; tu lui redoubleras sa fièvre. »

Le mendiant avait la fièvre en effet. Toutes les fois

que ses hôtes tournaient la tête, il avalait furtivement une lampée d'eau-de-vie, et il replaçait adroitement la bouteille sous son traversin du côté de la ruelle. À chaque instant, il paraissait plus fort, et c'était merveille de voir comment ce corps de fer supportait à un âge si avancé les suites d'un accident qui eût brisé tout autre.

« Le pot de fer ! dit-il en regardant fixement Grand-Louis avec des yeux étranges qui lui causèrent une sorte d'effroi inexplicable. Le pot de fer ! c'est le plus beau de l'histoire, et je m'en vas vous le raconter.

— Racontez, racontez, père Cadoche, ça m'intéresse ! » dit le notaire, qui l'examinait avec attention.

XXXIII

LE TESTAMENT

« Il y avait, reprit le mendiant, un pot de fer, un vieux pot de fer bien laid, qui n'avait l'air de rien du tout ; mais il ne faut pas juger sur la mine… Dans ce pot bien scellé, et lourd !… oh ! qu'il était lourd !… il y avait cinquante mille francs appartenant au vieux seigneur de Blanchemont, dont la petite-fille est maintenant à la ferme de Bricolin. Et, de plus, le vieux Bricolin, qui était un jeune homme dans ce temps-là, il y a de ça quarante ans… juste ! avait fourré dans ce pot cinquante mille francs à lui, provenant d'une bonne affaire qu'il avait faite sur les laines. C'était le temps ! à cause de la fourniture des armées. Le dépôt du seigneur et les profits du fermier, tout ça était en beaux et bons louis d'or de vingt-quatre francs, à l'effigie du bon roi Louis XVI, de ceux que nous appelons des *yeux de crapaud*, à cause de l'écusson qui est rond. J'ai toujours aimé cette monnaie-là, moi ! On dit que ça perd au change, moi je dis que ça gagne ; vingt-trois francs onze sous valent toujours mieux qu'un méchant napoléon de vingt francs. Tout ça était pêle-mêle. Seulement comme le fermier aimait ses louis pour eux-mêmes (c'est comme ça, enfants, qu'on doit aimer son argent), il avait marqué tous les siens d'une croix pour les distinguer de ceux de son seigneur, quand il faudrait les lui rendre. Il fit cela à l'exemple de son maître, qui avait marqué les siens d'une simple barre, pour s'amuser, à ce qu'on dit, et voir si on ne les lui changerait pas. La marque y était… elle y est encore… Il n'en manque pas un ; au contraire, il y en a d'autres avec !…

— Que diable nous chante-t-il là ? dit le meunier en regardant le notaire.

— Paix ! répondit celui-ci. Laissez-le dire, il me semble que je commence à comprendre. Si bien que… dit-il au mendiant…

— Si bien que, reprit Cadoche, il avait mis le pot de fer dans un trou de la muraille au château de Beaufort, et il avait fait maçonner par-dessus. Quand les chauffeurs se furent mis après lui… Il ne faut pas croire que ces gens-là fussent tous de la canaille ! Il y avait des pauvres, mais il y avait aussi des riches ; je les connais très bien, pardié ! Il y en a qui vivent

encore et qu'on salue bien bas. Il y avait parmi
nous…

— Parmi vous ? s'écria le meunier.

— Taisez-vous donc ! dit le notaire en lui pressant
le bras avec force.

— Je veux dire qu'il y avait parmi eux, reprit le
mendiant, un avoué, un maire, un curé, un meunier…
il y avait peut-être aussi un notaire… Eh ! eh ! monsieur Tailland, je ne dis pas ça pour vous, vous étiez
à peine de ce monde ; ni pour toi, mon neveu, tu
aurais été trop simple pour faire un coup pareil…

— Enfin, les chauffeurs prirent l'argent ? dit le
notaire.

— Ils ne le prirent pas, voilà ce qu'il y a eu de
plus drôle. Ils faisaient griller et rissoler les pattes de
ce pauvre dindon de Bricolin, c'était affreux, c'était
superbe à voir.

— Mais vous l'avez donc vu ? dit le meunier, qui
ne pouvait se contenir.

— Oh non ! reprit Cadoche, je ne l'ai pas vu ;
mais un de mes amis, c'est-à-dire un homme qui s'y
trouvait m'a raconté tout ça.

— À la bonne heure, dit le meunier tranquillisé.

— Prenez donc votre tasse de thé, père Cadoche,
dit la meunière, et ne bavardez pas tant, ça vous fera
du mal.

— Allez au diable, meunière, avec votre eau
chaude ! répondit le mendiant en repoussant la tasse,
j'ai horreur des ces rinçures-là. Laissez-moi donc
raconter mon histoire ; il y a assez longtemps que je
l'ai sur le cœur, je veux la dire une fois tout entière
avant de mourir, et on m'interrompt toujours !

— C'est vrai, dit le notaire, ce matin vous vouliez
la dire sous la ramée, et tout le monde a tourné le dos
en disant : ah ! voilà l'histoire des chauffeurs du père
Cadoche qui commence, allons-nous-en ! Mais moi,
ça m'amusait et j'aurais volontiers entendu le reste.
Continuez donc.

— Figurez-vous, dit Cadoche[1], que cet homme
dont je vous parle et qui se trouvait là… un peu malgré lui… c'était un pauvre paysan, on l'avait entraîné ;
et puis quand la peur le prit, et qu'il fit mine de reculer, on le menaça de lui faire sauter la cervelle, s'il ne
remontait sur le cheval qu'on lui avait amené et qui
était ferré à rebours comme ceux des autres, afin
qu'en se retirant, on laissât par terre une trace qui
dérouterait les poursuites… Et quand mon homme
fut là, et qu'il vit qu'il fallait faire comme les autres,
il se mit à fouiller et à fureter partout pour trouver
l'argent. Il aimait mieux ça que d'aider à faire rôtir
ce pauvre Bricolin, car ce n'était pas un méchant
homme que le camarade dont je vous parle. Vrai !
cette besogne-là ne lui plaisait pas et lui faisait horreur à voir… c'était vilain… ce patient qui hurlait à
déchirer les oreilles, cette femme évanouie, ces mau-
dites jambes qui se débattaient dans le feu, et que je
crois toujours voir… Il n'y a pas eu une nuit depuis
que je n'en aie rêvé ! Bricolin était dans ce temps-là
un homme très fort, il se raidissait si bien qu'une
barre de fer qui était au milieu du feu fut tordue par
ses pieds… Ah ! je ne m'en suis pas mêlé, j'en jure

---

1. Cadoche, comme Bricolin, est halluciné par les souvenirs
de la Révolution et de la Terreur dans les campagnes.

devant Dieu… quand ils m'ont forcé à lui tenir une
serviette sur la bouche, la sueur me coulait du front,
froide comme du verglas…

— À vous ? dit le meunier stupéfait.

— À l'homme qui m'a raconté tout ça. Alors notre
homme prit un bon moment pour s'esquiver, et il se
mit à chercher, chercher, du haut en bas dans la maison, à frapper avec une pioche contre tous les murs
pour voir si ça sonnait le creux, et démolissant à droite
et à gauche comme les autres. Mais ne voilà-t-il pas
qu'il se glisse dans une petite étable à porcs, sauf votre
respect… et qu'il s'y trouve tout seul ! C'est depuis
ce temps-là que j'ai toujours aimé les cochons, et que
j'en ai élevé un tous les ans… Il frappe, il écoute…
ça sonne encore le creux. Il regarde autour de lui.
J'étais tout seul ! Il travaille son mur, il fouille, et il
trouve… devinez quoi ? le pot de fer !… Nous savions
bien que c'était la tirelire au père Bricolin ! Le serrurier qui l'avait scellé avait bavardé dans les temps :
j'eus bien vite reconnu que c'était là le pot aux roses !
Et c'était si lourd ! C'est égal, mon homme trouva la
force d'un bœuf dans ses bras et dans son cœur. Il se
sauva bel et bien avec son pot de fer et quitta le pays
par pointe sans dire bonsoir aux autres. On ne l'a
jamais revu depuis dans ce pays-là. C'est qu'il jouait
gros jeu, da ! les chauffeurs l'auraient assommé sans
façon s'ils l'avaient découvert. Il marcha jour et nuit
sans s'arrêter, sans boire ni manger jusqu'à ce qu'il
fût dans un grand bois où il enterra son pot, et il dormit là je ne sais combien d'heures. J'étais si fatigué
de porter une pareille charge ! Quand la faim me prit,
j'étais bien embarrassé. Je n'avais pas un sou vaillant,

et je savais que dans mes cent mille francs il n'y avait pas un louis qui ne fût marqué ! J'y avais regardé, je n'avais pas pu m'en tenir ! je voyais bien que cette maudite marque ferait reconnaître l'argent désigné déjà à la police. L'effacer en grattant eût été pire. Et puis un pauvre diable comme celui dont je parle, qui aurait été changer un louis d'or pour avoir un morceau de pain chez un boulanger, ça aurait éveillé les soupçons. Il n'avait qu'un parti à prendre ; il se fit mendiant. La police ne se faisait pas si bien dans ce temps-là qu'aujourd'hui, à preuve que sans quitter le pays aucun chauffeur ne fut puni. Le métier de mendiant est bon quand on sait le faire… J'y ai ramassé quelque chose sans jamais me priver de rien. Mon homme ne fit pas la bêtise d'appeler un serrurier pour fermer son pot de fer ; il l'enterra tout au beau milieu d'une méchante cabane de paille et de terre qui lui sert de maison et qu'il s'est bâtie lui-même au fond des bois. Depuis quarante ans personne ne l'a tourmenté, parce que son sort n'a fait envie à personne et il a eu le plaisir d'être plus riche et plus fier que tous ceux qui le méprisaient.

— Et à quoi lui a servi son or ? dit Henri.

— Il le regarde une fois par semaine, quand il retourne à sa cabane où il serre l'argent qu'il a recueilli de ses aumônes. Il ne garde sur lui que ce qu'il veut dépenser en tabac et en brandevin. Il fait dire de temps en temps une messe pour s'acquitter envers le Bon Dieu du service qu'il en a reçu, et avec beaucoup d'ordre et de sagesse il se tire d'affaire. Il n'est pas si fou que de sortir une seule pièce de son trésor. Ça ne donnerait plus de soupçons maintenant que l'histoire est oubliée et les poursuites abandonnées, mais ça ferait penser qu'il est riche et on ne lui ferait plus la charité. Voilà, mes enfants, l'histoire du pot de fer. Comment la trouvez-vous ?

— Superbe ! dit le notaire, et fort bonne à savoir ! »

Un profond silence succéda à ce récit. Les assistants se regardaient, partagés entre la surprise, l'effroi, le mépris et une sorte d'envie de rire bizarre mêlée à toutes ces émotions. Cadoche, épuisé par son babil, s'était renversé sur l'oreiller ; sa face pâle prenait des teintes verdâtres, sa barbe longue, raide, et encore assez noire pour assombrir son visage terreux, achevait de le rendre effrayant. Ses yeux creux, qui tout à l'heure lançaient des flammes pendant que l'ivresse et le délire déliaient sa langue, semblaient rentrer dans leurs orbites et prendre l'éclat vitreux de la mort. Sa figure accentuée, son grand nez mince et aquilin, ses lèvres rentrantes, tous ses traits, qui avaient pu être agréables dans sa jeunesse, n'annonçaient pas un naturel féroce, mais un mélange bizarre d'avarice, de ruse, de méfiance, de sensualité, et même de bonhomie.

« Ah çà ! dit enfin le meunier, est-ce un rêve qu'il vient de faire, ou une confession que nous venons d'entendre ? Est-ce le médecin ou le curé qu'il faut appeler ?

— C'est la miséricorde de Dieu ! dit Lémor, qui observait plus attentivement que tous les autres l'altération de la face du mendiant et la gêne de sa respiration. Ou je me trompe fort, ou cet homme a peu d'instants à vivre.

— J'ai peu d'instants à vivre ? dit le mendiant en

faisant un effort pour se relever. Qu'est-ce qui a dit
ça ? Est-ce le médecin ? Je ne crois pas aux médecins. Qu'ils aillent tous au diable ! »

Il se pencha vers la ruelle, et acheva sa bouteille
d'eau-de-vie : puis se retournant, il fut pris d'une
atroce douleur et laissa échapper un cri.

« J'ai le cœur enfoncé, dit-il, luttant avec énergie
contre son mal. Il pourrait bien se faire que je n'en
revinsse pas. Et si j'allais ne plus pouvoir retourner à
ma maison ? qu'est-ce tout ça deviendrait ? Et mon
pauvre cochon, qu'est-ce qui en prendrait soin ? Il est
habitué à se nourrir du pain qu'on me donne et que je
lui porte toutes les semaines. Il y a bien par là une
petite voisine qui le mène aux champs. La coquette !
elle me fait les yeux doux, elle espère hériter de moi.
Mais il n'en sera rien : voilà mon héritier ! »

Et Cadoche étendit la main vers Grand-Louis d'un
air solennel.

« Il a toujours été meilleur pour moi que tous les
autres. C'est le seul qui m'ait traité comme je le mérite ;
qui m'ait fait coucher dans un lit, qui m'ait donné du
vin, du tabac, du brandevin et de la viande, au lieu de
leurs croûtons de pain auxquels je n'ai jamais touché !
J'ai toujours pratiqué une vertu, moi : la reconnaissance ! J'ai toujours aimé le Grand-Louis et le Bon
Dieu, parce qu'ils m'ont fait du bien. Or donc, je veux
faire mon testament en sa faveur, comme je le lui ai
toujours promis. Meunière, croyez-vous que je sois
assez malade pour qu'il soit temps de tester ?

— Non, non ! mon pauvre homme ! dit la meunière, qui dans sa candeur angélique, avait pris le

récit du mendiant pour une sorte de rêve. Ne testez pas ; on dit que ça porte malheur et que ça fait mourir.

— Au contraire, dit M. Tailland ; ça fait du bien ; ça soulage. Ça ferait revenir un mort[1].

— En ce cas, notaire, dit le mendiant, je veux essayer de ce remède-là. J'aime ce que je possède, et j'ai besoin de savoir que ça passera en bonnes mains, et non pas dans celles des petites drôlesses qui me font la cour, et qui n'auront de moi que le bouquet et le ruban de mon chapeau pour se faire belles le dimanche. Notaire, prenez votre plume et griffonnez-moi ça en bons termes et sans rien omettre.

« Je donne et lègue à mon ami Grand-Louis d'Angibault, tout ce que je possède, ma maison située à Jeu-les-Bois, mon petit carré de pommes de terre, mon cochon, mon cheval !…

— Vous avez un cheval ? dit le meunier. Depuis quand donc ?

— Depuis hier soir. C'est un cheval que j'ai trouvé en me promenant.

— Ne serait-ce pas le mien, par hasard ?

— Tu l'as dit. C'est la vieille Sophie qui ne vaut pas les fers qu'elle use.

— Excusez, mon oncle ! dit le meunier moitié content, moitié fâché. Je tiens à Sophie ; elle vaut mieux que… bien des gens ! Diable, vous n'êtes pas gêné de m'avoir volé Sophie ! Et moi qui vous aurais

---

1. Le type du notaire est très réussi et appartient à ce registre réaliste et un peu caricatural qui est si savoureux dans *Le Meunier d'Angibault*. On remarquera l'importance des mécanismes juridiques et comment, à tous les niveaux de la société, les personnages sont soucieux de recourir aux soins du notaire.

confié la clef de mon moulin ! Voyez-vous ce vieux hypocrite.

— Taisez-vous, mon neveu, vous parlez sottement, reprit Cadoche avec gravité : il ferait beau voir qu'un oncle n'eût pas le droit de se servir de la jument de son neveu ! Ce qui est à vous est à moi, puisque, par mes intentions et mon testament, ce qui est à moi est à vous.

— À la bonne heure ! répondit le meunier ; *léguez-moi* Sophie, léguez, léguez, mon oncle, j'accepte ça. Il est tout de même heureux que vous n'ayez pas eu le temps de la vendre... Vieux coquin, va ! murmura-t-il entre ses dents.

— Qu'est-ce que tu dis ? répliqua le mendiant.

— Rien, mon oncle, dit le meunier, qui s'aperçut que le vieillard avait une sorte de râle convulsif. Je dis que vous avez bien fait : si c'était votre plaisir de demander l'aumône à cheval !

— Avez-vous fini, notaire, reprit Cadoche d'une voix éteinte. Vous écrivez bien lentement ! Je me sens assoupi. Dépêchez-vous donc, paresseux de tabellion !

— C'est fait, dit le notaire. Savez-vous signer ?

— Mieux que vous ! répondit Cadoche. Mais je n'y vois pas. Il me faudrait mes lunettes et une prise de tabac.

— Voilà, dit la meunière.

— C'est bien, reprit-il après avoir savouré sa prise de tabac avec délices. Ça me remet. Allons, je ne suis pas mort, quoique je souffre comme un possédé. »

Il jeta les yeux sur le testament et dit : « Ah ! vous n'avez pas oublié le pot de fer et *son contenu* ?

— Non, certes ! répondit M. Tailland.

— Vous avez bien fait, répondit Cadoche d'un air profondément ironique, quoique tout ce que je vous ai dit là-dessus soit un conte pour me moquer de vous !

— J'en étais bien sûr, dit le meunier d'un air joyeux ; si vous aviez eu cet argent-là, vous l'auriez rendu à qui de droit. Vous avez toujours été un honnête homme, mon oncle… quoique vous m'ayez volé ma jument ; mais c'était une de vos facéties : vous l'auriez ramenée ! Allons, ne signez pas cette bêtise-là ; je n'ai pas besoin de vos nippes, et ça peut faire plaisir à quelque pauvre : vous avez peut-être d'ailleurs, quelque parent à qui je ne veux pas faire tort de vos derniers sous.

— Je n'ai pas de parents, je les ai tous enterrés, Dieu merci ! répondit le mendiant ; et quant aux pauvres… je les méprise ! Donne-moi la plume, ou je te maudis !…

— Allons, allons, amusez-vous ! » dit le meunier en lui passant la plume.

Le mendiant signa ; puis repoussant le papier devant ses yeux avec un mouvement d'horreur :

« Ôtez-moi ça, ôtez-moi ça ! dit-il, il me semble que ça me fait mourir !

— Faut-il le déchirer ? dit Grand-Louis tout prêt à le faire.

— Non pas, non pas, reprit le mendiant avec un dernier effort de volonté. Mets ça dans ta poche, mon garçon, tu n'en seras peut-être pas fâché ! Ah çà ! où est-il le médecin ? j'ai besoin de lui pour m'achever plus vite, si je dois souffrir longtemps comme ça !

— Il va venir, dit la meunière, et M. le curé avec lui ; car je les ai fait demander tous deux.

— Le curé ? dit Cadoche ; pour quoi faire ?

— Pour vous dire un mot de consolation, mon vieux. Vous avez toujours eu de la religion, et votre âme est aussi précieuse que celle d'un autre. Je suis bien sûre que M. le curé ne refusera pas de se déranger pour vous porter les sacrements.

— J'en suis donc là ? reprit le moribond avec un profond soupir. En ce cas, pas de bêtise ! et que le curé aille à tous les cinq cents diables, quoiqu'il soit un bonhomme après tout, passablement ivrogne ; mais je ne crois pas aux curés. J'aime le Bon Dieu et non le prêtre. Le Bon Dieu m'a donné l'argent, le prêtre me l'aurait fait rendre. Laissez-moi mourir en paix !… Mon neveu, tu me promets de faire périr ce patachon de malheur sous le bâton ?

— Non ! mais de le bien rosser.

— Assez causé, dit le mendiant en étendant sa main livide ; j'aurais voulu mourir en causant, mais je ne peux plus… Ah ! je ne suis pas si malade qu'on croit, je vais dormir, et peut-être que tu n'hériteras pas de si tôt, mon neveu ! »

Le mendiant se laissa retomber, et, au bout d'un instant, il se fit dans sa poitrine comme un bouillonnement sonore. Il redevint rouge, puis blême, gémit pendant quelques minutes, ouvrit les yeux d'un air effrayé comme si la mort lui eût apparu sous une forme sensible, et tout à coup, souriant à demi comme s'il eût repris l'espoir de vivre, il rendit l'esprit.

La mort même du pire des hommes a toujours en soi quelque chose de mystérieux et de solennel qui frappe de respect et de silence les âmes religieuses. Il y eut un moment de consternation et même de tristesse au moulin, lorsque le mendiant Cadoche eut expiré. Malgré ses vices et ses ridicules, malgré même cette confession étrange qu'on venait d'entendre et à laquelle le notaire seul croyait fermement, la meunière et son fils avaient une sorte d'amitié pour ce vieillard à cause du bien qu'ils s'étaient habitués à lui faire ; car s'il est vrai de dire qu'on déteste les gens en raison des torts qu'on a eus envers eux, la maxime inverse doit être acceptée.

La meunière se mit à genoux auprès du lit et pria. Lémor et le meunier prièrent aussi dans leur cœur le dispensateur de toute réparation et de toute miséricorde de ne pas abandonner l'âme immortelle et divine qui avait passé sur la terre sous la forme abjecte de ce misérable.

Le notaire seul retourna tranquillement avaler sa tasse de thé, après avoir dit avec sang-froid. *« Ite, missa est, Dominus vobiscum. »*

« Grand-Louis, dit-il ensuite en appelant dehors, il faut t'en aller tout de suite à Jeu-les-Bois avant que la nouvelle de ce décès y arrive. Quelque gueux de son espèce pourrait aller bouleverser sa cahute et dénicher l'œuf.

— Quel œuf ? dit le meunier. Son cochon, sa souquenille de rechange ?

— Non, mais le pot de fer.

— Rêverie, monsieur Tailland !

— Va toujours voir. Et d'ailleurs ta jument !

— Ah ! ma vieille servante ! j'oubliais, vous avez raison. Elle vaut bien le voyage à cause de son bon cœur et de notre ancienne amitié. Nous sommes presque du même âge, elle et moi. J'y vas ; pourvu qu'il ne se soit pas encore moqué de moi là-dessus ! C'était un vieux railleur !

— Va toujours, te dis-je ; pas de paresse ! Je crois à ce pot de fer ; j'y crois *dur comme fer !* comme on dit chez nous.

— Mais dites donc, monsieur Tailland, est-ce que ça a quelque valeur ce chiffon de papier que vous avez barbouillé en vous amusant ?

— C'est en bonne forme, je t'en réponds, et cela te rend peut-être propriétaire de cent mille francs.

— Moi ? Mais vous oubliez que si l'histoire est vraie, il y en a une moitié à Mme de Blanchemont et l'autre aux Bricolin ?

— C'est une raison de plus pour courir. Tu as accepté cela dans ton cœur à charge de restitution. Va donc le chercher. Quand tu auras rendu ce service-là à M. Bricolin, c'est bien le diable s'il ne te donne pas sa fille.

— Sa fille ! Est-ce que je songe à sa fille ! Est-ce que sa fille peut songer à moi ? dit le meunier en rougissant.

— Bon ! bon ! la discrétion est une vertu ; mais je vous ai vus danser ensemble tantôt, et je comprends bien pourquoi le père vous a séparés si brusquement.

— Monsieur Tailland, ôtez-vous tout cela de l'esprit. Je pars ; s'il y a un *magot* pour tout de bon, qu'en ferai-je ? Ne faudra-t-il pas quelque déclaration à la justice ?

— À quoi bon ? Les formalités de la justice ont été inventées pour ceux qui n'ont pas de justice dans le cœur. À quoi servirait de déshonorer la mémoire de ce vieux drôle qui a réussi pendant quatre-vingts ans à passer pour un honnête homme ? Tu n'as pas besoin non plus qu'on sache que tu n'es pas un voleur ; on le sait de reste. Tu rendras l'argent, et tout sera dit.

— Mais si ce vieux a des parents ?

— Il n'en a pas, et quand il en aurait, veux-tu les faire hériter de ce qui ne leur appartient pas ?

— C'est vrai ; je suis tout abruti de ce qui vient de se passer. Je vas monter à cheval.

— Ça ne sera pas commode de rapporter ce fameux pot de fer qui est si lourd, si lourd ! Les chemins sont-ils praticables par là-bas ?

— Certainement. D'ici l'on va à Transault, et puis au Lys-Saint-George, et puis à Jeu. C'est tout chemin vicinal fraîchement réparé.

— En ce cas, prends ma voiture, Grand-Louis, et dépêche-toi.

— Eh bien, et vous ?

— Je coucherai ici en t'attendant.

— Vous êtes un brave homme, le diable m'emporte ! Et si les lits sont mauvais, vous qui êtes un peu délicat !

— Tant pis ! une nuit est bientôt passée. D'ailleurs, nous ne pouvons pas laisser ta mère en tête-à-tête avec ce mort, c'est trop triste ; car il faut que tu emmènes ton garçon de moulin. Quand on a de l'argent à porter, on n'est pas trop de deux. Tu trouveras des pistolets chargés dans les poches de mon cabriolet. Je ne voyage jamais sans ça, moi qui ai souvent des valeurs à transporter. Allons, en route ! Dis à ta mère de me faire encore du thé. Nous causerons le plus tard possible, car ce mort m'ennuie. »

Cinq minutes après, Lémor et le meunier étaient, par une nuit noire, en route pour Jeu-les-Bois. Nous leur donnerons le temps d'y arriver, et nous reviendrons voir ce qui se passe à la ferme pendant qu'ils voyagent.

XXXIV

DÉSASTRE

La grand-mère Bricolin s'impatientait fort de ne pas voir arriver le meunier. Elle était loin de penser que son émissaire ne devait jamais revenir toucher le salaire qu'elle lui avait promis, et le lecteur comprendra facilement qu'au moment d'expirer, le mendiant eût oublié de transmettre le message dont on l'avait chargé. À la fin, fatiguée et découragée d'attendre, la mère Bricolin alla retrouver son vieil époux, après s'être assurée que la folle errait encore dans la garenne, absorbée comme à l'ordinaire dans ses méditations et ne faisant plus retentir d'aucune plainte sinistre les tranquilles échos de la vallée. Il était environ minuit. Quelques voix mal assurées détonnaient encore au sortir des cabarets, et les chiens de la ferme, comme s'ils eussent reconnu des voix amies, ne daignaient pas aboyer.

M. Bricolin, poussé par sa femme qui voulait que

le sous-seing privé passé avec Marcelle reçût exécution à l'instant même, avait, non sans souffrance et sans terreur, remis à la *dame venderesse* le portefeuille qui contenait deux cent cinquante mille francs. Marcelle reçut avec peu d'émotion ce vénérable portefeuille. Il était si malpropre qu'elle le prit du bout de ses doigts ; lasse de s'occuper d'une affaire où la cupidité d'autrui l'avait frappée de dégoût, elle le jeta dans un coin du secrétaire de Rose. Elle avait accepté ce paiement si prompt par la même raison qui avait décidé l'acquéreur à le faire, afin de l'engager et d'assurer le sort de la jeune fille en empêchant qu'on ne vînt à se rétracter.

Elle recommanda à Fanchon, à quelque heure que Grand-Louis se présenterait, de l'introduire dans la cuisine et de venir l'appeler elle-même. Puis elle se jeta tout habillée sur son lit pour se reposer sans dormir, car Rose était toujours très animée, et ne pouvait se lasser de la bénir et de lui parler de son bonheur. Cependant, le meunier n'arrivant pas, et les émotions de la journée ayant épuisé les forces de tous, vers deux heures du matin toute la ferme dormait profondément. Il faut pourtant excepter une personne de la famille, c'était la folle, dont le cerveau était arrivé à un paroxysme de fièvre intolérable.

M. et Mme Bricolin avaient longtemps causé dans la cuisine. Le fermier n'ayant plus rien à craindre, et se sentant glacé par toute l'eau qu'il avait bue, avait repris son pichet qu'il remplissait d'heure en heure en inclinant d'une main mal affermie une énorme cruche placée à côté, et remplie d'un vin écumeux d'une couleur violâtre. C'était sa mère-goutte, le plus capiteux de sa récolte, boisson détestable, mais que le Berrichon préfère à tous les vins du monde.

Plusieurs fois sa femme, voyant que la douceur d'être propriétaire de Blanchemont et les riants projets de son opulence ne pouvaient plus raviver son œil éteint ni dégourdir sa mâchoire, l'avait invité à se mettre au lit. Il avait toujours répondu : « Tout à l'heure, j'y vas, j'y suis », mais sans quitter sa chaise. Enfin, après avoir été s'assurer que Rose était endormie ainsi que Marcelle, Mme Bricolin n'en pouvant plus, alla se coucher et s'endormit en appelant vainement son mari, qui n'avait pas la force de bouger et qui ne l'entendait plus. Complètement ivre et anéanti comme un homme qui a fait l'effort de se dégriser soudainement, mais qui s'en est bien dédommagé après, le fermier, la main sur son pichet et la tête inclinée sur la table, berçait de ses ronflements énergiques le sommeil accablé de sa femme, couchée, la porte ouverte, dans la pièce voisine.

Une heure s'était à peine écoulée lorsque M. Bricolin se sentit suffoqué et prêt à tomber en défaillance. Il eut beaucoup de peine à se lever. Il lui semblait que l'air manquait à ses poumons, que ses yeux cuisants ne pouvaient plus rien discerner, et qu'il était frappé d'apoplexie. La peur de la mort lui rendit la force de se traîner à tâtons jusqu'à la porte, qui donnait sur la cour ; la chandelle avait fini de se consumer dans son cercle de fer-blanc.

Ayant réussi à ouvrir et à descendre sans tomber les degrés qui formaient une sorte de perron grossier au château neuf, le fermier promena autour de lui un regard hébété, sans rien comprendre à ce qu'il voyait.

Une clarté extraordinaire qui remplissait la cour le força à mettre la main devant son visage ; car le passage des ténèbres à cette lueur ardente lui causait de nouveaux vertiges. Enfin, l'air dissipant un peu les fumées du vin, l'espèce d'asphyxie qu'il avait éprouvée fit place à un frisson convulsif, d'abord machinal et tout physique, mais bientôt produit par une terreur inexprimable. Deux grandes gerbes de feu, se faisant jour à travers des nuages de fumée, sortaient du toit de la grange.

Bricolin crut faire un mauvais rêve ; il se frotta les yeux, il se secoua tout le corps ; toujours ces jets de flamme montaient vers le ciel et prenaient, avec une effroyable rapidité, un développement immense. Il voulut crier *Au feu !* sa langue était paralysée et son gosier inerte. Il essaya de retourner vers la maison dont il s'était éloigné de quelques pas sans savoir où il allait. Il vit sur sa droite des torrents de flammes sortir des étables, sur sa gauche une autre gerbe de feu couronner les tours du vieux château, et devant lui… sa propre maison illuminée à l'intérieur d'une clarté fantastique, et la porte qu'il avait laissée ouverte derrière lui vomissant des tourbillons noirs, comme la bouche d'une forge. Tous les bâtiments de Blanchemont étaient la proie d'un incendie magnifiquement disposé. Le feu avait été mis en plus de douze endroits différents, et ce qu'il y avait de plus sinistre dans le premier acte de cette scène étrange, c'est qu'un silence de mort planait sur tout cela. Bricolin, privé de force et de volonté, contemplait dans une effroyable solitude un désastre dont personne ne s'apercevait encore. Tous les habitants du château neuf et de la ferme avaient passé du sommeil produit par la fatigue ou l'ivresse à l'asphyxie produite par la fumée. Les craquements de l'incendie commençaient seuls à se faire entendre et les tuiles à tomber avec un bruit sec sur le pavé. Pas un cri, pas une plainte ne répondait à ces avertissements sinistres. Il semblait que l'incendie n'eût plus à dévorer que des bâtiments déserts ou des cadavres. M. Bricolin se tordit les mains, et resta muet et immobile, comme si, accablé par le cauchemar, il eût fait de vains efforts intérieurs pour se réveiller.

Enfin, un cri perçant s'éleva, un seul cri de femme, et Bricolin, comme délivré du charme qui pesait sur lui, répondit par un hurlement sauvage à cet appel de la voix humaine. Marcelle s'était aperçue la première du danger ; elle s'élança dehors, portant son fils dans ses bras. Sans voir Bricolin ni le reste de l'incendie, elle déposa l'enfant sur un tas de foin au milieu de la cour, et lui disant d'une voix forte : « Reste là ! n'aie pas peur », elle rentra précipitamment dans la maison, malgré la fumée suffocante qui la remplissait, et courut au lit de Rose qui était restée comme paralysée, incapable de la suivre.

Alors, avec la force d'un homme, la petite et svelte blonde, exaltée par son courage, prit sa jeune amie dans ses bras, et porta héroïquement auprès de son fils un corps beaucoup plus lourd et plus grand que le sien propre.

À la vue de sa fille, Bricolin, qui n'avait d'abord songé qu'à sa récolte et à son bétail, et qui avait couru du côté des granges, se rappela qu'il avait une famille, et, dégrisé pour la seconde fois, encore plus radicalement que la première, il vola au secours de sa mère et de sa femme.

Heureusement le feu n'avait pris partout que par les combles, et le rez-de-chaussée, habité par les Bricolin, était encore intact, à l'exception du pavillon de Rose qui, étant fort bas et au voisinage d'un amas de fagots secs, brûlait rapidement.

Mme Bricolin, réveillée en sursaut, retrouva tout à coup sa force physique et sa présence d'esprit. Aidée de son mari et de Marcelle, elle transporta dehors le vieux Bricolin qui, se croyant au milieu des chauffeurs, criait de toute sa force : « Je n'ai plus rien ! ne me tuez pas ! ne me brûlez pas ! je vous donnerai tout ! »

La petite Fanchon aidait résolument la mère Bricolin qui bientôt put aider aux autres. On réussit à réveiller les métayers et leurs valets, dont aucun ne périt... Mais tout cela prit un temps considérable, et, quand on put recevoir les secours du village, quand on put organiser une chaîne, il était trop tard : l'eau semblait ranimer l'intensité du feu en soulevant et en faisant voler de loin des masses enflammées. Les énormes amas de céréales et de fourrages, dont regorgeaient les bâtiments d'exploitation, flambaient avec la rapidité de la pensée. Les charpentes centenaires des vieux bâtiments semblaient ne plus demander qu'à brûler. Presque tout le gros bétail s'obstina à ne pas sortir et fut étouffé ou brûlé. On ne préserva que le corps du château neuf, dont les tuiles s'effondrèrent et dont la charpente neuve resta découverte, réduite en charbon, et dressant sa carcasse noire sur les murailles encore blanches du logis.

Les pompes arrivèrent, inutile et tardive ressource dans les campagnes, instruments de secours souvent mal dirigés, mal organisés, et dont les tuyaux crèvent au premier effort, faute d'entretien ou de service. Cependant les pompiers et les habitants du bourg réussirent à faire la part du feu et à préserver l'habitation et le mobilier des Bricolin. Mais cette part du feu fut immense, complète. Tout le pavillon qu'habitaient Rose et Marcelle, tous les bâtiments d'exploitation, tout le bétail, tout le mobilier aratoire y passèrent. On ne s'occupa pas du vieux château, dont la toiture brûla, mais dont les fortes murailles nues se défendirent d'elles-mêmes. Une seule des tours, cédant à la chaleur, se lézarda de haut en bas. Le lierre immense qui embrassait les autres les préserva d'une dernière ruine.

Le crépuscule commençait à blanchir lorsque le meunier et Lémor sortirent de la misérable cabane du mendiant. Lémor portait dans ses mains le pot de fer et Grand-Louis traînait par la bride sa chère Sophie, qui l'avait salué dès son approche d'un hennissement amical. « J'ai lu *Don Quichotte*, disait-il, et je me trouve maintenant comme Sancho recouvrant son âne. Peu s'en faut qu'à son exemple je n'embrasse ma vieille Sophie et que je ne lui tienne de beaux discours.

— Grand-Louis, dit Lémor, si vous pouvez résister à cette tentation, n'avez-vous pas celle de regarder si ce pot de fer contient de l'or ou des cailloux ?

— J'ai soulevé le couvercle, dit le meunier. Ça brille là-dedans ; mais je suis fort pressé de déguerpir avant le jour, avant que les habitants de ce désert, s'il y en a, observent mes mouvements et me prennent

pour un voleur. Je suis tremblant d'émotion et de
plaisir comme un homme qui mène à bien les affaires
d'autrui ; mais j'ai pourtant aussi le sang-froid d'un
homme qui n'hérite pas pour son compte. Filons,
filons, monsieur Henri. Avez-vous remis ma pioche
dans la voiture ? Attendez que je donne un dernier
coup d'œil là-dedans. Le trou est bien bouché, il
n'y paraît plus, en route ! nous nous reposerons dans
quelque taillis si nos bêtes refusent le service. »

Le cheval du notaire ayant fait trois mortelles
lieues de pays au grand trot et souvent au galop dans
des chemins montueux et pénibles, se trouva en effet
tellement fatigué au retour, que nos voyageurs, arrivés
à la hauteur du Lys-Saint-George, se virent obligés
de le laisser souffler. Sophie, qu'ils avaient attachée
derrière le cabriolet et qui n'était pas habituée à marcher si follement, était couverte de sueur. Le cœur du
meunier s'en émut. « Il faut de l'humanité avec les
bêtes, dit-il, et puis, je ne veux pas que pour sa probité et sa sagacité dans cette affaire, notre bon notaire
perde un bon cheval. Quant à Sophie, il n'y a pas de
pot de fer qui tienne ; cette vieille servante ne doit
pas faire l'office du pot de terre. Voilà un joli pacage
bien ombragé, où pas une bête ni un homme ne
remuent. Entrons-y. Je suis bien sûr qu'il y a une
sacoche d'avoine dans le coffre du cabriolet ; car
M. Tailland pense à tout, et n'est pas homme à s'em-
barquer une seule fois sans biscuit. Nous respirerons
là un quart d'heure ; et nous serons tous un peu plus
frais pour repartir. Malheureusement, en donnant la
clef des champs au cochon de mon oncle (en héritera
qui voudra !) j'ai oublié de lui voler quelques-unes

de ses croûtes de pain, et je me sens l'estomac si creux
que je partagerais volontiers l'avoine de Sophie si je
ne craignais de lui faire tort. Il me semble que je ne
commence guère bien mon rôle d'héritier de l'avare.
Je meurs de faim à côté de mon trésor. »

En babillant ainsi suivant son habitude, le meunier
débrida les chevaux et leur servit le déjeuner, à celui
du notaire dans le sac à l'avoine, à Sophie dans son
long bonnet de coton bleu qu'il lui attacha autour du
nez très facétieusement.

« C'est singulier comme je me sens le cœur léger à
présent, dit-il en se tapissant sous les buissons et en
découvrant le pot de fer. Savez-vous, monsieur Lémor,
que mon bonheur est là-dedans, si les louis ne sont
pas seulement à la surface, et si le fond n'est pas
rempli de gros sous ? J'ai peur ; c'est trop lourd pour
n'être que de l'or. Ah çà ! aidez-moi à compter tout
ça. »

Le compte fut bientôt fait. Les pièces d'or en vieille
monnaie étaient roulées par sommes de mille francs
dans de sales chiffons de papier. En les ouvrant,
Lémor et le meunier virent les marques que le mendiant leur avait indiquées. La fortune du père Bricolin portait une croix sur chaque louis, le dépôt du
seigneur de Blanchemont une simple barre. Au fond,
il y avait environ trois mille francs en argent, en
pièces de toute espèce, et même une poignée de gros
sous, la dernière qu'eût économisée le mendiant.

« Ce restant là, dit le meunier en le rejetant au fond
du pot de fer, c'est la fortune de mon oncle, c'est
l'héritage de votre serviteur, c'est le denier de la
veuve que ce vieux grimaud ne se faisait pas faute de

recueillir, et qui retournera à la veuve et à l'orphelin, je vous en réponds. Qui sait si ce n'est pas aussi le produit du vol ? À voir comment mon oncle, que Dieu fasse paix à son âme ! m'avait escamoté Sophie, je n'ai pas trop de confiance dans la pureté de son legs. Tiens ! ça me fera plaisir de faire l'aumône ! moi qui suis si souvent privé de cette douceur-là ! Je vais prendre un plaisir de prince. Savez-vous qu'avec trois mille francs, dans ce pays-ci, on peut sauver et assurer l'existence de trois familles ?

— Mais vous ne pensez pas au reste du dépôt, Grand-Louis. Songez donc qu'avec cette grosse somme, dont Mme de Blanchemont n'a vraiment pas besoin pour elle-même, vous allez la mettre à même aussi de faire bien des heureux.

— Oh ! je m'en rapporte à elle pour le faire rouler vite sur cette table-là ! Mais il y a, à côté, quelque chose qui me flatte ! c'est ce petit magot que M. Bricolin va recevoir de ma main avec tant de plaisir. Ça n'aura pas un emploi très chrétien chez lui, mais ça raccommodera beaucoup mes affaires, qui étaient bien gâtées hier au soir.

— C'est-à-dire, mon cher Louis, que vous pouvez prétendre maintenant à la main de Rose.

— Oh ! ne croyez pas cela ! si les cinquante mille francs m'appartenaient, ça pourrait s'arranger à la rigueur. Mais le Bricolin sait mieux compter que vous ! Il dira : "Voilà cinq mille pistoles qui sont à moi et que Grand-Louis me rapporte, il ne fait que son devoir. Ce qui est à moi n'est pas à lui : donc, j'ai cinquante mille francs de plus dans ma poche, et il reste avec son moulin Gros-Jean comme devant."

— Et il ne sera pas émerveillé et touché d'une probité dont il ne serait sans doute pas capable ?

— Émerveillé, oui ; touché, non. Mais il se dira : « Ce garçon peut m'être utile. » Les honnêtes gens sont très nécessaires à ceux ne le sont pas, et il me pardonnera mes péchés ; il me rendra sa pratique, à laquelle je tiens beaucoup, puisqu'elle me met à même de voir Rose de lui parler tous les jours. Vous voyez donc que, sans me faire d'illusions, j'ai sujet d'être content. Hier soir, quand je dansais avec Rose, quand elle avait l'air de m'aimer, je me se sentais si fier, si heureux ! Eh bien, je retrouve mon bonheur d'hier soir sans m'inquiéter de mon lendemain. C'est beaucoup ; brave oncle Cadoche, va ! tu ne te doutais pas de ce qu'il y avait pour moi de consolations dans ton pot de fer ! Tu croyais me faire riche, et tu me rends heureux !

— Mais, mon cher Louis, puisque vous rapportez à Marcelle une somme égale à celle qu'elle voulait sacrifier pour vous, vous pouvez bien, à présent, accepter les concessions qu'elle offrait de faire à M. Bricolin ?

— Moi ? Jamais. Ne parlons pas de ça. Ça me blesse. Je ne serai plus banni de la ferme ; c'est tout ce qu'il me faut. Voyez comme ce trésor est joli ! comme il brille ! comme il y aurait là-dedans des peines soulagées et des inquiétudes apaisées ! C'est pourtant beau, l'argent, monsieur Lémor ! Convenez-en ! là, dans le creux de ma main, il y a la vie de cinq ou six pauvres enfants !...

— Ami, je n'y vois que ce qu'il y a en effet : les larmes, les cris, les tortures du vieux Bricolin, l'avarice du mendiant, sa vie honteuse et stupide, consumée tout entière dans la tremblante contemplation de son vol.

— Hein ! vous avez raison, dit le meunier en rejetant avec effroi la poignée d'or dans le pot de fer. Que de crimes, de lâchetés, de soucis, de mensonges, de peurs et de souffrances là-dedans ! Vous avez raison, c'est vilain, l'argent ! Nous-mêmes qui sommes là à le regarder et à le compter en cachette, nous voilà comme deux brigands armés de pistolets, et craignant d'être surpris par d'autres bandits, ou appréhendés au collet par les gendarmes. Allons, cache-toi, maudit ! s'écria-t-il en replaçant le couvercle, et nous, partons, ami ! Vive la joie, cela n'est pas à nous[1] ! »

---

1. Tout ce dialogue exprime de façon très nette (trop nette) l'ambiguïté de l'argent, thème fondamental du roman.

CINQUIÈME JOURNÉE

XXXV

RUPTURE

En approchant du vallon de la Vauvre, nos voyageurs remarquèrent, du côté de Blanchemont, une nappe immense de lourde fumée que le soleil levant commençait à blanchir.

« Regardez donc, dit le meunier, comme il y a du brouillard sur la Vauvre, ce matin, surtout du côté où nous avons toujours envie de regarder tous les deux ! Ça me gêne, je ne vois pas les toits pointus de mon bon vieux petit château qui, de tous les côtés, quand je fais mes courses aux environs, sert de point de mire à mes pensées ! »

Au bout de dix minutes, la fumée, que les vapeurs humides du matin affaissaient sous leur poids, rampa tout à fait au bas du vallon, et Grand-Louis, arrêtant brusquement le cheval du notaire, dit à son compagnon :

« C'est singulier, monsieur Lémor, je ne sais pas si j'ai la berlue ce matin, mais j'ai beau regarder, je ne vois pas le toit rouge du château neuf au bas des tours du vieux château ! Je suis pourtant bien sûr qu'on le voit d'ici ; je m'y suis arrêté plus de cent fois, et je distingue les arbres qui sont autour. Eh mais ! regardez donc ! le vieux château est tout changé ! les tourelles me paraissent aplaties. Où diable est le toit ? Le tonnerre m'écrase ! il n'y a plus que les pignons ! Attendez, attendez ! Qu'est-ce qu'il y a donc de rouge du côté de la ferme ? C'est du feu ! oui, du feu ! et toutes ces choses noires ?... Monsieur Lémor, je vous le disais bien, quand nous sommes arrivés à Jeu-les-Bois, que le ciel était tout rouge, et qu'il y avait un incendie quelque part. Vous me souteniez que c'étaient des brûlis de bruyères, je savais bien qu'il n'y avait pas de brandes de ce côté-là. Regardez donc ! je ne rêve pas ! le château, la ferme, tout est brûlé !... Mais Rose ! Et Rose !... Ah ! mon Dieu ! Et Mme Marcelle ! et mon petit Édouard ! et la vieille Bricolin ! mon Dieu ! mon Dieu ! »

Et le meunier, fouettant le cheval avec fureur, prit au galop la direction de Blanchemont, sans s'inquiéter cette fois si la vieille Sophie pouvait ou non le suivre.

À mesure qu'ils approchaient, les indices du sinistre ne devenaient que trop certains. Bientôt ils l'apprirent de la bouche des passants, et, bien qu'on leur assurât que personne n'avait péri, tous deux, pâles et oppressés, hâtaient la course trop lente, à leur gré, du cheval qui les emportait.

Arrivés au bas du terrier, comme ce pauvre animal, haletant et couvert d'écume, ne pouvait plus gravir le chemin qu'au pas, ils l'arrêtèrent devant chez la Piaulette, et sautèrent du cabriolet pour courir plus vite. En ce moment, Marcelle, sortant de la chaumière, parut à leurs yeux. Elle était pâle, mais calme, et ses vêtements ne portaient la trace d'aucune brûlure. Occupée toute la nuit à soigner les personnes, elle ne s'était pas consacrée inutilement à vouloir éteindre le feu. En la voyant, Lémor faillit s'évanouir de joie ; il lui prit la main sans pouvoir lui parler.

« Mon fils est ici et Rose est chez le curé, dit Marcelle. Elle n'a éprouvé aucun accident, elle n'est presque pas malade ; elle est heureuse malgré la consternation de ses parents. Il n'y a dans tout cela que de l'argent perdu. C'est peu de chose au prix du bonheur qui l'attend…

— Quoi donc ? dit le meunier ; je ne comprends pas.

— Allez la voir, ami, rien ne s'y oppose, et apprenez d'elle-même ce que je ne veux pas vous dire la première. »

Grand-Louis, stupéfait, se mit bientôt à courir. Lémor entra dans la chaumière avec Marcelle, et tandis que la Piaulette et son mari s'occupaient des chevaux, il courut vers le lit où dormait Édouard. Le dernier des Blanchemont reposait tranquillement sur le grabat du plus pauvre paysan de ses domaines. Il ne possédait plus même un gîte, et l'hospitalité de l'indigence était la seule chose qu'il pût réclamer en cet instant.

« Il n'a donc pas couru de danger ? s'écria Lémor en baisant ses petites mains, humides d'une douce chaleur.

— Ce petit être est d'une bonne trempe, dit Marcelle avec un certain orgueil. Il n'a pas été malade, il s'est éveillé dans une fumée étouffante, et il n'a pas eu peur. Il a passé la nuit avec moi à préserver et à consoler les autres, trouvant, malgré sa faiblesse et son ignorance du malheur, des soins, des caresses, et des paroles naïvement angéliques pour moi et pour tous ces êtres sans courage qui tremblaient et criaient autour de nous. Et moi qui craignais pour sa santé la frayeur et l'émotion ! Cette frêle nature renferme une âme héroïque. Lémor ! c'est un enfant béni, que Dieu avait marqué en naissant pour en faire un noble pauvre ! »

L'enfant s'éveilla aux caresses de Lémor, et, le reconnaissant cette fois à son affection plus qu'à ses traits :

« Ah ! Henri ! lui dit-il, pourquoi donc ne voulais-tu pas me parler quand tu *faisais Antoine* ? »

Marcelle commençait à expliquer avec stoïcisme à son amant dans quel nouveau désastre cet incendie précipitait le reste de sa fortune, lorsque M. Bricolin, la figure bouleversée, les vêtements en lambeaux et les mains toutes brûlées, entra dans la chaumière.

Au sortir de sa première terreur, le fermier avait travaillé avec une énergie et une audace désespérées à vouloir sauver ses bœufs et ses récoltes. Il avait failli être cent fois victime de son acharnement ; il n'avait renoncé à de vaines espérances qu'en se voyant au milieu d'un monceau de cendres. Alors, le découragement, le désespoir et une sorte de fureur s'étaient emparés de sa pauvre tête. Il était devenu comme fou, et il accourait vers Marcelle d'un air égaré, les idées confuses et la parole embarrassée.

« Ah ! vous voilà enfin, Madame ! dit-il d'une voix entrecoupée, je vous cherche dans tout le village, et je ne sais ce que vous devenez. Écoutez, écoutez, madame Marcelle !… Ce que j'ai à vous dire est très important… Vous avez beau être tranquille, tout ce malheur-là retombe sur vous, tout ce dommage-là vous concerne !

— Je le sais, monsieur Bricolin ! » répondit Marcelle avec un peu d'impatience. La vue de cet homme cupide n'était pas consolante pour elle en cet instant.

« Vous le savez ? reprit Bricolin avec une sorte de colère, et moi aussi, je le sais ! C'est à vous de rebâtir le domaine et de recomposer le cheptel de Blanchemont.

— Et avec quoi, s'il vous plaît, monsieur Bricolin ?

— Avec votre argent ! N'avez-vous pas de l'argent ? Ne vous en ai-je pas donné assez ?

— Je ne l'ai plus, monsieur Bricolin ! le portefeuille a brûlé.

— Vous avez laissé brûler *mon* portefeuille ? le portefeuille que je vous avais *confié* ? s'écria Bricolin exaspéré et en se frappant le front avec ses poings. Comment avez-vous été assez folle, *assez bête*, pour ne pas sauver le portefeuille, puisque vous avez bien eu le temps de sauver votre fils ?

— J'ai sauvé Rose aussi, monsieur Bricolin. C'est moi qui l'ai portée dans mes bras hors de la maison. Pendant ce temps, le portefeuille a brûlé ; je ne le regrette pas.

— Ce n'est pas vrai, vous l'avez !

— Je vous jure devant Dieu que non. Le meuble où il était, tous les meubles de cette chambre ont brûlé pendant qu'on sauvait les personnes. Vous le savez bien, je vous l'ai dit, car vous m'avez interrogée là-dessus ; mais vous ne m'avez pas entendue, ou vous ne vous souvenez pas.

— Ah ! si, je m'en souviens, dit le fermier consterné, mais j'ai cru que vous me trompiez.

— Et pourquoi vous tromperais-je ? Cet argent n'était-il pas à moi ?

— À vous ? Vous ne niez donc pas que je vous ai acheté hier soir votre terre, que je vous l'ai payée et qu'elle m'appartient ?

— Comment la pensée vous vient-elle que je sois capable de le nier ?

— Ah ! pardon, pardon, Madame ! je n'ai pas ma tête ! dit le fermier abattu et calmé.

— Je le vois bien, dit Marcelle d'un ton de mépris auquel il ne prit pas garde.

— C'est égal, la réparation des bâtiments et le cheptel sont à votre charge, reprit-il après un silence pendant lequel ses idées se confondirent de nouveau.

— De deux choses l'une, monsieur Bricolin, dit Marcelle en levant les épaules : ou vous n'avez pas acheté le domaine, et il m'appartient de réparer le mal, ou je vous l'ai vendu et je n'ai pas à m'en occuper ; choisissez !

— C'est vrai ! » dit encore Bricolin tombant dans une nouvelle stupeur. Puis il reprit bien vite : « Oh ! je vous l'ai bel et bien acheté, payé, vous ne pouvez pas nier ça ! J'ai votre acte qui porte quittance, je ne l'ai pas laissé brûler, moi ! Ma femme l'a dans sa poche.

— En ce cas, vous êtes tranquille, et moi aussi, car j'ai aussi le double de notre acte dans ma poche.

— Mais vous devez supporter le dommage ! s'écria

Bricolin avec une sombre fureur. Je ne vous ai pas acheté une terre sans bâtiment et sans cheptel. Il y a là une perte de cinquante mille francs, au moins !

— Je n'en sais rien, mais le désastre a eu lieu après la vente.

— C'est vous qui avez mis le feu !

— C'est très probable ! dit Marcelle avec un froid mépris, et j'y ai jeté le prix de ma terre pour m'amuser !

— Pardon, pardon, je suis malade ! dit le fermier ; perdre tant d'argent dans une nuit !… Mais c'est égal, madame Marcelle, vous me devez une indemnité pour mon malheur. J'ai toujours eu du malheur avec votre famille. Mon père, pour un dépôt que lui avait fait votre grand-père, a été mis à la torture par les chauffeurs, et a perdu cinquante mille francs qui étaient à lui.

— Les suites de ce malheur sont irréparables, puisque votre père y a perdu la santé de l'âme et du corps. Mais ma famille est fort innocente du crime des brigands ; et quant à la perte de votre argent, elle a été largement compensée par mon grand-père.

— C'est vrai, c'était un digne maître ! Aussi, vous devez faire comme lui, vous devez m'indemniser !

— Vous tenez tant à l'argent, et j'y tiens si peu, monsieur Bricolin, que je vous satisferais si j'étais en mesure de le faire. Mais vous oubliez que j'ai tout perdu, jusqu'à une misérable somme de deux mille francs que j'avais retirée de la vente de ma voiture, jusqu'à mes vêtements et à mon linge. Mon fils ne peut pas même dire qu'il ne possède au monde en ce moment-ci que les habits qui le couvrent, car je l'ai emporté nu de votre maison : et si cette femme que

voici ne l'avait pris chez elle avec une sublime charité pour le couvrir des pauvres habits d'un de ses
enfants, je serais forcée de vous demander l'aumône
d'une blouse et d'une paire de sabots pour lui. Laissez-moi donc tranquille, je vous en supplie ; j'ai la
force de supporter mon malheur, mais votre rapacité
m'indigne et me fatigue.

— C'est assez, Monsieur, dit Lémor, qui ne pouvait plus se contenir. Sortez, laissez madame en paix. »

Bricolin n'entendit pas cette apostrophe. Il s'était
laissé tomber sur une chaise, sensible au dénuement
absolu de Marcelle, en ce qu'il lui ôtait toute espérance de la rançonner. « Ainsi, s'écria-t-il avec désespoir, en frappant des poings sur la table, j'ai cru faire
un bon marché cette nuit, j'ai acheté Blanchemont
deux cent cinquante mille francs, et voilà que ce matin
j'ai cinquante mille francs de perte en bâtiments et en
bestiaux ! Ça fait, dit-il en sanglotant, que le domaine
me revient à trois cent mille francs comme vous le
vouliez !

— Il ne me semble pas que ce soit ma faute, ni
que j'en profite, dit froidement Marcelle dont l'indignation tomba en voyant celle de Lémor, et qui le
retenait pour le forcer à se modérer.

— C'est donc là tout votre malheur, monsieur
Bricolin ? dit naïvement la Piaulette émerveillée de
tout ce qu'elle entendait. Vraiment, je m'en arrange-
rais bien ! Cette pauvre dame a tout perdu, vous êtes
encore riche, aussi riche qu'hier soir, et vous lui
demandez quelque chose ! C'est drôle tout de même !
Si Blanchemont ne vous revient, avec votre malheur,

qu'à trois cent mille francs, c'est encore joliment bon
marché. J'en sais bien qui en auraient donné davantage.

— Qu'est-ce que vous dites, vous ? répondit Bricolin. Taisez-vous, vous n'êtes qu'une sotte et une
commère.

— Merci, Monsieur », dit la Piaulette ; et, se retournant avec fierté vers Marcelle : « C'est égal, Madame,
dit-elle ; puisque vous avez tout perdu, vous pouvez
bien rester chez moi tant que vous voudrez, et partager mon pain noir. Je ne vous le reprocherai pas et je
ne vous renverrai jamais.

— Écoutez, Monsieur ! dit Lémor, et rougissez !

— Vous, je ne sais pas qui vous êtes, répondit Bricolin furieux. Personne ne vous connaît ici ; vous avez
l'air d'un meunier comme j'ai l'air d'un évêque. Mais
vous n'irez pas loin, mon garçon ! Je vous désignerai
aux gendarmes pour qu'on vous demande vos papiers,
et si vous n'en avez pas, nous verrons ! Le feu a été
mis chez moi par malveillance, c'est assez clair, tout
le monde l'a constaté, et le procureur du roi est là qui
verbalise. Vous êtes bien avec un homme qui m'en
veut, suffit !

— Ah ! c'en est trop, dit Lémor indigné, vous êtes
le dernier des misérables, et si vous ne sortez d'ici, je
saurai bien vous y forcer.

— Arrêtez ! dit Marcelle en saisissant le bras de
Lémor. Ayez pitié de cet homme, il a perdu la raison ! Soyez indulgent pour le malheur, quelque lâche
qu'il se montre ; suivez mon exemple, Lémor ; ma
patience est à la hauteur de ma situation. »

Bricolin n'écoutait pas. Il tenait sa tête dans ses

mains et gémissait comme une mère qui a perdu son enfant.

«Et moi qui n'ai jamais voulu me faire assurer parce que c'était trop cher, criait-il d'un ton lamentable ; et mes bœufs, mes pauvres bœufs, qui étaient si beaux et si gras ! Un *lot* de moutons qui valait deux mille francs et que je n'ai pas voulu vendre à la foire de Saint-Christophe ! »

Marcelle ne put s'empêcher de sourire, et sa haute raison contint l'indignation de Lémor.

«C'est égal ! dit le fermier en se levant tout à coup, votre meunier n'aura pas ma fille !

— En ce cas vous n'aurez pas ma terre, l'acte est clair et la condition formelle.

— Nous plaiderons !

— À la bonne heure.

— Oh ! vous ne pouvez plaider, vous ! Il faut de l'argent pour ça, et vous n'en avez pas. Et puis il faudrait me restituer le paiement, et comment feriez-vous ? D'ailleurs, votre jolie condition est nulle ; et, quant au meunier, je vais commencer par le faire arrêter et conduire en prison ; car c'est lui, j'en suis sûr, qui a mis le feu chez moi par vengeance de ce que je l'en ai chassé hier. Tout le village me servira de témoin comme quoi il m'a fait des menaces… et le monsieur que voilà… suffit : à moi, à moi, les gendarmes ! » Et il s'élança dehors en proie à un véritable délire.

XXXVI

LA CHAPELLE

Inquiète pour le meunier et pour Lémor, que l'aveugle vengeance de Bricolin pouvait entraîner dans une affaire sinon grave, du moins désagréable, Marcelle engageait son amant à se cacher, et la Piaulette sortait déjà pour avertir Grand-Louis d'en faire autant, lorsqu'on vit tout le monde, dispersé sur le terrier et occupé à commenter le désastre, se rassembler et se mettre à courir vers la ferme.

« Je suis sûre que c'est déjà fait ! s'écria la Piaulette en pleurant. Ils auront déjà mis la main sur ce pauvre Grand-Louis ! »

Lémor, n'écoutant que son courage et son amitié, sortit de la chaumière et s'élança vers le terrier. Marcelle, effrayée, l'y suivit, laissant Édouard à la garde de la fille aînée de son hôtesse.

En entrant dans la cour de la ferme, Marcelle et Lémor virent avec effroi ces masses éparses de noirs décombres, le sol ruisselant d'une eau qui ressemblait à un lac d'encre, et la foule des travailleurs épuisés, mouillés, brûlés, semblables à des spectres, et qui se préparaient à une nouvelle fatigue, le feu venait de se rallumer à une petite chapelle isolée, située entre la ferme et le vieux château.

Ce nouvel accident semblait incompréhensible, car cette construction était restée intacte jusque-là, et si une flammèche fût tombée dessus pendant l'incendie, le feu n'eût pas pu couver aussi longtemps dans une provision de bois secs qui y était enfermée. Le feu partait cependant de l'intérieur, comme si une main implacable eût poussé l'audace jusqu'à vouloir, sous les yeux de tous, et en plein jour, détruire jusqu'au dernier bâtiment du domaine.

« Laissez brûler la chapelle, criait M. Bricolin écumant de rage, courez après l'incendiaire ! Il doit être par là, il ne peut être loin. C'est Grand-Louis, j'en suis certain ! j'ai des preuves ! Cherchez dans la garenne ! Cernez la garenne ! »

M. Bricolin ignorait que, pendant qu'il signalait ainsi le meunier à la vindicte publique, celui-ci, oubliant tout et ne sachant plus rien de ce qui se passait au-dehors, était au presbytère, à genoux auprès du fauteuil où l'on avait déposé Rose, et qu'il recevait de sa bouche l'aveu de son amour et la révélation des engagements pris par son père. Dans le désordre général, le curé et même sa servante, s'étant mêlés aux travailleurs officieux, la grand-mère Bricolin était seule restée auprès de Rose, et les jeunes amants, plongés dans la plus pure ivresse, ne se souvenaient plus des événements qui s'agitaient autour d'eux.

Un cercle s'était formé autour de la chapelle, et on dirigeait les pompes, lorsque M. Bricolin, qui s'était avancé jusqu'à la porte cintrée, recula d'horreur et alla tomber sur un de ses garçons de ferme, qui le soutint à grand-peine. Cette chapelle, qui avait été jadis attenante au vieux château, montrait encore aux yeux des antiquaires d'assez jolis détails de sculpture gothique. Mais la vétusté d'une telle construction devait céder bientôt à l'intensité de la chaleur[1]. La flamme sortait par les fenêtres, et les rosaces délicates commençaient à se détacher avec fracas, lorsque la porte à demi ouverte fut poussée brusquement de l'intérieur. On vit alors sortir la folle, une petite lanterne dans une main et un brandon de paille enflammé dans l'autre. Elle se retirait lentement après avoir mis la dernière main à son œuvre de destruction ; elle marchait d'un air grave, les yeux fixés à terre, ne voyant personne, et tout occupée du plaisir de sa vengeance longtemps méditée et froidement exécutée.

Un gendarme trop consciencieux marcha droit à elle et l'arrêta en la prenant par le bras. La folle s'aperçut alors que la foule l'entourait ; elle porta vivement son brandon enflammé à la figure du gendarme, qui, surpris de cette défense imprévue, fut forcé de lâcher prise. Alors la Bricoline, retrouvant son agilité impétueuse, et prenant une expression de haine et de fureur, s'élança dans la chapelle, comme pour se cacher, en proférant des imprécations confuses. On tenta de l'y suivre, personne n'osa. Elle traversa la flamme avec la prestesse d'une salamandre, et gravit le petit escalier en spirale qui conduisait aux combles. Là, elle se montra à une lucarne et on la vit activer le feu qui montait trop lentement à son gré, et qui bientôt l'environna de toutes parts. On fit vainement jouer les pompes pour arroser le toit. Il avait été récemment réparé et garni en zinc. L'eau coulait dessus et pénétrait fort peu. Le feu couvait donc à l'intérieur, et

---

1. Sur les ressemblances entre ce dénouement et le roman de Latouche, *Léo*, voir p. 475-476.

l'infortunée Bricoline, brûlant lentement, devait subir des tortures atroces. Mais elle ne parut pas les sentir, et on l'entendit chanter un air de danse qu'elle avait aimé dans sa jeunesse, qu'elle avait sans doute dansé souvent avec son amant, et qui lui revint à la mémoire au moment d'expirer. Elle ne fit pas entendre une seule plainte ; sourde aux cris et aux supplications de sa mère qui se tordait les bras et qu'on retenait de force pour l'empêcher de courir auprès d'elle, elle chanta longtemps, puis elle parut à la fenêtre une dernière fois, et, reconnaissant son père :

« Ah ! monsieur Bricolin, lui cria-t-elle, c'est un bien beau jour pour vous que le *jour d'aujourd'hui* [1] ! »

Ce fut sa dernière parole. Quand on fut maître de l'incendie, on retrouva ses os calcinés sur le pavé de la chapelle.

Cette affreuse mort acheva d'égarer l'esprit de M. Bricolin et de briser le courage de sa femme. Ils ne songèrent plus à arrêter personne, et, pendant toute la journée, Rose, la mère Bricolin et son vieux mari furent complètement oubliés d'eux. Enfermés à la cure, M. et Mme Bricolin ne voulurent voir personne, et n'en sortirent que lorsqu'ils eurent épuisé ensemble toute l'amertume de leur peine.

---

1. Ce mot de la fin explique l'importance de l'expression qui revient sans cesse dans le roman et que G. Sand a songé au début à prendre comme titre.

XXXVII

CONCLUSION

Marcelle avait eu la présence d'esprit de prévoir que Rose, malade et brisée par tant d'émotions, n'apprendrait pas sans danger la déplorable fin de sa sœur. Elle avait suggéré au meunier de la mettre bien vite dans le cabriolet du notaire et de l'emmener à son moulin avec la grand-mère et le vieux infirme, dont la bonne femme ne voulait pas se séparer. Marcelle, appuyée sur le bras de Lémor qui portait Édouard dans ses bras, les suivit de près.

Pendant quelques jours, Rose eut tous les soirs d'assez vifs accès de fièvre. Ses amis ne la quittèrent pas d'un instant, et, après avoir réussi à lui cacher le spectacle des funérailles du mendiant Cadoche, qui fut porté en terre avec toutes les cérémonies qu'il avait exigées, ils lui laissèrent ignorer la mort de la folle jusqu'à ce qu'elle fût en état de supporter cette nouvelle ; mais pendant bien longtemps encore elle n'en connut pas les affreuses circonstances.

Marcelle consulta M. Tailland sur la valeur de l'acte passé avec Bricolin.

L'avis du notaire ne fut pas favorable. Le mariage étant *d'ordre public*, on n'en pouvait faire une clause de vente. Dans le cas de clauses illicites, la vente subsiste et lesdites clauses sont *réputées non écrites*. Tels sont les termes de la loi. M. Bricolin les connaissait avant la signature de l'acte.

Au bout de trois jours, on vit arriver au moulin le fermier pâle, abattu, maigri de moitié, ayant perdu jusqu'à l'envie de boire pour se donner du cœur. Il paraissait incapable de se mettre en colère ; cependant, on ignorait dans quelles intentions il venait à Angibault, et Marcelle, qui voyait Rose encore bien faible, tremblait qu'il ne vînt la réclamer avec des paroles et des manières outrageantes. Tout le monde était inquiet, et l'on sortit en masse au-devant de lui pour l'empêcher d'entrer s'il n'annonçait pas des intentions pacifiques.

Il débuta par intimer froidement à la mère Bricolin l'ordre de lui ramener sa fille au plus vite. Il avait loué une maison dans le bourg de Blanchemont, et il allait commencer les travaux de reconstruction. « Mais de ce que je suis mal logé, dit-il, ce n'est pas une raison pour que je sois privé de la société de ma fille et pour qu'elle refuse ses soins à sa mère. Ce serait le fait d'un enfant dénaturé. »

En parlant ainsi, Bricolin lançait au meunier des regards farouches. On voyait bien qu'il voulait tirer sa fille de chez lui, sans esclandre, sauf à exhaler ensuite sa rancune et à accuser au besoin Grand-Louis de l'avoir enlevée.

« C'est juste, c'est juste, dit la mère Bricolin, qui s'était chargée de répondre. Il y a longtemps que Rose demande à retourner auprès de son père et de sa mère, mais comme elle est encore malade, nous l'en avons empêchée. Je pense qu'aujourd'hui elle sera en état de te suivre, et je suis prête à l'accompagner avec mon vieux, si tu as de quoi nous loger. Laisse seulement à Mme Marcelle le temps de préparer la

petite au plaisir et à la secousse de te revoir. Moi, j'ai
à te parler en particulier, Bricolin ; viens dans ma
chambre. »

La vieille femme le conduisit dans la chambre
qu'elle partageait avec la meunière. Marcelle et Rose
avaient été installées dans celle du meunier. Lémor
et Grand-Louis couchaient au foin avec délices.

« Bricolin, dit la bonne femme, tu vas faire bien de
la dépense pour ces bâtiments ! Où donc prendras-tu
l'argent ?

— Qu'est-ce que ça vous fait, la mère ? vous n'en
avez pas à me donner, répondit Bricolin d'un ton
brusque. Je suis à cours, il est vrai, dans ce moment ;
mais j'emprunterai. Je ne serai pas embarrassé pour
trouver du crédit.

— Oui, mais avec de gros intérêts, comme c'est
l'usage, puis quand il faut rendre ça, on est déjà lancé
dans de nouvelles dépenses nécessaires, inévitables.
Ça gêne, ça encombre, et on ne sait plus comment en
sortir.

— Eh bien ! qu'est-ce que vous voulez que j'y
fasse ! puis-je serrer, l'année prochaine, mes récoltes
dans mon sabot, et mettre mon bétail à l'abri sous un
balai ?

— Qu'est-ce que ça coûtera donc, tout ça ?

— Dieu sait !

— À peu près ?

— De quarante-cinq à cinquante mille francs, tout
au moins ; quinze à dix-huit mille pour les bâtiments,
autant pour le cheptel, et autant que j'ai perdu de ma
récolte et de mes profits de l'année !

— Oui, ça fait cinquante mille francs environ. C'est

bien mon calcul. Eh bien! dis donc, Bricolin, si je te
donnais ça, que ferais-tu pour moi?

— Vous? s'écria Bricolin dont les yeux reprirent
leur feu accoutumé; avez-vous donc des économies
que vous m'aviez cachées, ou est-ce que vous radotez?

— Je ne radote pas. J'ai là cinquante mille francs
en or que je te donnerai, si tu veux me laisser marier
Rose à mon gré.

— Ah! voilà! toujours le meunier! Toutes les
femmes en sont folles de cet ours-là, même les vieilles
de quatre-vingts ans.

— C'est bon, c'est bon, plaisante, mais accepte.

— Et où est-il, cet argent?

— Je l'ai donné à garder à Grand-Louis, dit la
vieille qui savait son fils capable de le lui arracher,
de force, des mains dans un moment d'ivresse, s'il
venait à le voir.

— Et pourquoi à Grand-Louis, et non pas à moi
ou à ma femme? Vous voulez donc lui en faire une
donation si je ne fais pas votre volonté?

— L'argent d'autrui est en sûreté dans ses mains,
dit la vieille, car il a eu celui-là à mon insu, et il me
l'a rapporté quand je le croyais perdu pour toujours.
Il est à mon homme, s'entend; mais puisque vous
l'avez fait interdire[1], et que nous nous étions, sous

---

1. On remarquera le sens juridique de la vieille Bricolin. Son
mari a été «interdit», c'est-à-dire privé de capacité juridique, en
raison de son état mental. Cette interdiction a été demandée par
le fils, pour pouvoir dépouiller son père. Ils se sont mariés sous
l'«ancienne loi», c'est-à-dire sous l'ancien régime. Fonds perdu
signifie «capital aliéné moyennant une rente qui s'éteint à la
mort de celui qui a déposé le fonds» (Littré). Cette rente, dans ce
cas, est reportée sur le dernier époux survivant.

l'ancienne loi, donné notre bien à fonds perdu, au dernier vivant, j'en dispose !

— Mais c'est donc un recouvrement ? C'est impossible ! vous vous moquez de moi, et je suis bien bon de vous écouter !

— Écoute, dit la mère Bricolin, c'est une drôle d'histoire. »

Et elle raconta à son fils toute l'histoire de Cadoche et de sa succession.

« Et le meunier t'a rapporté cet argent-là quand il pouvait n'en rien dire ? s'écria le fermier stupéfait. Mais c'est très honnête, ça, c'est très *joli* de sa part ! Il faudra lui faire un cadeau.

— Il n'y a qu'un cadeau à lui faire : c'est la main de Rose, puisqu'elle lui a déjà fait le cadeau de son cœur.

— Mais je ne donnerai pas de dot ! s'écria Bricolin.

— Ça va sans dire, qui est-ce qui t'en parle ?

— Faites-moi donc voir cet argent-là ! »

La mère Bricolin conduisit son fils auprès du meunier, qui lui montra le pot de fer et *son contenu*.

« Et de cette manière-là, dit le fermier ébloui et comme ressuscité par la vue de tant d'or monnayé, Mme de Blanchemont n'est pas absolument dans la misère ?

— Grâce à Dieu !

— Et à toi, Grand-Louis !

— Grâce à la fantaisie du père Cadoche.

— Et toi, de quoi hérites-tu ?

— De trois mille francs, dont un tiers est destiné à la Piaulette et le reste à établir deux autres familles auprès de moi. Nous travaillerons tous ensemble et nous nous associerons pour les profits.

— C'est bête, ça !

— Non, c'est utile et juste.

— Mais pourquoi ne pas garder ces mille écus pour les présents de noces de… ta femme ?

— Ça sentirait l'argent volé ; et quand même ça ne serait que le produit de l'aumône, vous, qui êtes si fier, voudriez-vous que Rose eût sur le corps des robes payées avec tous les gros sous du pays, donnés en charité à un mendiant ?

— On n'aurait pas été obligé de dire d'où ça provenait !… Ah çà, à quand la noce, Grand-Louis ?

— Demain, si vous voulez.

— Publions les bans demain, et remets-moi l'argent aujourd'hui, j'en ai besoin.

— Non pas ! non pas ! s'écria la vieille fermière. Tu l'auras le jour de la noce. Donnant, donnant, mon garçon ! »

La vue de l'or avait ranimé M. Bricolin. Il se mit à table, trinqua avec le meunier, embrassa sa fille, et remonta sur son bidet, entre deux vins, pour aller mettre ses maçons à l'ouvrage.

« Comme ça, se disait-il en souriant, j'ai toujours Blanchemont pour deux cent cinquante mille francs, et même pour deux cent mille francs, puisque je ne dote pas ma dernière fille ! »

« Et nous aussi, Lémor, nous allons faire bâtir, dit Marcelle à son amant lorsque Bricolin fut parti. Nous sommes riches ; nous avons de quoi élever une jolie maisonnette rustique, où *notre* enfant aura une bonne éducation ; car tu seras son précepteur, et le meunier lui apprendra son état. Pourquoi ne serait-on pas à la fois un ouvrier laborieux et un homme instruit ?

— Et je compte bien commencer par moi-même, dit Lémor. Je ne suis qu'un ignorant ; je m'instruirai le soir à la veillée. Je suis garçon de moulin ; l'état me plaît et je le garde pour la journée. Quelle belle santé cette vie va faire à notre Édouard !

— Eh bien, madame Marcelle, dit le Grand-Louis en prenant la main de Lémor, vous qui me disiez, la première fois que vous êtes venue ici… (il y a huit jours, ni plus ni moins !) que votre bonheur serait d'avoir une petite maison propre, avec du chaume dessus et des pampres verts tout autour, dans le genre de la mienne ; une vie simple et pas trop gênée comme la mienne, un fils occupé et pas trop bête, comme moi… Et tout cela ici, sur notre rivière de Vauvre qui a l'honneur de vous plaire, et à côté de nous qui sommes de bons voisins !

— Et tout cela en commun, dit Marcelle, car je ne l'entends pas autrement !

— Oh ! c'est impossible ! Votre part, quant à présent, est plus grosse que la mienne.

— Vous calculez mal, meunier, dit Lémor ; le tien et le mien entre amis sont des énormités comme deux et deux font cinq.

— Me voilà donc riche et savant ! reprit le meunier, car j'ai le cœur de Rose et vous allez me parler tous les jours ! Quand je vous le disais, monsieur Lémor, qu'il se ferait un miracle pour moi et que tout s'arrangerait ! Je ne comptais pourtant pas sur l'oncle Cadoche !

— Qu'est-ce que tu as donc à danser comme ça, *alochon* ? dit Édouard.

— J'ai, mon enfant, répondit le meunier en l'élevant dans ses bras, qu'en jetant mes filets, j'ai pêché, dans le plus clair de l'eau, un petit ange qui m'a porté bonheur ; et, dans le plus trouble, un vieux diable d'oncle que je réussirai peut-être à faire sortir du purgatoire. »

COMMENTAIRES
par
Béatrice Didier

Le travail de l'écrivain

Genèse de l'œuvre.

Le 30 avril 1844, alors que *Jeanne* commençait à paraître dans *Le Constitutionnel*, George Sand avait signé avec Véron un contrat pour un second roman dont le titre n'est pas encore précisé. Quand elle quitte Paris, le 29 mai, elle n'y a pas encore travaillé. C'est à Nohant, le lieu de la tranquillité (relative), et de la grande production romanesque qu'elle va s'y mettre, probablement dans le courant du mois de juin.

Sauf témoignage explicite, et toujours un peu suspect, la date de conception d'un roman est aussi difficile à préciser que celle d'un enfant. Dans la préface de 1853, G. Sand qui, après coup, parle de son travail, un peu comme Mme de Sévigné parle de la fenaison, présente le roman comme « le résultat d'une promenade, d'une rencontre, d'un jour de loisir ». Il est fort possible qu'une promenade ait en effet déclenché les premières scènes. Nous savons qu'il y eut de grandes inondations dues à la crue de l'Indre, le 24 juin ; supposera-t-on que les premières pages avaient été alors écrites, encore marquées par Paris que G. Sand vient de quitter, et que les descriptions marécageuses, l'invasion de l'eau sont nées de ces crues ? Mais elle connaissait déjà le moulin d'Angibault et le château qui devient celui de Blanchemont.

Fin juin 1844 arrive une lettre de Véron qui réclame d'urgence le roman, parce que Eugène Sue s'est mis en retard pour son *Juif errant*, et qu'il a besoin de ce que G. Sand nomme avec un peu d'humeur, un « bouche-trou ». La lettre de Véron était du 23 juin[1]. G. Sand avait dû la recevoir trois ou quatre jours après ; à Véron elle affirme « je travaille déjà depuis que j'ai reçu votre lettre » — ce qui n'exclut pas, évidemment, qu'il y ait eu déjà dans les jours précédents un échauffement de l'imagination antérieur au moment où l'écrivain se met à sa table pour prendre la plume. Cette lettre à Véron est intéressante à plus d'un titre, non seulement parce qu'elle permet de préciser la chronologie de l'œuvre, mais aussi par les renseignements que G. Sand donne sur son travail. Pour ce qu'elle appelle ses « petites études », il lui faut du temps, il faut qu'elle puisse les « soigner » ; elle a besoin aussi d'une documentation : « Il n'est si petit sujet qui n'exige beaucoup de lectures et de réflexions[2]. »

Le 6 juillet, une autre lettre à Véron prouve qu'elle travaille, mais ne peut encore, comme il le voudrait,

---

1. Lovenjoul, E. 862, fol. 12-15. Voir G. Lubin, note à la *Correspondance* de G. Sand, t. VI, p. 372, n. 1. **2.** *Ibid.*, p. 573.

lui annoncer un titre : « Quand je serai un peu plus avancée dans mon sujet, je serai plus sûre de ce malheureux titre. Considérez que vous m'avez éveillée dans mon rêve au moment où je croyais avoir encore au moins une quinzaine pour le mûrir en sommeillant[1]. » Elle recommande aussi à Véron de recevoir aimablement Pierre Leroux qu'elle charge des questions des droits d'auteur relatives aux publications en volumes. Quant à elle, elle se contente d'écrire et à son rythme habituel, c'est-à-dire avec une merveilleuse rapidité, une puissance de travail qui lui permet de sacrifier ses nuits : « J'ai barbouillé du papier toute la nuit[2]. » Elle aimerait, dit-elle à Pauline Viardot, aller la chercher à Orléans mais « je ne peux pas perdre une seule nuit de travail[3] ».

Même quand elle se soumet à un travail de bagnard, G. Sand demeure toujours capable d'éprouver un grand plaisir à écrire. Le 12 juillet, elle écrit à Véron : « Je commence à être récompensée de mon effort de courage par un peu de plaisir, et mon roman m'amuse[4]. » Elle a trouvé un titre « Au jour d'aujourd'hui », qui est le « refrain » d'un personnage, et qu'elle juge « original à force d'être commun. » Cependant elle est prête — et c'est ce qu'elle fera finalement — à le changer. Le roman est maintenant structuré au moins par la présence des personnages principaux : « J'ai 4 personnages en première ligne. C'est une partie carrée d'amoureux très honnêtes, et je ne peux prendre cette fois un nom propre pour titre[5]. » Le 21 juillet, « le roman avance. Il est à la moitié au moins. Je suis tou-

---

1. P. 577.   **2.** P. 578.   **3.** P. 579.   **4.** P. 580.   **5.** P. 581.

jours très en train ; je travaille toutes les nuits sans interruption, et je me porte très bien, grâce aux promenades de la journée[1]. » Le roman sera « beaucoup plus long » que prévu. Une fois en route, G. Sand ne s'arrête plus. Elle s'inquiète de la façon dont seront découpés les feuilletons — on ne doit pas oublier l'importance de cette publication en feuilletons dans l'écriture romanesque du XIXᵉ siècle. Et puis, à Véron impatient, elle fixe une date ; elle aura fini pour le 15 août, « mais je voudrais avoir quatre ou cinq jours pour revoir et corriger, supprimer des longueurs dont on ne s'aperçoit pas en écrivant si vite ». Quant à faire un double, elle s'y refuse ; elle n'a pas de copiste sous la main, et dit-elle, « Je suis incapable de recopier une page. Je la changerais[2]. » Elle confiera le manuscrit à la poste ou à la diligence sans inquiétude. On arrive alors aux derniers jours et au « coup de feu[3] » : « Il faut que je *livre*, au *Constitutionnel* un roman le 22 [août] et je n'ai plus le temps ni de manger ni de dormir[4]. »

Mais l'histoire du roman ne s'arrête pas avec la remise du manuscrit. Véron fut affolé par l'audace de ce roman, et refusa de le publier : « C'est un roman, affirme cependant G. Sand dans une lettre à Hetzel, qui aurait eu du succès, j'en suis sûre, même dans le bourgeois et poltron *Constitutionnel*. C'était plus animé et plus dramatique, aussi pastoral et *facile à lire* que *Jeanne*. [Véron] prétend que c'est une *attaque contre la propriété*. Quand vous le lirez, la simplicité

---

1. P. 584.   2. P. 585.   3. P. 597.   4. A. Hetzel, 12/8/1844. *Ibid.*, p. 600.

de mes interlocuteurs à cet égard, et la naïveté des formes, vous fera rire des terreurs de M. Véron[1]. » Cette lettre à Hetzel contient un exposé très détaillé de la situation financière. Il faudrait que Hetzel puisse payer le feuilleton 10 000 francs, prix convenu avec Véron, et trouver un éditeur qui se chargerait de la publication en volume et donnerait 6 000 francs.

Véron, en effet, traîne, et G. Sand lui envoie un huissier ; elle se déclare prête à agir « par les voies judiciaires ». Elle a rempli ses engagements, Véron ne remplit pas les siens, voilà ce qui apparaîtrait aux yeux des tribunaux qui ne peuvent juger que de la matérialité des faits : elle a remis son manuscrit, et non de la valeur littéraire. Elle est prête à accepter une « paix honorable », c'est-à-dire à publier son roman ailleurs, mais que Véron lui verse une indemnité pour le préjudice qu'elle a subi[2]. Pendant ce temps elle poursuit les pourparlers avec Hetzel ; qui cherche à « approcher le plus possible[3] » du chiffre que demande G. Sand. Mais les tractations sont difficiles : en effet, les journaux qui ont de l'argent risquent d'être effrayés par les idées de G. Sand, et ceux qui sont d'inspiration socialiste n'ont pas suffisamment d'argent pour répondre à ses exigences. On songe aux *Débats*, à *L'Illustration*. *Le National* fait des offres. « Si les journaux riches ne veulent point de moi, écrit G. Sand à Hetzel, je donnerai peut-être mon roman presque pour rien à mes amis de la *Revue indépendante* ou de *La Réforme*. Je veux vendre cher

---

1. A. Hetzel, vers le 10 octobre 1844. *Ibid.*, p. 653-654.
2. *Ibid.*, p. 658-659.   **3.** *Ibid.*, p. 660.

à ceux qui spéculent, j'ai besoin de vendre cher parce que j'ai aidé *mes frères en J.-C.* un peu plus que je ne pouvais. Enfin je désire vendre cher, afin de transiger avec Véron sans lui faire grâce[1]. » Finalement G. Sand, après avoir pressé *Le National* de se décider, donnera son roman à *La Réforme*, avec laquelle elle était entrée en pourparlers, sans trop croire que ce journal soit capable de payer, même un prix réduit[2]. Le 17 décembre 1844, G. Sand passe un traité avec *La Réforme* pour lui livrer non pas un, mais deux romans. Les signataires sont, entre autres, Ledru Rollin, Étienne Arago, Louis Blanc. Pour le premier roman, c'est-à-dire le *Meunier*, *La Réforme* s'engage à verser « 6 000 francs dont 4 000 ont été payés comptant, et dont les 2 000 restants seront payés avant le premier janvier prochain[3]. » Elle n'a donc pas renoncé à la somme qu'elle désirait, mais seulement accepté un délai pour un tiers. Il fallait bien que ce roman rétablisse un peu ses finances endommagées par les dons faits à ses « frères en J.-C. », c'est-à-dire à Pierre Leroux et à sa communauté socialiste de Boussac[4].

Cependant les tribulations de G. Sand ne sont pas terminées. Les épreuves le seront dans tous les sens du terme. À Étienne Arago, elle réclame le 19 janvier 1845 des secondes épreuves de son premier chapitre. Que d'erreurs dans les premières ! « Il n'y a donc pas de prote dans l'imprimerie dont vous vous servez[5]. » *La Réforme* publie le texte par petits morceaux et en

---

1. P. 661.   2. P. 732.   3. P. 737.   4. Voir p. 472.
5. *Correspondance*, t. VI, p. 781.

ajoutant des intertitres[1]. «Je crois difficile, proteste G. Sand, que ce roman ait le moindre intérêt pour les lecteurs, haché en si petits morceaux. Les conversations et les scènes n'ont pas été faites en vue de ces divisions[2].» Le 21 janvier 1845, *La Réforme* publie le premier feuilleton du *Meunier d'Angibault*. Elle poursuivra cette publication jusqu'au 19 mars. La sortie en volume ne tardera pas ; dès le 23 avril, le *Journal des Débats* annonce *Le Meunier d'Angibault* en deux volumes[3]. Il va paraître finalement chez Desesart, cette même année 1845, en trois volumes in-8. Le roman sera repris par Hetzel pour l'édition illustrée, puis dans les éditions Hetzel-Lecou, Michel Lévy, Calmann-Lévy[4].

L'originalité de l'œuvre

Les sources : les livres et le Berry.

Si la *Correspondance* nous renseigne fort exactement sur les diverses étapes du livre, et sur la rapidité de sa composition, elle nous livre moins d'éléments sur le travail de création qui demeure toujours un peu mystérieux. Dans ce prodigieux creuset qu'est l'imagination de la romancière se mêlent toutes sortes d'éléments, lectures, expériences personnelles, conversations avec des amis, observations du terroir dans la

---

1. C'est ce que suppose, fort vraisemblablement G. Lubin, *Ibid.*, p. 787, n. 3. **2.** *Ibid.*, p. 788. **3.** *Cf.* G. Lubin, *Ibid.*, p. 763. **4.** Voir la présentation du *Meunier d'Angibault*, Éditions d'Aujourd'hui, 1979.

Vallée-Noire, et c'est tout cela qui fait la richesse du texte, son équilibre, qui l'empêche constamment de devenir un ouvrage de théorie sociale et lui permet de demeurer essentiellement romanesque.

Il se peut que la précipitation de Véron ait empêché G. Sand d'opérer toutes les recherches, d'effectuer toutes les lectures qu'elle aurait voulu ; mais quand elle prend la plume en 1844, elle peut puiser dans son propre fonds d'expériences et de réflexions ; elle est depuis toujours une grande lectrice. Il est certain, par exemple, qu'elle n'oublie pas son cher Rousseau dont la connaissance remonte au temps de l'adolescence et qu'elle relit à toutes les étapes de sa vie. Par bien des aspects, *Le Meunier d'Angibault* est un roman rousseauiste. Chez l'auteur du *Contrat social*, de *La Nouvelle Héloïse*, des *Confessions*, G. Sand a pu trouver ce qui constitue un des intérêts les plus vifs de son texte : cet alliage de réflexion théorique sur la société, et de sens de la réalité, de la nature campagnarde. Ce rêve de créer une sorte de communauté idéale de travail dans un cadre champêtre, qui est celui de Marcelle quand elle revient à Blanchemont, n'est-il pas en partie issu de *La Nouvelle Héloïse* et de la société mythique de Clarens ? Certes, G. Sand parle des travaux champêtres et de leur dureté avec un peu plus de réalisme que Rousseau ; les temps et l'esthétique ont changé ; mais ce grand modèle à la fois de la réflexion politique et de l'invention romanesque demeure certainement présent à l'esprit de la romancière.

Plus près d'elle cependant d'autres penseurs ont stimulé sa réflexion sur la propriété et sur les problèmes économiques. Les travaux de J.-P. Lacassagne[1] ont bien mis en lumière quel a été le rôle de Pierre Leroux. G. Sand lorsqu'elle écrit *Le Meunier* le connaît depuis déjà plusieurs années, exactement depuis 1835. Dans l'*Histoire de ma vie*, elle replace cette première rencontre avec Leroux comme étant une étape capitale de son développement intellectuel. « Nulle instruction n'est plus précieuse que [celle de Pierre Leroux] quand on ne le tourmente pas trop pour formuler ce qu'il ne croit pas avoir suffisamment dégagé pour lui-même. Il a la figure belle et douce, l'œil pénétrant et pur, le sourire affectueux, la voix sympathique et ce langage de l'accent et de la physionomie, cet ensemble de chasteté et de bonté vraies qui s'emparent de la persuasion autant que la force des raisonnements[2]. » Mais alors G. Sand n'était pas, avoue-t-elle, capable de saisir tout le sens de son message, à la fois parce qu'elle était « trop dérangée par la vie extérieure », peut-être aussi parce que Leroux n'avait pas encore formulé toute sa doctrine, et que s'il était « le plus grand critique possible dans la philosophie de l'histoire », il n'avait pas résolu la question de « la *propriété des instruments de travail*, question qu'il roulait dans son esprit à l'état de problème, et qu'il a éclaircie depuis dans ses écrits[3] ». Depuis leur première rencontre G. Sand a eu l'occasion de connaître non seulement les idées de Leroux, mais d'assister à leur réalisation, et même d'y collaborer. En effet, bien peu de temps avant que ne com-

---

1. *Cf.* J.-P. Lacassagne, *Histoire d'une amitié. Pierre Leroux et George Sand*, Klincksieck, 1973. **2.** *Histoire de ma vie, Œuvres autobiographiques*, Pléiade, Gallimard, 1971, t. II, p. 356. **3.** *Histoire de ma vie*, Pléiade, t. II, p. 356.

mence la rédaction du *Meunier d'Angibault*, exactement à la fin de mars 1844, Pierre Leroux avait ins-
tallé sa famille à Boussac, au sud de Nohant, avait
fait transporter du matériel pour créer une imprimerie modèle, et allait les rejoindre pour réaliser son
rêve. Mais ce rêve demandait beaucoup d'argent, et
G. Sand l'aida, alors que la plupart de ses amis se
dérobaient. Elle le défend contre les attaques dont
il est l'objet : certains trouvent qu'il tarde bien à
rejoindre Boussac et à mettre en route l'imprimerie.
J.-P. Lacassagne résume fort bien la situation : « Les
sommes qu'elle verse représentent de réels sacrifices,
elle souffre de ne pouvoir donner plus et d'avoir
encore à donner ; elle ressent cruellement la chute dans
la plate réalité de ce qu'elle avait conçu comme une
envolée vers l'idéal[1]. » Leroux est susceptible et exigeant ; G. Sand ne peut se laisser totalement dépouiller ; c'est un peu pour combler le vide que la
fondation de l'imprimerie a opéré dans ses finances,
qu'elle se montre ferme dans les tractations financières
relatives aux droits d'auteur du *Meunier d'Angibault*.
Ce ne sera qu'à la mi-avril 1845 que l'impression de
L'Éclaireur pourra se faire à Boussac ; journal d'inspiration socialiste où G. Sand l'année même où elle
écrit *Le Meunier* collabore très fréquemment, au point
qu'il existe une sorte de correspondance entre les
thèmes du roman et ces articles où elle traite à la fois
de problèmes de l'organisation du travail, de la situation des ouvriers, mais aussi de la Vallée-Noire, de
questions linguistiques[2].

---

1. J.-P. Lacassagne, *op. cit.*, p. 66.　**2.** 22 septembre 1844 :
« Les ouvriers boulangers de Paris » ; 5 et 12 octobre : « Lettre

L'influence de Leroux sur les romans de cette période, *Jeanne*, le *Meunier*, *Le Péché de M. Antoine* est évidente, et d'autant plus que leur rédaction est « antérieure à la crise » que va subir l'amitié de G. Sand et de Leroux. « Le récit que [Marcelle] fait de sa vie passée et de sa rencontre avec Lémor est, dans les parties que nous pourrions appeler doctrinales, un résumé du catéchisme à la façon de Leroux[1]. » Au problème de la richesse et de la pauvreté, Marcelle pense que le travail communautaire va apporter une solution. Comme Leroux, elle condamne les saint-simoniens et les fouriéristes. « Ce sont là des systèmes encore sans religion et sans amour, des philosophies avortées, à peine ébauchées où l'esprit du mal semble se cacher sous les dehors de la philanthropie », tandis que songeant à un Boussac idéal, elle aspire à « une association vraiment sainte, une sorte d'église nouvelle où quelques croyants inspirés appelleront à eux leurs frères pour les faire vivre en commun sous les lois d'une religion et d'une morale qui répondent aux nobles besoins de l'âme et aux lois de la véritable égalité[2]. »

Pourtant Leroux n'est pas le seul penseur socialiste dont on puisse sentir la présence dans *Le Meunier d'Angibault*. Toujours dans *L'Éclaireur*, le 18 janvier 1845, G. Sand rendra compte du livre de Louis

---

d'un paysan de la Vallée-Noire » ; 2 novembre : « Lettre au Rédacteur (De la langue d'oc et de la langue d'oïl) » ; 9 novembre : « La pétition pour l'organisation du travail ». « La Fauvette du docteur » ; 16, 23, 30 novembre : « La Politique et le Socialisme » ; 7 décembre : « Réponse à diverses observations ».

1. J.-P. Lacassagne, *op. cit.*, p. 67.   **2.** *Cf.* p. 190-191.

Blanc, *Histoire de dix ans*, œuvre à laquelle elle rend hommage bien souvent aussi dans son autobiographie qui se termine par une invocation aux grandes figures de la pensée moderne dont elle espère le salut : « Ô Louis Blanc, c'est le travail de votre vie que nous devrions avoir souvent sous les yeux ! Au milieu des jours de crise qui font de vous un proscrit et un martyr, vous cherchez dans l'histoire des hommes de notre époque l'esprit et la volonté de la Providence. Habile entre tous à expliquer les causes des révolutions, vous êtes plus habile encore à en saisir, à en indiquer le but. C'est là le secret de votre éloquence, c'est là le feu sacré de votre art. Vos écrits sont de ceux qu'on lit pour savoir les faits et qui vous forcent à dominer ces faits par l'inspiration de la justice et l'enthousiasme du vrai éternel[1]. » Nous avons vu que c'est dans *La Réforme*, journal de Louis Blanc que paraît le *Meunier*. Mais il est peut-être un peu vain dans ce vaste bouillonnement d'imagination que constitue chez G. Sand la création d'un roman, de vouloir reconnaître le bien de chacun de ses amis socialistes : ce serait peut-être faire preuve de trop de sens de la propriété dans un roman qui prétend en dénoncer les méfaits.

D'autres textes ont d'ailleurs pu aussi influencer la romancière. On sait par exemple que H. de Latouche fut son mentor littéraire. Or il avait, dans ses romans, lui qui était aussi berrichon, fait place au monde campagnard. Cependant il se peut qu'un roman de

---

1. *Histoire de ma vie*, t. II, p. 456. Après juin 1848, il dut s'exiler en Angleterre.

Latouche constitue une source plus précise. Il s'agit de *Léo* (Mazen et Comon, 1840, 2 vol.) où le couple Ève-Arnold n'est pas sans ressemblance avec celui de Marcelle et d'Henri[1]. Non certes qu'il soit original de montrer dans un roman l'amour d'une riche dame pour un homme qui lui est socialement ou économiquement inférieur. G. Sand n'avait certes pas besoin de lire Latouche pour retrouver ce thème vieux comme le roman, ou presque. Malgré les grandes différences qui existent dans le détail de l'intrigue, certains propos de la comtesse font songer à Marcelle : ainsi lorsqu'elle dit à Arnold « Vous pouvez m'épouser, je suis pauvre » (II, p. 372), ou encore ce dialogue entre Léo et Arnold sur l'avenir de leur fils : « Que lui restera-t-il ? demanda-t-elle à Arnold — Le travail. » Mais ce qui frappe davantage, c'est la scène de l'incendie qui se situe aussi à la fin du roman. Le feu a été mis par Léo devenue comme folle par amour et qui ainsi détruit les archives qui privaient Arnold de sa paternité. « Quand l'incendiaire vit commencer l'exécution de son entreprise, au lieu de fuir, elle s'arrêta complaisamment et frappa de ses mains comme un enfant en signe de joie » (II, p. 315).

---

1. Le roman de *Léo* avait été écrit par Latouche avec l'idée de plaire à G. Sand (*cf.* H. Ségu *H. de Latouche*, Belles Lettres, 1931, p. 637). Cependant Latouche, dans un moment de scepticisme, se demandait si G. Sand l'avait bien lu (*Ibid.* p. 638). H. Ségu a prouvé l'importance dans la vie et l'œuvre de G. Sand de H. de Latouche, comment Porpora dans *Consuelo* pouvait tenir de celui qui avait été le maître de G. Sand lors de ses débuts littéraires. Cependant H. Ségu ne semble pas avoir souligné les ressemblances qui nous ont frappée entre l'intrigue (et en particulier l'incendie) de *Léo* et celle du *Meunier*.

Comme la Bricoline, l'incendiaire est dans une chapelle dont l'architecture gothique est entamée par les flammes.

On se rappelle d'autre part que *Les Paysans* de Balzac, fruit d'une longue gestation, finalement inachevée, parurent, pour la première partie dans *La Presse* du 3 au 21 décembre 1844, à un moment donc où *Le Meunier* est terminé. La coïncidence des dates n'en est pas moins intéressante : elle prouve, comme les romans de Latouche et de quelques autres, que la paysannerie connaît une vogue dans le roman des années 1840. Si le roman de Balzac pose des problèmes que l'on voit aussi inévitablement, dans *Le Meunier* : l'argent, la propriété de la terre, on sait à quel point la philosophie politique de Balzac est à l'opposé de celle de G. Sand. Mais surtout le regard qu'ils portent sur cette même réalité paysanne est totalement différent. G. Sand aime ces paysans berrichons qu'elle décrit (même s'il y a parmi eux des personnages sinistres comme le père Bricolin) ; Balzac n'aime pas les paysans, et du coup, il ne sait pas les faire parler comme le fait G. Sand ; c'est en vain qu'il émaille leur discours de quelques mots de terroir, ils donnent l'impression d'être plaqués. C'est peut-être parce que Balzac fut découragé par les difficultés spécifiques du roman paysan et par le sentiment de n'être pas parvenu à les résoudre qu'il ne termina pas cette œuvre[1].

---

1. Il ne semble pas y avoir de référence au *Meunier d'Angibault* dans la *Correspondance* de Balzac, l'année 1845 (éd. R. Pierrot, Garnier, t. IV et V). En revanche on possède une lettre de Balzac où il demande à Souverain de lui remettre des livres de G. Sand dont *Le Péché de M. Antoine*.

Mais, si passionnantes soient-elles, on aurait tort de privilégier exclusivement les sources extérieures à G. Sand : lectures, conversations amicales. Sa propre expérience, sa propre observation autour de Nohant avaient pu l'alerter sur les problèmes de la propriété, en particulier sur ceux de la propriété terrienne qu'elle connaît le mieux. Les conversations entre Marcelle et Bricolin montrent G. Sand sensible à la question de l'endettement — question qu'elle aborde également dans *François le Champi* où elle évoque la misère des paysans qui s'endettent pour acquérir une terre ; ici la situation est un peu différente, Marcelle est en train de perdre sa terre par suite de son endettement ; mais c'est quand même toujours un problème similaire : la différence qui existe entre le revenu de la terre, très faible, et le taux d'intérêt de l'argent, très élevé : « Vos terres et celles de votre fils, dit Bricolin qui a tout avantage à inquiéter Marcelle, rapportent deux pour cent. Vous payez les intérêts de vos dettes quinze ou vingt pour cent ; avec les intérêts cumulés, vous arriverez promptement à augmenter sans fin le capital de la dette[1]. »

Un des charmes du *Meunier d'Angibault* consiste justement dans cet ancrage très terrien et très savoureux d'une réflexion plus philosophique et plus générale, c'est la Vallée-Noire qui permet de garder un équilibre entre l'utopie et la réalité, entre l'idéologie et le roman. Les paysages sont bien réels, et l'on peut reconstituer l'itinéraire des personnages sur une carte du Berry. Les difficultés de la circulation sont bien

---

1. *Supra*, chap. VIII, 1re journée.

celles qu'éprouvent alors les voyageurs «dans le Centre de la France, malgré toutes les nouvelles routes ouvertes à la circulation depuis quelques années, les campagnes ont encore si peu de communication entre elles, qu'à une courte distance il est difficile d'obtenir des habitants un renseignement certain sur l'intérieur des terres[1]». Le carrosse embourbé n'est pas seulement un thème romanesque classique, il enfonce dans la boue du Berry, que G. Sand connaît bien.

Le château de Blanchemont a été depuis longtemps identifié comme étant le château de Sarzay, au nord-est de La Châtre entre La Châtre et Neuvy-Saint-Sépulcre[2]; il s'agit d'un ensemble important de bâtiments qui a frappé l'imagination de la romancière lors des nombreuses randonnées qu'elle fit autour de son propre château de Nohant. Elle a changé le nom, a probablement trouvé le nom de Blanchemont plus poétique, plus accordé avec le personnage de Marcelle; elle a quelque peu remanié l'organisation des bâtiments, mais en conservant cependant la complexité et la présence d'une tour solitaire où Marcelle décide d'aller coucher, quitte à avoir un peu peur. Le Moulin d'Angibault est près de Sarzay; G. Sand a conservé son nom si harmonieux qu'il finit par désigner le roman tout entier; les touristes du Berry ne manquent pas d'aller voir ce moulin dont le charme est effectivement toujours sensible. De ces lieux elle conserve non seulement la topographie, mais aussi la saveur; elle se souvient de l'odeur de la campagne la

---

1. *Supra*, chap. II, 1ʳᵉ journée.   2. *Cf.* G. Lubin, *George Sand en Berry*, p. 32.

nuit, de la fraîcheur de ce pays très vert et même humide. Mais elle a observé aussi les animaux ; ainsi Sophie qui va être dérobée au meunier, est un être bien vivant.

Elle a surtout observé les hommes et les femmes, leurs visages, leurs costumes, leurs propos. On trouverait dans *Le Meunier* une quantité de renseignements d'ordre ethnographique. Ainsi sur les vêtements des paysans, la blouse que revêt Henri pour se cacher chez le meunier certes, mais aussi pour s'assimiler à la classe laborieuse. Peut-être encore davantage les vêtements féminins. Vêtements du dimanche, et vêtements de tous les jours ; contrastes marqués entre les générations ; le vêtement permet aussi d'établir des nuances, des barrières sociales entre le véritable paysan, et le paysan enrichi, petit-bourgeois. Car cette société est fortement hiérarchisée et G. Sand est trop observatrice pour croire que le peuple est cette entité uniforme que créent les intellectuels ses amis de Paris. Il y a de véritables prolétaires, ainsi cette pauvre femme qui vit avec ses enfants dans une masure où Marcelle a un rendez-vous avec le notaire ; elle sait fort bien parler de ce travail acharné de la femme contre la misère et de la propreté de ces pauvres logis, conquise à grand renfort d'énergie féminine. Le meunier, lui, est d'un niveau économique bien supérieur, d'ailleurs il vit assez confortablement et il donne quelque farine à la pauvre femme ; il est lui-même dans la situation d'employeur ; il a un garçon pour l'aider au moulin, tandis que sa mère a une servante, à une époque où il faut être vraiment misérable pour ne pas avoir de service. Les Bricolin sont encore d'un niveau économique supérieur, et ils le font bien sentir au meunier en lui refusant leur fille. Pourtant l'enrichissement des Bricolin s'est fait vite, et en partie grâce à l'incurie des châtelains, car la grand-mère Bricolin n'était pas plus riche que la mère du meunier ; la vieille Bricolin était son amie, le mariage a enrichi l'une et appauvri l'autre. Au-dessus encore, les notables du pays, en particulier le notaire (ici, deux notaires ennemis) ; personnage considérable puisqu'il contrôle les achats et les ventes, consigne l'édification ou la ruine des fortunes. Il importe plus que le prêtre dans ce monde de l'argent ; plus que le médecin aussi auquel les Bricolin n'entendent pas payer des honoraires excessifs. Les châtelains devraient être théoriquement au haut de la pyramide, et ils le seraient s'ils avaient de l'argent ; mais on voit bien que les marques de respect que peut recevoir Marcelle quand elle arrive à Blanchemont sont de pure forme, qu'une seule chose compte : l'argent ; et les Bricolin savent fort bien qu'elle n'en a pas puisqu'ils entendent profiter de sa ruine. L'argent remettra donc en question cette hiérarchie : c'est le seul facteur de changement social. Cette société si organisée a ses marginaux, ceux qu'elle rejette parce que leur extrême pauvreté ou leur déséquilibre mental leur interdit une rigoureuse insertion. C'est le clochard, gyrovague et mythomane, qui reste hanté par un rêve de l'argent, puisqu'il promet à qui veut l'entendre de le faire son héritier. La pauvre folle erre aussi, personnage maléfique si passionnant que nous allons revenir plus longuement sur son cas, trouble-fête, au sens propre, puisqu'elle va faire une apparition catastrophique à un moment de réjouissance chez les Bricolin.

G. Sand a retenu aussi dans son roman ces moments de sociabilité un peu orgiaque que sont les fêtes. Elle décrit fort bien ces moments de grande abondance, où le père Bricolin semble moins avare ; mais uniquement parce qu'il veut montrer aux siens qu'il est déjà possesseur virtuel du château ; il y a aussi au village, les foires qui sont l'occasion de fêtes qui peuvent tourner en bagarres, et la mère du meunier s'inquiète si elle ne le voit pas rentrer se coucher au moulin. G. Sand a particulièrement bien observé les danses, ainsi la bourrée dont elle montre qu'il ne s'agit pas du tout d'une improvisation désordonnée, mais bien au contraire d'une technique très rigoureuse, difficile pour qui n'en a pas connu tôt l'apprentissage. On sait quelle place la romancière va donner à la musique populaire dans les *Maîtres sonneurs*, mais déjà la cornemuse résonne dans *Le Meunier d'Angibault* les jours de fête. Les musiciens font partie de ce grand apport inquiétant, parfois, d'étrangers qui s'introduisent dans l'étroite communauté villageoise à l'occasion des festivités. En dehors de ces moments exceptionnels, la vie campagnarde est très repliée sur elle-même ; la venue d'un citadin est un événement ; Henri peut difficilement passer inaperçu.

G. Sand a soigneusement observé aussi les structures familiales. Ceux qui ont le pouvoir ce sont ceux qui ont l'argent, la génération des parents Bricolin, tandis que les jeunes ne sont pas encore possédants et que les vieux sont dépossédés, et par conséquent n'ont qu'à s'incliner devant le pouvoir. D'où d'ailleurs une certaine sympathie d'opprimés qui peut, par-delà la génération dominante, introduire une complicité entre grands-parents et petits-enfants, entre Rose et sa grand-mère. Les Bricolin représentent la structure type. Les trois générations de femmes se distinguent par leur vêtement et par leur niveau d'éducation : « La mère Bricolin, qui ne savait ni lire ni écrire, et qui était vêtue à la paysanne ; Mme Bricolin, épouse du fer-mier, un peu plus élégante que sa belle-mère, ayant à peu près la tenue d'une gouvernante de curé ; celle-là savait signer son nom lisiblement, et trouver les heures du lever du soleil et les phases de la lune dans l'almanach de Liège ; enfin, Mlle Rose Bricolin, belle et fraîche en effet comme une rose du mois de mai, qui savait très bien lire les romans, écrire la dépense de la maison et danser la contredanse. » Trois âges de la femme, certes, mais aussi, plus précisément, trois étapes dans la lente alphabétisation des campagnes, au XIXᵉ siècle.

G. Sand a fait, dans ses romans dits champêtres, un véritable travail de folkloriste. Le fait que le lan-gage paysan ne peut être intégré tel quel, que le roman ne saurait être un enregistrement, l'oblige à opérer un choix, et nous allons voir comment ce langage non seulement pose le personnage en tant que paysan, mais aussi l'individualise, révèle un trait de carac-tère, si bien que Bricolin le père, l'oncle Cadoche, la mère du Meunier, en parlant tous le berrichon, n'em-ploient cependant pas les mêmes expressions, dans la mesure où G. Sand a opéré pour chacun une sélec-tion révélatrice du caractère. C'est sur cette question du langage que l'on voit très bien comment se réalise, subtilement, la conjonction d'une observation qui pourrait être celle d'un sociologue, et le travail spécifique d'un romancier.

Étude des personnages

Même si G. Sand prête aux citadins un grand désir de se fondre dans le monde paysan, ils forment deux groupes : leur langage, leur façon d'être les séparent bien nettement, et le regard de la romancière et de l'ethnologue, en établissant nettement cette différence, suffit à jeter dans l'esprit du lecteur un certain doute sur les chances de succès de ce retour à la terre.

Marcelle. Il est une manie de la critique, surtout quand elle étudie des romans écrits par des femmes, c'est de souligner les ressemblances qui existent entre la romancière et l'héroïne. Il est bien vrai que ce petit jeu, même s'il a le défaut d'être un peu facile, est la plupart du temps gratifiant. On aura vite fait de retrouver chez Marcelle des traits de G. Sand : la passion romantique qui brave les interdits, l'intérêt passionné pour les théoriciens socialistes et pour les prolétaires. On reconnaîtra aisément les soucis de la châtelaine de Nohant qui se demande si elle a le droit, vis-à-vis de ses enfants, de se laisser entraîner vers la ruine par Leroux et l'installation de son imprimerie-phalanstère à Boussac, et ses moments de découragement et de doute lucide : « Les devoirs que nous impose la famille sont en contradiction avec ceux que nous impose l'humanité. Mais nous pouvons encore quelque chose pour la famille, tandis que pour l'humanité, à moins d'être très riches, nous ne pouvons rien encore.» Peut-être la romancière se souvient-elle, à travers Marcelle, des difficultés qu'elle avait jadis à obtenir de Casimir une part du revenu de Nohant : «Lorsque je demandais quelque argent à mon mari, il me faisait de si longues et si étranges histoires sur la pénurie de ses fermiers, sur la gelée de l'hiver, sur la grêle de l'été, qui les avait ruinés que, pour ne pas entendre tous ces détails, et, la plupart du temps, dupe de sa généreuse commisération pour [les paysans], je l'approuvais et m'abstenais de réclamer la jouissance de mes revenus.» Mais depuis, G. Sand a pris la direction des affaires de Nohant ; aussi Marcelle fait-elle preuve dans ses conversations avec Bricolin et avec le notaire de générosité certes, mais non d'ignorance et d'incompétence ; peut-être la romancière a-t-elle prêté à son héroïne une évolution un peu rapide ; certes la nécessité est une bonne école, mais enfin cette femme qui nous est présentée comme totalement inexpérimentée, comprend vite le jeu des intérêts dans lequel elle va être plongée. Dès le 16 février 1836, G. Sand avait obtenu un jugement de séparation ; elle revint même peut-être à Nohant un peu avant cette date, et trouva la maison dans un état de délabrement auquel elle songe peut-être en décrivant Blanchemont. À Nohant «absolument seule dans cette grande maison silencieuse», elle avait connu des sensations romantiques dont elle se souviendra en évoquant, au début du roman, le retour de Marcelle à Blanchemont. Elle eut aussi à affronter les hommes d'affaires, les fermiers, etc. Marcelle a une certaine intuition des problèmes juridiques ; elle s'interroge — non sans raison — sur la valeur des actes que sa générosité l'amène à passer.

Il est nécessaire de voir aussi en quoi Marcelle est une héroïne romantique qui s'insère dans la longue chaîne de ces personnages que crée la romancière, peut-être à partir d'elle-même, mais aussi en fonction de ce monde imaginaire qu'elle développe au cours de son abondante création. Marcelle répond bien à une certaine typologie de l'héroïne romantique ; ses rendez-vous secrets avec Henri, au début du roman, et ensuite encore dans un cadre plus champêtre, appartiennent à ce registre. Peut-être aussi son sentiment religieux et ses scrupules. Elle risquerait encore de se rattacher à un autre type, qui ne nous semble pas sans danger : disons, celui de la bonne dame bienfaisante, dont on pourrait faire l'histoire depuis Mme de Wolmar dans *La Nouvelle Héloïse* jusqu'à Mme de Fleurville chez la comtesse de Ségur, et peut-être au-delà. Il faut cependant tenir compte de la réalité contemporaine, du langage de l'époque. Quand Marcelle dit au meunier et à sa mère « mes braves gens », cela ne résonne pas exactement comme de nos jours.

Il y aurait une troisième direction pour l'analyse de ce personnage et qui serait peut-être la plus intéressante. Certes on pourra sourire et même trouver légèrement ridicule l'enthousiasme avec lequel elle apprend sa ruine, celle de sa belle-famille et s'écrie, pleine de bonheur : « Mon fils est ruiné, ses parents sont ruinés. » Cependant, pour que le personnage soit plus vraisemblable, la romancière a eu soin de rendre responsable de cet appauvrissement les événements et la fatalité, plus encore que la volonté propre de l'héroïne. Certes, elle avait décidé de vivre simplement à la campagne ; mais ce n'est pas sa faute si son domaine est grevé des dettes contractées par son mari, si sa belle-famille se retrouve ruinée aussi, et finalement si Blanchemont prend feu avec le portefeuille qui contenait le prix de la vente. Tout au plus pourrait-on dire qu'il ne lui eût fallu qu'une seconde pour prendre ce portefeuille, mais évidemment cet oubli est symbolique de la préférence que, à la différence de Bricolin, elle donne au sauvetage des êtres humains pris dans le feu. La grandeur de Marcelle vient peut-être de ce reflet de Consuelo qu'on perçoit sur son visage. Certes, G. Sand n'a pas voulu lui donner la grandeur mythique de cette héroïne qui eût mal convenu à un roman de moindre dimension, de moindre ambition et qui se situe dans un Berry bien réel, non dans un XVIIIᵉ siècle quelque peu épique. Cependant, comme Consuelo, et à une échelle plus modeste, Marcelle est une héroïne du progressif dépouillement, porteuse dans le petit bourg d'Angibault d'une bonne nouvelle qui la dépasse, celle de l'avènement d'une certaine égalité et du bonheur. Mais il est une autre raison qui contribue à limiter la portée de son message. Consuelo avait vécu avant la Révolution ; quand elle annonçait le règne de la Fraternité, elle se tournait vers l'avenir, un avenir qu'elle imaginait lumineux. Dans *Le Meunier d'Angibault*, au contraire, la Révolution est présentée sous son jour le plus sinistre. Il arrive à G. Sand de se demander si les grands changements annoncés par Leroux se produiront jamais. Consuelo de moindre envergure, Marcelle ne peut prêcher la bonne nouvelle qu'à quelques habitants d'Angibault.

Henri Lémor. Dès qu'un personnage masculin est de santé fragile, et de caractère ombrageux, il est de coutume chez les sandiens de parler de Chopin. À vrai dire le rapprochement ici ne serait pas très convaincant, dans la mesure où Chopin, profondément aristocrate, avait un grand dégoût pour les idées socialistes. Supposera-t-on que Lémor ne se plaira pas longtemps à Angibault et que tel Chopin qui « voulait toujours Nohant et ne supportait jamais Nohant », il ne supportera pas longtemps Angibault ? Pure hypothèse, puisque le roman s'arrête avant que ne puisse venir la lassitude. On peut supposer que, malgré sa totale bonne volonté, sa complexion fragile lui rendra particulièrement fatigants les travaux rustiques. En tout cas, Lémor est porteur des discours de Leroux ; il a prêché à Marcelle le socialisme, comme Leroux l'a prêché à G. Sand, et probablement de façon plus convaincante. Cependant la romancière reprend ses droits dans la façon dont elle le montre en situation de faiblesse par rapport au meunier — faiblesse physique certes, mais aussi de caractère et de raisonnement, lorsque le Grand-Louis traite ses idées d'utopies. S'il a donné l'impulsion première au roman, puisqu'il est indirectement responsable de la décision que prend Marcelle de retourner à Angibault, Henri se montre ensuite un personnage plutôt passif, assez estompé : on ne manquera pas de dire que c'est là un trait fréquent des personnages masculins chez G. Sand.

On lira aussi en lui les marques du personnage

romantique. Jusque dans l'onomastique. Ce nom de
Lémor rime avec Trenmor, personnage de *Lélia*. Il
doute finalement ; mais son doute n'est pas métaphy-
sique, il porte sur un point plus limité et plus pré-
cis : Marcelle a-t-elle raison de sacrifier sa fortune ?
« l'église des pauvres n'est pas édifiée ». Certes, c'est
là un signe de sa délicatesse, de ses scrupules à l'endroit des sacrifices de Marcelle, mais son langage est
alors très caractéristique de ce langage du doute et de
la désespérance propre aux grands héros romantiques
et qui contraste avec le dogmatisme socialiste dont il
devrait faire preuve ; il est bien caractéristique des
difficultés que représente le passage d'un romantisme
du doute à un romantisme de l'engagement politique.
Dans son désarroi, il apparaît comme « l'enfant du
siècle » : « Je suis l'enfant de mon siècle. Je ne possède pas la science de l'avenir, je ne sais que comprendre et commenter le passé. Des torrents de lumière
ont passé devant moi, et comme tout ce qui est jeune
et pur aujourd'hui, j'ai couru vers ces grands éclairs
qui nous détrompent de l'erreur sans nous donner la
vérité. Je hais le mal, j'ignore le bien. Je souffre, oh !
je souffre. »

Édouard. Pour en finir avec les citadins, il faudrait
évoquer le fils de Marcelle. Cet enfant n'a que peu
d'importance en lui-même pour le roman, sinon dans
la mesure où il risquerait d'être un obstacle entre
Marcelle et Henri et finalement devient un lien entre
eux puisque Henri se chargera de son éducation. Mais
dès que G. Sand crée un être, il est beaucoup plus
qu'une utilité romanesque. La romancière a le don de

camper des personnages d'enfants bien réels, par leurs réactions, par leurs propos. Elle a su rendre aussi comment les enfants ne vivent pas le même temps que les adultes : « Un mois est un siècle dans la mémoire d'un si jeune enfant. » Son attitude, ses gestes la première fois qu'il revoit Lémor déguisé en meunier, « le visage barbouillé de farine, et affublé d'une blouse de paysan », la vivacité du dialogue après le moment de peur et d'hésitation, tout cela est admirablement observé et rendu. Que pensera ce garçon des théories de sa mère et de Lémor plus tard ? C'est une question que Marcelle se pose, non sans quelque inquiétude, avant de faire confiance aux bienfaits d'une éducation nouvelle. L'avenir ne nous le dira pas, puisque le roman s'achève avant qu'Édouard soit en âge de raisonner sur ces sujets profonds.

Le Meunier. À côté d'Henri Lémor, il représente la réalité. Il ne méprise pas l'argent, car il sait trop comme il est difficile à gagner ; il voudrait en faire un meilleur usage que les Bricolin, certes, mais les discours de Lémor ne le satisfont pas. Il n'est pas incapable de discuter avec lui ; bien au contraire, il révèle une justesse et une force dans le raisonnement qui plus d'une fois font réfléchir Marcelle et Henri. Il représente un niveau intellectuel bien supérieur à celui des autres paysans. Le fait d'avoir à livrer sa farine l'amène à se déplacer donc à observer les hommes et à les juger. Un meunier connaît les chemins, à la différence des autres villageois qui souvent ne sortent guère de leur ferme, et c'est d'ailleurs par cette connaissance des routes qu'il se manifestera au début du roman.

On sait que G. Sand hésita avant d'en faire par le titre le héros principal. Il est certain qu'il est le véritable moteur de l'action, que c'est lui qui organise la vente de Blanchemont, qui sert d'ange gardien à Marcelle et à Henri. Personnage entièrement positif aussi bien par son caractère que par le rôle qu'il joue dans l'organisation de l'action. On a eu l'occasion de souligner comment la structure du récit était fortement charpentée par un certain nombre de parallélismes. Chaque couple amoureux a ses opposants, mais aussi son sauveur, et de même que Marcelle protège, par son argent et sa diplomatie, le couple du meunier et de Rose, le meunier, lui, de son côté, se montre fort utile au couple Marcelle-Henri, non sans avoir d'abord éprouvé une méfiance à l'endroit de celui-ci, et souvent de l'agacement. On se demandera s'il n'y a pas une certaine jalousie inconsciente de sa part. Marcelle ne manque pas d'éprouver de l'attrait pour lui — attrait que la romancière a voulu purement amical. Cependant le Grand-Louis est beau garçon et Rose n'est pas la seule au village à s'en être aperçue ; il possède cette qualité fondamentale du jeune premier qui est la beauté. Dans la mesure où le lecteur aura tendance à considérer surtout au début comme l'héroïne principale non pas Rose, mais Marcelle, et où Henri est un peu falot, s'établit donc un léger décalage entre ce couple idéal par la beauté et par l'importance dans le roman que forment le meunier et Marcelle, et puis les couples que la romancière a voulu former : Marcelle-Henri d'une part, le meunier et Rose d'autre part.

Rose. Aussi est-il nécessaire pour l'équilibre et la vraisemblance que la romancière insiste fortement sur sa beauté ; elle porte bien son prénom. Si, au début du roman, elle semble peut-être moins amoureuse du Grand-Louis qu'il ne l'est d'elle, ensuite l'opposition des parents, la présence de Marcelle vont amener un approfondissement de ses sentiments, et elle sera capable de s'opposer à son père. Disons aussi que ce personnage acquiert une densité par cette ombre d'elle-même qu'est sa sœur folle ; sur cette fille si saine, si fraîche pèse à certains moments la menace tragique de la folie, et ainsi nous évitons la fadeur de l'idylle champêtre. Comme souvent dans les romans de G. Sand, la complicité entre les femmes, leur attachement mutuel qui n'est pas exempt d'une certaine fascination pour le charme physique, sont ici discrètement soulignés. Rose et Marcelle vont avoir souvent à partager la même chambre, occasion pour elles de tendres confidences sur leurs amours contrariées.

Les Bricolin. C'est peut-être là que G. Sand s'est surpassée dans le réalisme avec lequel elle a peint la classe paysanne. Tout le groupe familial est intéressant. Le vieux « ne parle pas souvent ; mais comme il est sourd, il crie si haut que toute la maison en résonne. Il répète presque toujours à peu près la même chose : *Ils m'ont tout pris, tout pillé, tout volé.* » La vieille, elle, a gardé tout son esprit et a pris sur lui de l'autorité ; elle est capable de tenir tête à son fils, et, dès qu'il s'agit d'argent, fait preuve d'un sens juridique très ferme. Ainsi, à propos des cinquante mille francs retrouvés chez Cadoche ; cet argent, « il est à mon homme, s'entend ; mais puisque vous l'avez fait interdire, et que nous nous étions, sous l'ancienne loi, donné notre bien à fonds perdu, au dernier vivant, j'en dispose ! » Elle a pour son fils une méfiance justifiée de longue date. Sa belle-fille, engoncée dans la dureté de ses préjugés et de ses principes, est un personnage moins intéressant, mais Bricolin fils atteint à une sorte de sublime dans le sordide où éclate le génie réaliste de G. Sand. Le roman devait s'appeler *Au jour d'aujourd'hui*, mettant en vedette la phrase préférée de Bricolin. Son langage est particulièrement savoureux. La romancière a su donner à ce langage un pittoresque, une réalité extraordinaires. Elle lui prête des mots que l'on n'oublie pas, sublimes d'avarice. Ainsi, lorsqu'on lui explique que sa fille folle aurait besoin d'être soignée. « Il ajouta après avoir rêvé un instant : *Et tout cela, ça coûte-t-il bien cher ?* » Ou encore lorsqu'il conseille à Rose de ne pas refuser une danse au Grand-Louis : « On ne peut pas supposer qu'un paysan oserait en conter à une fille de ton rang. Danse donc avec lui ; il ne faut pas humilier les inférieurs ; on a toujours besoin d'eux un jour ou l'autre, et on doit se les attacher quand ça ne coûte rien ». G. Sand se moque de ses lapsus : « C'est donc une condition *sinet quoi nomme* ? » Mais si, au cours du roman, elle le montre capable d'admiration pour sa fille Rose, elle en a fait un personnage profondément corrompu par l'argent et qui, lors de l'incendie, montrera combien le goût de la richesse a aboli tout sentiment humain. De tous les paysans dont G. Sand a pu nous laisser le portrait, c'est peut-être cependant un de ceux qui donnent le plus le sentiment de la réalité.

La folle. Autre personnage extrêmement réussi, peut-être parce que justement la romancière a su ancrer un thème romantique (la folle par amour) dans une réalité terrienne très présente : c'est l'avarice des parents qui a contrarié son amour et l'a amenée à la folie ; l'avarice des parents encore qui la prive des soins les plus élémentaires. Peut-être G. Sand, quand elle décrit ses promenades dans le château désert, s'est-elle souvenue de son propre goût pour les maisons désertes ; *La Bricoline* a une dimension romantique et symbolique évidente : « Elle ressemblait à […] un vieux alchimiste perdu dans la recherche de l'absolu. » Mais la romancière a su décrire à partir de ce personnage, une véritable pathologie de la folie, avec les premiers symptômes, les crises, leurs signes physiologiques ; elle pose aussi la question de l'utilité de l'internement, de l'état des établissements pour les fous, questions que posent à l'époque romantique aussi bien Nodier que Nerval et les travaux du docteur Pinel. Enfin ce personnage a une puissante utilité dramatique ; elle plane comme une menace, montrant ce que Marcelle ou Rose pourraient devenir si leur amour était contrarié ; ses réapparitions dans le roman le ponctuent tragiquement ; elle déclenche l'incendie qui va hâter la conclusion du roman.

Le mendiant. Cet oncle Cadoche est lui aussi un personnage fort réussi, né d'une observation de la réalité quotidienne d'une campagne où la misère est souvent grande ; il est fortement coloré, son goût pour la bouteille, son sens de l'honneur, son exigence aussi à l'égard de ses bienfaiteurs en font un personnage vivant, et vivant surtout par son langage dont la romancière nous donne des bribes très évocatrices. Il tient aussi de la féerie ; il apparaît dans un décor fantastique assis « sur la *pierre des morts* », il est un peu sorcier ; le trésor dont il fait don au Grand-Louis et qui va résoudre tous les problèmes que posait le dénouement, certes G. Sand en explique la provenance en rappelant très précisément un contexte historique réel, mais sans refuser pour autant tout aspect magique : l'oncle Cadoche pourrait tout aussi bien être sorti d'un de ces contes populaires où la petite vieille bossue se révèle une fée bienfaisante, le monstre un prince charmant, le miséreux un seigneur richissime.

Même pour en rester aux personnages les plus importants (et en laissant de côté par exemple l'affreux Patachon qui a un rôle dramatique puisqu'il cause l'embourbement du début et la mort finale de Cadoche, ou encore la mère du Grand-Louis, beau type de « tendresse maternelle »), on ne peut que constater l'abondance et la diversité de ces êtres qu'avec un sens profond de la vie, la romancière a su créer et qui contribuent si fortement à la réussite que constitue *Le Meunier d'Angibault*.

Le livre et son public

Nous avons évoqué précédemment, dans l'histoire de la composition du livre, les craintes de Véron devant ce que pourraient être les réactions des lecteurs du *Constitutionnel*. G. Sand se montre persuadée de bonne foi que son roman trouvera des lecteurs : « Je crois que cela pourrait être aussi bien reçu que l'ont été *André* et *Valentine*, puisque c'est dans le même genre, avec plus d'action[1]. » Effectivement, le roman eut du succès, mais dès le départ il fut catalogué comme roman socialiste, plus que comme roman paysan ; d'où les réactions favorables ou défavorables, uniquement en fonction de l'idéologie du lecteur ; c'est ainsi que s'expliquent aussi bien l'article de la *Revue de Paris* du 24 avril 1845, que celui du *Populaire de 1841*, le 13 juin 1845, que celui de *La Presse* le 31 août 1845.

La *Revue de Paris*, tout en louant les qualités du style de G. Sand, condamne ce qui lui semble une idéologie aberrante : « L'auteur a beau, chaque fois que sa doctrine apparaît dans les entretiens de ses personnages (et elle s'y montre souvent), l'entourer d'une sorte de mystère poétique, recourir à la généralité de l'expression, évoquer enfin les souvenirs des premiers siècles chrétiens : on ne peut s'y tromper ; le mot de communisme ne se trouve nulle part, mais l'idée est partout. Tel est le système qui occupe à présent un esprit si puissant et autrefois si lucide.

---

1. Lettre à Hetzel, 10 octobre 1844. *Correspondance*, t. VI, p. 654.

On ne saurait trop vivement déplorer ces funestes et incompréhensibles aberrations où tombent quelquefois les plus belles intelligences. »

Le Populaire de 1841 s'enflamme bien différemment : « G. Sand persévère dans sa voie ; il [*sic*] accomplit la magnifique transformation qu'a subie son talent. Il apprend à ses lecteurs les souffrances du paysan ; il enseigne le peuple ; il développe les conditions nouvelles que la politique utilitaire impose à tous ceux qui veulent servir l'humanité. » Le *Meunier d'Angibault* est un « chef-d'œuvre inspiré par une vive et profonde charité pour le Peuple », et s'inscrit dans un dessein d'ensemble, il n'est « que la suite de cet admirable enseignement que G. Sand a commencé par *Le Compagnon du Tour de France, Consuelo* et *la Comtesse de Rudolstadt* ».

L'article de Pelletan dans *La Presse* est plus développé, plus riche aussi. Il commence par des considérations non sans intérêt sur le roman, comme genre de la totalité, capable de refléter la diversité de la réalité, genre dont le développement s'explique par la transformation de la société, et l'accession au pouvoir des classes moyennes. G. Sand a le génie du roman, en particulier parce qu'elle est en elle-même un mélange de toutes les classes : elle a vécu dans un milieu bourgeois, et ses ascendants sont à la fois nobles et populaires. Son génie lui permet de répondre parfaitement à la vocation du roman : Elle reproduit en elle la nature universelle du roman. « L'idée du *Meunier d'Angibault* est éminemment sociale. G. Sand veut démontrer que l'argent, ou comme disent les économistes, le capital, est un obstacle aux passions humaines, voulues et sanctifiées par Dieu, ressenties et honorées par l'homme. » Pelletan oppose, non sans raison, le couple Marcelle-Henri qui représente l'idéal, et le couple Louis-Rose qui figure la réalité. En effet « ne pas épouser » une femme, quand il n'y a plus d'obstacle « parce qu'elle est riche, cela ne s'est jamais vu ». Mais « l'art du romancier présuppose quelque chose de plus que la reproduction de la vie humaine, dans toute sa réalité ». Il a le droit de placer dans son roman des figures idéales, des idées. On sent cependant que pour Pelletan, G. Sand est plus grande quand elle peint le réel ; avec l'amour du Grand-Louis et de Rose « ici nous retrouvons la réalité de la vie, le roman de tout le monde. L'auteur dépense là tout son talent d'observation, toute sa verve » aussi dans la façon dont elle peint « la famille Bricolin, personnification de la petite-bourgeoisie qui s'enrichit très honorablement aux dépens de tout le monde ». On se demandera cependant si l'enthousiasme final n'est pas mêlé d'un peu d'humour : « Il y a des moments où après avoir lu telle page, l'homme le plus imbu des sentiments aristocratiques irait tomber sur la poitrine des rouliers, des scieurs de long, et les serrer dans ses bras comme des frères. Toutes les fois qu'il plaide pour les pauvres, l'écrivain est sur le trépied ; un souffle volcanique de Cumes frissonne dans ses cheveux. » La conclusion à tirer du *Meunier* est claire : « Décidément les écus ne sont bons qu'à rendre les filles folles, les mendiants voleurs, les grands-pères paralytiques ; prenons tous nos sacs d'écus et allons de ce pas les jeter à la rivière pour aller vivre avec le meunier d'Angibault sur les bords de la Vanve [*sic*], dans les vastes prairies où les bœufs tracent de grands sillages dans les herbes et où l'eau tombe en franges d'argent sur les bords des écluses. »

Il est intéressant aussi de remonter à ces premiers lecteurs que furent les amis, en particulier Henri de Latouche. Il juge Marcelle beaucoup plus audacieuse que Jeanne, l'héroïne du roman précédent : « Les vœux de pauvreté faits par la *bergère* sur les recommandations de sa mère pouvaient passer pour une *superstition* qui ne blessait personne : permis à chacun de gouverner comme il l'entend sa destinée toute *privée* : mais quand vous dites aux propriétaires que leur fortune « est un vol », vous inquiétez bien autrement les odieux bourgeois que représente M. Véron […] votre cause est superbe contre l'égoïsme des conservateurs fossiles […] Vous allez mettre à nu la turpitude de la classe moyenne[1]. » À quoi il ajoute quelques critiques de détail dont G. Sand tiendra très exactement compte, et qu'il formule dans l'article qu'il consacre au *Meunier d'Angibault* dans *L'Éclaireur de l'Indre* (27 décembre 1845). « Il me semble que lorsqu'il descend de l'abat-foin, [le meunier] a les jambes bien longues, il est bien *osseux*, un peu dégingandé, ceci me le gâte. Ôtez une ligne et demie, deux épithètes ». Ce que fit G. Sand dans les éditions ultérieures. Autre suggestion de Latouche qui sera suivie : « Je ne voudrais pas non plus que l'amoureux de l'aristocratique Marcelle fût tombé dans une mare,

---

1. Lettre de H. de Latouche à G. Sand citée par W. Karénine, *G. Sand*, t. III, pp. 650 et *sqq.* Sur les retouches de détail, voir nos notes.

poursuivi par une folle, avant d'aller au rendez-vous parfumé du bois. Je ne veux pas le voir boueux, assis sur le serpolet au clair de lune. »

Et par-delà les premières réactions journalistiques, le débat va continuer ; en 1857, l'année des procès des *Fleurs du mal* et de *Madame Bovary*, Eugène Poitou, conseiller à la Cour impériale d'Angers, attaque encore *Le Meunier* comme un livre explosif : « L'argent du riche, il n'a pas été gagné par le travail du pauvre : *c'est de l'argent volé* [...]. C'est l'héritage des *rapines féodales* de ses pères. C'est le sang et la sueur du peuple qui ont cimenté leurs châteaux et engraissé leurs terres... C'est toujours l'argent du pauvre puisqu'il lui a été extorqué par le pillage, la violence et la tyrannie[1]. »

Les études littéraires qui ont pu être faites sur *Le Meunier* demeurent fortement marquées par cette vision politique de l'œuvre, que cela aboutisse à son exaltation, ou au contraire à un demi-silence. W. Karénine essaie d'atténuer un peu les angles : « Le fait est que la donnée générale [du roman] peut effectivement paraître la négation absolue de la propriété[2]. » « Le roman est admirablement bien écrit, surtout les pages poétiques consacrées aux rendez-vous et aux promenades de Lémor et de Marcelle avec le petit Édouard au milieu des bois et des prés entourant ce *moulin sur la Vauvre*, les chapitres peignant avec un réalisme

---

1. Cité par G. Lubin, *Correspondance* de G. Sand, p. 654, n. 1. E. Poitou, *Du roman et du théâtre contemporains et de leur influence sur les mœurs*, A. Durand, 1857, p. 192. **2.** *Op. cit.*, p. 656, t. III.

vigoureux maître Bricolin[1]. » André Maurois dans sa célèbre biographie, *Lélia ou la vie de George Sand*, ne parle pratiquement pas de cette œuvre qui le gêne. Pendant longtemps ce roman n'a pas eu la place qu'il mérite. Des études récentes cependant semblent montrer qu'un regain d'intérêt s'annonce[2].

Bibliographie

Manuscrit et éditions.

Le manuscrit que G. Sand avait donné à la sœur de Chopin et qui a passé en vente le 30 mai 1877, est la possession actuellement de la reine de Hollande[3].

Publication en feuilleton, dans *La Réforme*, 21 janvier-19 mars 1845.

Édition originale en trois volumes, Desessart, 1845 ; Hetzel, 1853 ; Michel-Lévy frères, 1865, 1869. C'est l'édition de 1865 que nous reproduisons ici.

Éditions modernes.

Le Meunier d'Angibault, Marabout, 1977.
Le Meunier d'Angibault, Éd. d'Aujourd'hui, présentation de G. Lubin, 1979.
Le Meunier d'Angibault, Éd. M. Caors, Meylan, Éd. de l'Aurore, 1990.

Œuvres de G. Sand à voir pour étudier « Le Meunier d'Angibault ».

Correspondance, éd. G. Lubin, Garnier, t. VI, *1843-juin 1845*, 1969 ; t. VII, *juillet 1845-juin 1847*, 1970.

---

1. *Ibid.*, p. 658.   **2.** Voir la « Bibliographie » ci-dessous.
3. *Cf.* G. Lubin, présentation du *Meunier d'Angibault*, Éd. d'Aujourd'hui et Fr. van Rossum-Guyon, dans *Écritures du romantisme* (voir ici p. 503).

Jeanne, présentation S. Vierne, Grenoble, PUG, 1978.

Les Maîtres sonneurs, éd. M.-Cl. Bancquart, Gallimard, «Folio», 1979.

Le Secrétaire intime, Mattéa, La Vallée-Noire, Michel Lévy, 1857.

Œuvres autobiographiques, Gallimard, «Bibl. de la Pléiade», 1971, 2 vol.

Agendas, textes transcrits et annotés par A. Chevereau, 5 vol. et 1 vol. d'index, Touzot, 1990-1993.

Politique et polémique, 1843-1850, éd. M. Perrot, Imprimerie nationale, 1997.

Œuvres contemporaines à consulter.

Balzac, *Les Paysans*, éd. S. de Sacy, Gallimard, «Folio», 1975.

H. de Latouche, *Léo*, Magen et Comon, 1840.

G. Laisnel de la Salle, *Croyances et légendes du Centre de la France*, préface de G. Sand, 1875.

Articles contemporains sur « Le Meunier d'Angibault ».

Revue de Paris, 24 avril 1845 (signé C. C.).

Le Populaire de 1841, 13 juin 1845.

La Presse, 31 août 1845 (article de J. Pelletan).

L'Éclaireur de l'Indre, 27 décembre 1845 (article de H. de Latouche).

Études sur George Sand.

Études générales.

Barry (J.), *George Sand ou le Scandale de la liberté*, Éd. du Seuil, 1982.

Bouchardeau (H.), *George Sand, la lune et les sabots*, Robert Laffont, 1990.

Chalon (J.), *Chère George Sand*, Flammarion, 1991.

Chonez (Cl.), *George Sand*, Seghers, 1973.

Didier (B.), *L'Écriture-Femme*, PUF, 1981, p. 131-208.

Didier (B.), *George Sand écrivain. « Un grand fleuve d'Amérique »*, PUF, 1998.

Didier (B.), *George Sand*, ADPF, 2004.

Galzy (J.), *George Sand*, Julliard, 1950 ; Cercle du Bibliophile, 1970.

Karénine (W.), *George Sand, sa vie, ses œuvres*, Plon-Nourrit, 1899-1912.

Mallet (Fr.), *George Sand*, Grasset, 1976.

Maurois (A.), *Lélia ou la Vie de George Sand*, Hachette, 1952 ; Le Livre de Poche, 2004.

Mozet (N.), *George Sand écrivain de romans*, Saint-Cyr-sur-Loire, C. Pirot, 1997.

Naginski (I.), *George Sand, l'écriture ou la vie*, traduit de l'américain par N. Dormoy et l'auteur, Champion, 1999.

Pailleron (M.-L.), *George Sand*, t. II, *Les Années glorieuses, 1835-1848*, Grasset, 1942.

Reid (M.), *L'Abécédaire de George Sand*, Flammarion, 1999.

Reid (M.), *Signer Sand, l'œuvre et le nom*, Belin, 2003.

Salomon (P.), *George Sand*, Hatier-Boivin, 1953.

Schaeffer (G.), *Espace et temps chez G. Sand*, Neuchâtel, La Baconnière, 1981.

Schor (N.), *George Sand and Idealism*, New York, Columbia University Press, 1993.

Szabo (A.), *Le Personnage sandien. Constantes et variations*, Debrecen, Kossuth Lajos Tudomanyegyetem, 1991.

Toesca (M.), *Le Plus Grand Amour de G. Sand*, A. Michel, 1965.

Revues consacrées à G. Sand.

Présence de George Sand, Meylan-Grenoble, Éd. de l'Aurore.

Bulletin de la Société des amis de George Sand, Paris.

George Sand Studies, États-Unis (Hofstra University).

Numéros de revues consacrés à G. Sand.

*Cahiers de l'association internationale des Études fran-
    çaises*, mai 1976.
Europe, juin-juillet 1954 et mai 1978.
Revue des sciences humaines, octobre-décembre 1954.
Revue d'histoire littéraire de la France, septembre-
    octobre 1978 et janvier-février 1979.

Ouvrages collectifs.

Hommage à G. Sand, par H. Bonnet, R. Bourgeois, V. Del
    Litto, B. Didier, PUF, 1969.
George Sand, Colloque Cerisy-la-Salle, 10/18, 1983.
George Sand. Recherches nouvelles, sous la dir. de F. Van
    Rossum-Guyon, Groningen, Institut de langues romanes,
    1983.
Écritures du romantisme, II, George Sand, « Manuscrits
    modernes », dir. B. Didier et J. Neefs, 1989 (avec un
    répertoire des manuscrits de George Sand par A. Her-
    scheberg-Pierrot et J. Suffel).
George Sand et son temps, hommage à A. Poli, textes
    réunis par E. Mosele, Cirvi-Slatkine, 3 vol., 1994.
George Sand et l'écriture du roman, textes réunis par
    J. Goldin, Montréal, Paragraphes, 1996.
Le Siècle de George Sand, textes réunis par D. Powell,
    Amsterdam, Atlanta, G. A., 1998.
George Sand : une correspondance, Éd. N. Mozet, Saint-
    Cyr-sur-Loire, C. Pirot, 1999.

Études concernant « Le Meunier d'Angibault ».

Bagier (V. Ch.), « *Le Meunier d'Angibault* de G. Sand en
    1844-1845 (avec deux inédits) », *R.R.*, février 1953.
Bonsirven-Fontana, *George Sand et le Berry romantique*,
    Monte-Carlo, Pastorelly, 1978.
Burine-Juge (H.), « La folie, la fête, le feu. Une lecture du

Meunier d'Angibault», *Présence de George Sand*, novembre 1979.

Caors (M.), *Le Berry de George Sand, géographie imaginaire*, Issoudun, chez l'auteur, 1989.

Courrier (J.), «Classes sociales et révolutions dans l'œuvre de G. Sand», *Présence de G. Sand*, n° 6, 1979.

Czyba (L.), «La femme et le prolétaire dans le *Compagnon du Tour de France*» George Sand, SEDES, 1983.

Derré, «*Le Meunier d'Angibault*, roman socialiste?», in *Littérature et politique dans l'Europe du XIXᵉ siècle*, Lyon, PUL, 1986.

Didier (B.), «George Sand écrivain réaliste?» in *George Sand et l'écriture du roman* (supra).

Dubuisson (P.), «Les parlers de la Vallée-Noire au temps de G. Sand et aujourd'hui», *Mélanges...*, R. Loriot, 1983.

Edelman (J.), «*Le Meunier d'Angibault* : symbolisme et poétique», *Recherches nouvelles* sous la direction de F. Van Rossum-Guyon, Groupe de recherches sur G. Sand de l'Université d'Amsterdam, CRIN, 6-7, Groningen.

Grimm (R.), «Les romans champêtres de G. Sand, l'échec du renouvellement d'un genre littéraire», *Romantisme*, 1977, n° 16.

Kujan (J.), *George Sand im Urteil des Press, 1831-1852*, Bamberg, Difo-Druck Schmadt, 1972.

Lacassagne (P.), *P. Leroux et G. Sand, Histoire d'une amitié*, Klincksieck, 1973.

Lubin (G.), *George Sand en Berry*, Hachette, 1967.

Lubin (G.) «La Vallée-Noire c'était moi-même», *Quinzaine littéraire*, 15-30 septembre 1976.

Poli (A.), «La notion de "peuple" chez G. Sand», *Présence de G. Sand*, n° 8, 1980.

Rossum-Guyon, van (Fr.), «Le manuscrit du *Meunier d'Angibault*», in *Écritures du romantisme, II* (supra).

Vernois (P.), *Le Roman rustique de G. Sand à Ramuz*, Nizet, 1962.

Vincent (L.), *La Langue et le Style rustiques de G. Sand dans les romans champêtres*, Champion, 1916.

Vincent (L.), *G. Sand et le Berry*, Champion, 1919.

Biographie

1804. — Naissance d'Aurore Dupin, la future George Sand. Son père, Maurice Dupin, est le fils de Marie-Aurore (fille naturelle de Maurice de Saxe) qui avait épousé Dupin de Francueil. Dupin de Francueil avait acquis le domaine de Nohant en 1793. La mère de G. Sand, Antoinette-Sophie-Victoire Delaborde, est d'origine plus populaire (famille d'oiseliers).

1808. — Maurice Dupin est aide de camp de Murat ; sa femme et sa fille le rejoignent en avril : c'est le premier contact, très précoce, de G. Sand et de l'Espagne.

Le 8 septembre, Maurice meurt, d'une chute de cheval. L'enfance de G. Sand va se trouver tiraillée entre sa mère et sa grand-mère paternelle. L'enfant vit surtout à Nohant où sa mère vient lui rendre visite. Louis Deschartres lui sert de précepteur.

1818-1820. — Aurore est pensionnaire au couvent des Augustines anglaises à Paris.

1820. — Retour à Nohant. Nombreuses lectures (Rousseau, Byron, Shakespeare, Chateaubriand).

1821. — Mort de la grand-mère de G. Sand.

1822. — Aurore quitte Nohant et va vivre à Paris avec sa mère. Conflits entre la mère et la fille. Aurore épouse le 17 septembre Casimir Dudevant, sous-lieutenant.

1823. — Naissance de Maurice Dudevant (Maurice Sand).

1825. — Voyage des Dudevant pour Cauterets, où Aurore fait la connaissance d'Aurélien de Sèze.

1827. — Liaison avec Stéphane Ajasson de Grandsagne qui est probablement le père de Solange.

1828. — Naissance de Solange Dudevant.

1829. — Aurore écrit *Le Voyage chez M. Blaise* (publié
en 1877).

1830. — Liaison avec Jules Sandeau, dont elle tirera son
nom.

1831. — Débuts littéraires : collaboration avec Latouche
au *Figaro. Rose et Blanche*, signé J. Sand (collaboration de la romancière et de Sandeau).

1832. — *Indiana*, par George Sand. Grand succès. *Valentine.* Traité avec Buloz pour une collaboration à la
Revue des Deux Mondes.

1833. — Rupture avec Sandeau. Amitiés pour Marie Dor-
val, Ch. Didier. *Lélia.*
12 décembre. Départ pour l'Italie avec Musset.

1834. — Venise (au Danieli). Tensions et rupture entre
G. Sand et Musset.
10 avril : Musset revient à Paris ; G. Sand s'est liée
avec Pagello. *Le Secrétaire intime. Jacques.*

1835. — Liaison avec Michel de Bourges. G. Sand fait
la connaissance de Liszt et de Lamennais, de Pierre
Leroux. *André. Leone Leoni.*

1836. — Séparation juridique entre les deux époux Dudevant. *Simon.* Voyage en Suisse avec les enfants ;
elle retrouve Liszt et Mme d'Agoult.

1837. — Nohant. *Mauprat. Les Maîtres mosaïstes.*

1838 — *La dernière Aldini. L'Uscoque.* Début de la liaison avec Chopin (juin). Commencement de la publication de *Spiridion* dans la *Revue des Deux Mondes*
(15 octobre).
15 décembre : départ pour Valldemosa où elle reste
jusqu'au 12 février.
Du 24 février au 3 mai : Marseille, puis Gênes,
retour à Marseille, et enfin à Nohant où elle arrive
le 2 juin.
15 avril : début de la publication dans *La Revue des
Deux Mondes* des *Sept cordes de la lyre.*
Le 15 septembre, dans la même revue, fragment de

la nouvelle *Lélia*. Parution en septembre de la nouvelle *Lélia* en volumes.

1840. — Janvier : *Les Sept cordes de la lyre. Le Compagnon du Tour de France.*

1841. — Publication dans la *Revue des Deux Mondes* de *Un hiver au midi de l'Europe, Majorque et les Majorcains. Horace* commence à paraître dans la *Revue indépendante.*

1842. — *Un hiver à Majorque.*

1er février : *Consuelo* commence à paraître dans la *Revue indépendante*. Séjours à Nohant de G. Sand et de Chopin.

En septembre : G. Sand et Chopin s'installent au square d'Orléans (deux appartements séparés et proches).

1842-1843. — *Consuelo.*

1843-1844. — *La Comtesse de Rudolstadt.*

1844. — G. Sand commence l'année à Paris où elle restera jusqu'au 29 mai.

Février : épilogue de *La Comtesse de Rudolstadt* dans la *Revue indépendante.*

25 avril : début de la parution de *Jeanne* dans *Le Constitutionnel.*

30 avril : contrat avec Véron pour un roman dont le nom n'est pas encore précisé.

29 mai : départ pour Nohant, avec Chopin.

24 juin : crue de l'Indre. Inondations.

Fin août : voyage dans les monts de la Marche avec Leroux, Chatiron et Solange.

Septembre-novembre : divers articles de G. Sand dans *L'Éclaireur* (dont *Lettre d'un paysan de la Vallée-Noire*).

12 décembre : G. Sand part pour Paris, où elle reste jusqu'au 6 juin 1845.

17 décembre : traité avec *La Réforme* pour la publication du *Meunier d'Angibault.*

1845. — 21 janvier - 19 mars : publication du *Meunier d'Angibault* dans *La Réforme*.

25 mars : début de la publication d'*Isidora* dans la *Revue indépendante*.

23 avril : le *Journal des Débats* annonce la publication en 2 volumes du *Meunier d'Angibault*.

24 avril 1845 : article dans la *Revue de Paris* sur *Le Meunier*.

12 juin : départ pour Nohant avec Chopin et Pauline Viardot.

13 juin : article dans *Le Populaire de 1841*.

16 juin : les ateliers de Pierre Leroux à Boussac reprennent la publication de *L'Éclaireur*.

31 août : article de J. Pelletan dans *La Presse*.

1846. — *La Mare au Diable*.

1847. — *La Petite Fadette, Lucrezia Floriani*.

1848. — *François le Champi*. La Révolution de 1848 déçoit G. Sand.

1849. — Mort de Chopin.

1854-1855. — *L'Histoire de ma vie*.

1860. — *Le Marquis de Villemer*.

1863. — *Mademoiselle de la Quintinie*.

Début de la correspondance de George Sand et de Flaubert.

1865. — Mort de Manceau, avec qui elle était liée depuis quinze ans.

1866-1871. — *Le Dernier Amour. Cadio. Césarine Dietrich. Francia*.

1874. — *Ma sœur Jeanne*.

1875-1876. — *Marianne Chevreuse. Flamarande. La Tour du Percemont*.

1876. — Mort de George Sand.

Table

LE MEUNIER D'ANGIBAULT

PREMIÈRE JOURNÉE

Table 511

CINQUIÈME JOURNÉE

Commentaires

Composition réalisée par INTERLIGNE

IMPRIMÉ EN ESPAGNE PAR LIBERDUPLEX
Barcelone
Dépôt légal éditeur : 42868-03/2004
Édition 02
LIBRAIRIE GÉNÉRALE FRANÇAISE - 43, quai de Grenelle - 75015 Paris.

ISBN : 2-253-03653-6   30/6047/2